KUILUN PARTAALLA

MICHAEL CONNELLY
KUILUN PARTAALLA

Suomentanut Kimmo Paukku

GUMMERUS

Toinen painos

Englanninkielinen alkuteos The Narrows
Copyright © 2004 by Hieronymus, Inc.
This edition published by arrangement with Little, Brown and Company (Inc.), New York, New York, USA through Sane Toregard agency. All rights reserved.

Lainaus Edgar Allan Poen runosta "Korppi"
Niilo Idmanin suomentama

ISBN 951-20-6747-1

Gummerus Kirjapaino Oy
Jyväskylä 2005

Omistettu Mary McEvoy Connelly Lavellelle,
joka piti kuusi meistä poissa kuilun partaalta.

He vain vaihtoivat yhden hirviön toiseen. Lohikäärmeen sijasta heillä on nyt käärme. Valtava kuilussa uinuva käärme, joka odottaa suotuisaa hetkeä, jolloin se voi taas aukaista kitansa ja nielaista uuden uhrin.

– JOHN KINSEY, kuiluun pudonneen pojan isä, *Los Angeles Times* 21.7.1956

En taida tietää kuin yhden asian. Yhden asian, josta voin olla täysin varma. Nimittäin sen, että totuus ei ole tie vapauteen. Ei ainakaan sillä tavalla kuin muut sitä hokevat tai olen itse sitä toistellut niinä lukemattomina kertoina, kun olen istunut ahtaissa kuulusteluhuoneissa ja selleissä ja kehottanut resuisia miehiä tunnustamaan syntinsä. Olen valehdellut heille ja puhunut perättömiä, sillä totuus ei johdata parannukseen eikä pelastukseen. Totuus ei salli kenenkään karistaa yltään valheiden ja salaisuuksien taakkaa eikä sydämen tuskaa. Totuus, jonka olen nyt ymmärtänyt, kahlitsee minut synkkään kammioon, alamaailmaan, jossa vainajien henget ja uhrit luikertelevat ympärilläni kuin käärmeet. Siellä totuutta ei kannata hämmästellä eikä ihastella. Se on paikka, jossa pahuus lymyää. Paikka, jossa pahuus hengittää vasten kasvoja, kunnes sen löyhkää on mahdotonta paeta. Mistään muusta en ole varma. Yhtään mistään muusta.

Tiesin jo silloin, kun otin tehtävän vastaan, että se veisi minut kuilun partaalle. Tiesin, että kutsumukseni johdattaisi minut paikkoihin, joissa pahuus väijyy, paikkoihin joissa totuus ei paljasta kuin irvokkaat ja hirvittävät kasvonsa. En kuitenkaan epäröinyt. Otin tehtävän vastaan, vaikka en ollut alkuunkaan valmis siihen hetkeen, jolloin pahuus lopulta ilmestyisi piilostaan, kahmaisisi minut kuin teuraan ja tempaisisi minut mukanaan sysimustaan veteen.

1

Hän oli valottomassa tilassa, kellui synkässä meressä, ja kattona kohosi pelkkä pimeä, tähdetön taivas. Hän ei kuullut eikä nähnyt mitään. Se oli täydellisen musta hetki, mutta sitten Rachel Walling avasi silmänsä ja uni katkesi.

Hän tuijotti kattoa. Hän kuunteli humisevaa tuulta ja ikkunaa vasten rapisevia atsalean oksia. Hän mietti, oliko hän herännyt oksien rapinaan vai johonkin toiseen ääneen. Oliko se tullut talon sisältä? Samassa hänen matkapuhelimensa pirahti soimaan. Rachel ei hätkähtänyt vaan ojensi kätensä tyynesti yöpöydälle, tarttui puhelimeen ja oli jo täysin hereillä vastatessaan. Hänen äänessään ei ollut merkkiäkään väsymyksestä.

"Walling."

"Rachel? Cherie Dei täällä."

Rachel tiesi heti, että puhelu ei koskenut tavanomaisia työasioita. Cherie Dei tarkoitti soittoa Quanticosta. Edel-

11

lisestä kerrasta oli kulunut neljä vuotta. Rachel oli odottanut tätä hetkeä.

"Missä olet, Rachel?"

"Kotona tietenkin. Missä luulit minun olevan?"

"Työmaasi on nykyään suuri kuin mikä. Ajattelin että voisit olla –"

"Olen Rapid Cityssä, Cherie. Mistä on kyse?"
Cherie Dei vastasi pitkän hiljaisuuden jälkeen.

"Hän on taas kuvioissa. Hän palasi takaisin."
Rachel tunsi näkymättömän nyrkin iskevän itseään rintaan, ja hänen hengityksensä salpautui. Mielen sopukoista putkahteli muistoja ja mielikuvia. Ikäviä muistoja. Rachel sulki silmänsä. Cherie Dein ei tarvinnut edes sanoa nimeä. Rachel tiesi, että Dei tarkoitti Backusia. Runoilija oli palannut. Aivan kuten he olivat ounastelleet. Kuin kehoa jäytävä voimakas tulehdus, joka on lientynyt vuosikausiksi, olisi puhkaissut ihon ja muistuttanut nyt iljettävyydestään.

"Jatka."

"Saimme lähetyksen Quanticoon kolme päivää sitten. Postipaketin. Siinä oli –"

"Sanoitko kolme päivää sitten? Panttasitte sitä kolme –"

"Emme me pantanneet mitään. Emme vain tahtoneet hosua turhan päiten. Se oli osoitettu sinulle. Käyttäytymistieteiden yksikköön. Postikeskus toi paketin meille, ja avasimme sen vasta läpivalaisun jälkeen. Meidän oli pakko toimia varovasti."

"Mitä siinä oli?"

"GPS-paikannin."

Global Positioning System. Satelliittipaikannusjärjestelmä, leveys- ja pituusasteiden koordinaatteja. Rachel oli tutustunut paikantimiin edellisvuonna tutkiessaan telttailijan sieppausta. Etelä-Dakotan Badlandsin kansallispuistossa kadonnut tyttö oli merkinnyt vaellusreittinsä

12

kannettavaan GPS-paikantimeen. Tutkijat olivat löytäneet laitteen tytön rinkasta ja saaneet sen avulla selville leiripaikan, jossa tyttö oli kohdannut miehen, joka oli lähtenyt seuraamaan häntä. He eivät onnistuneet pelastamaan tytön henkeä, mutta ilman paikanninta he eivät olisi koskaan edes löytäneet häntä.

"Mitä laitteella oli?"

Rachel nousi istumaan ja laski jalkapohjat lattialle. Hän pani toisen käden vatsalleen ja sulki sen kuin kuihtuneen kukan. Hän odotti, kunnes Cherie Dei jatkaisi. Hän muisti, kuinka kokematon Dei oli ollut, pelkkä erikoisryhmän tarkkailija ja aloittelija, Rachelin oppilas FBI:n koulutusohjelmassa. Kymmenessä vuodessa työ oli jättänyt häneen jälkensä ja se kuului myös hänen äänessään. Cherie Dei ei ollut enää kokematon eikä hän tarvinnut ohjaajaa.

"Paikantimen muistissa oli reittipisteen koordinaatit. Mojaven autiomaassa. Piste sijaitsee Kalifornian puolella mutta aivan Nevadan osavaltionrajan tuntumassa. Lensimme alueelle eilen ja paikansimme tarkan sijainnin. Käytimme lämpökameroita ja kaasuantureita. Myöhään eilen löysimme ensimmäisen ruumiin."

"Kenet?"

"Emme tiedä vielä. Ruumis ei ole tuore. Se on maannut siellä kauan. Aloitimme vasta hiljattain. Kaivutyö vie aikansa."

"Puhuit *ensimmäisestä* ruumiista. Kuinka monta niitä on kaikkiaan?"

"Kun viimeksi lähdin alueelta, olimme löytäneet neljä. Uskomme, että määrä kasvaa."

"Entä kuolinsyy?"

"Liian aikaista sanoa."

Rachel oli vaiti ja mietti Dein sanoja. Ensimmäiseksi hänen mieleensä juolahti kysymys, miksi Backus oli valinnut niin syrjäisen paikan ja tämän ajankohdan.

"Rachel, en soittanut sinulle vain kertoakseni, mitä on tapahtunut. Soitin, koska Runoilija on todellakin palannut ja haluamme, että osallistut tutkimukseen."

Rachel nyökkäili. Mikään ei pitäisi häntä poissa rikospaikalta.

"Cherie?"

"Mitä?"

"Miksi luulette, että juuri hän lähetti paketin?"

"Emme me luule. Me tiedämme. Saimme äsken tiedon, että paikantimesta löytynyt sormenjälki täsmää. Hän vaihtoi GPS:n paristot, ja me saimme peukalonjäljen. Se on Robert Backusin. Siitä ei ole epäilystäkään. Hän on palannut."

Rachel avasi nyrkkinsä hitaasti ja tutki kättään. Se oli vakaa kuin kivipatsaan. Levottomuus, joka oli hetkeä aiemmin vaivannut häntä, väistyi toisen tunteen tieltä. Hän voisi myöntää sen itselleen mutta ei kenellekään muulle. Hän tunsi, kuinka veri alkoi virrata suonissa nopeammin ja muuttui tummemmaksi, lähes mustaksi. Juuri tätä soittoa Rachel oli odottanut. Joka ainut yö hän oli nukkunut matkapuhelin korvansa juuressa. Vaikka päivystyssoitot kuuluivat hänen työhönsä, tämä oli ainoa puhelu, jota hän oli aidosti odottanut.

"Paikantimeen tallennetut reittipisteet voi nimetä", Dei sanoi katkaisten hiljaisuuden. "Siihen mahtuu korkeintaan kaksitoista merkkiä välilyönteineen. Hän antoi pisteelle nimen 'Terve Rachel'. Tasan kaksitoista merkkiä. Hän taitaa yhä pitää sinusta. Aivan kuin hän kutsuisi sinua, suunnittelisi jotain."

Rachelin muistin kätköistä nousi esiin kuva Backusista, joka lentää selkä edellä ikkunalasin läpi ja häviää alhaalla rinteessä odottavaan kolkkoon pimeyteen.

"Lähden saman tien", hän sanoi.

14

"Johdamme tutkimusta Las Vegasin paikallistoimistosta. Operaatio on helpompi pitää salassa sieltä käsin. Muista olla varovainen, Rachel. Emme tiedä, mitä hän aikoo tehdä. Varmaan ymmärrät mitä tarkoitan. Pidä varasi."

"Tietenkin. Kuten aina."

"Soita minulle, kun tiedät aikataulusi tarkemmin. Tulen kentälle vastaan."

"Tietenkin", hän toisti.

Rachel katkaisi puhelun. Hän kurotti käden yöpöydälle ja sytytti valon. Eriskummallinen uni palautui hetkeksi hänen mieleensä, mustan veden tyyni pinta ja yllä kaartuva taivas kuin kaksi toisiaan vasten kohdistettua mustaa peiliä. Ja hän niiden välissä kellumassa tyhjän päällä.

2

Graciela McCaleb odotteli autonsa vieressä, kun saavuin talolleni Los Angelesissa. Hän oli tullut ajoissa toisin kuin minä. Pysäköin hätäisesti autokatoksen alle ja nousin ulos tervehtimään häntä. Graciela ei vaikuttanut lainkaan närkästyneeltä. Hän tuntui suhtautuvan tyynesti myöhästymiseeni.

"Graciela, olen todella pahoillani. Juutuin aamuruuhkaan moottoritiellä."

"Ei se mitään. Odottelu oli oikeastaan mukavaa. Täällä on niin rauhallista."

Otin avaimeni esiin ja aukaisin etuoven. Kun työnsin ovea auki, se jäi jumiin lattialla lojuviin kirjeisiin. Ennen kuin sain oven kokonaan auki, jouduin kyykistymään ja kurottamaan sen taakse, jotta sain kiskaistua postit pois.

Noustuani ylös käännyin Gracielan puoleen ja näytin kädellä tietä. Hän käveli ohitseni ja astui eteiseen. En hymyillyt vaikka olin saanut mukavaa seuraa. Olin nähnyt

Gracielan viimeksi muistotilaisuudessa. Hän näytti voivan tänään vain hieman paremmin, sillä surun juonteet kareilivat yhä silmäkulmissa ja suupielissä.

Kun Graciela kulki ohitseni ahtaassa eteisaulassa, tunsin nenässäni makean appelsiinin tuoksun. Muistin sen muistotilaisuudesta, kun olin kaksin käsin puristanut hänen kämmenensä omiini, esittänyt surunvalittelut hänen menetyksensä johdosta ja tarjonnut apuani, jos hän sitä koskaan kaipaisi. Graciela oli silloin pukeutunut mustiin. Nyt hänen yllään oli kesäinen kukkamekko, joka sopi paljon paremmin hajuveden viehkeyteen. Näytin tietä olohuoneeseen ja pyysin häntä istumaan sohvalle. Kysyin haluaisiko hän juotavaa, vaikka tiesin, ettei minulta löytyisi kraanaveden lisäksi muuta tarjottavaa kuin ehkä pari olutta.

"Ei kiitos, herra Bosch. En halua mitään."

"Sano vain Harry. Ei minua kukaan herroittele."

Yritin hymyillä, mutta ele ei tepsinyt häneen. En tiedä, miksi edes kuvittelin sen toimivan. Graciela oli kokenut kovia jo aiemminkin. Olin käynyt katsomassa hänen ja hänen aviomiehensä elämästä kertovan *Verivelan* elokuvateatterissa. Ja nyt häntä oli kohdannut tragedioista pahin. Istahdin tuolille häntä vastapäätä ja jäin odottamaan. Hän selvitti kurkkuaan ennen kuin aloitti.

"Taidat ihmetellä, miksi halusin puhua kanssasi. En kertonut puhelimessa paljoakaan."

"Ei se mitään", minä sanoin. "Mutta herätit uteliaisuuteni. Onko jokin vialla? Voinko minä auttaa?"

Graciela nyökkäsi ja laski katseensa. Hän hypisteli mustin helmin kirjottua pientä käsilaukkua, joka lepäsi hänen sylissään. Se näytti hautajaisia varten ostetulta.

"Jokin on pahasti vialla, enkä tiedä keneltä pyytää apua. Tiedän, etten voi ottaa asiaa puheeksi poliisin kanssa. En ainakaan vielä. Terry kertoi minulle tarpeeksi viranomaisten toimintatavoista. He haluavat kuitenkin jututtaa minua. Luultavasti jo piakkoin. Mutta ennen sitä tarvitsen jonkun, johon voin luottaa. Jonkun joka auttaa minua. Voin maksaa."

Nojauduin eteenpäin kyynärpäät polvia vasten ja puristin kämmenet yhteen. Olin tavannut Gracielan yhden ainoan kerran – muistotilaisuudessa. Gracielan aviomies ja minä olimme olleet melko läheisiä ystäviä viime vuosia lukuun ottamatta, mutta nyt oli aivan liian myöhäistä. En ymmärtänyt, mitä hän tarkoitti puhuessaan luottamuksesta.

"Mitä Terry kertoi minusta? Mikä saa sinut luottamaan minuun? Valitsemaan minut? Me emme oikeastaan edes tunne toisiamme, Graciela."

Hän nyökytteli merkiksi siitä, että kysymykseni olivat oikeutettuja ja päätelmäni oikeita.

"Kun olimme menneet naimisiin, Terry kertoi minulle yhtenä iltana kaiken. Hän kertoi myös viimeisestä tutkimuksesta, jonka teitte yhdessä. Hän kertoi, mitä tapahtui ja kuinka pelastitte toistenne hengen veneellä. Uskon, että voin sen vuoksi luottaa sinuun."

Nyökkäsin hyväksyvästi.

"Terry mainitsi jotain, mikä jäi mieleeni", Graciela lisäsi. "Hän kertoi, ettei aina pitänyt sinusta eikä ollut aina edes samaa mieltä kanssasi. Arvelen, että hän tarkoitti työskentelytapojasi. Hän kuitenkin sanoi, että kaikista poliiseista ja agenteista, joiden kanssa hän oli työskennellyt ja jotka hän tunsi, hän valitsisi lopulta sinut työkaverikseen, jos vastaan tulisi kiperä murhatutkinta. Ehdottomasti juuri sinut. Hän sanoi haluavansa sinut, koska sinä et luovuttaisi."

Tunsin kuinka ohimojani kiristi. Aivan kuin sanat olisivat tulleet suoraan Terry McCalebin suusta. Esitin kysymyksen, vaikka tiesin, mitä Graciela sanoisi.

"Mitä haluat, että minä teen?"

"Haluan, että selvität miten hän kuoli."

3

Vaikka olin aavistanut, mitä Graciela haluaisi, pyyntö sai minut empimään. Terry McCaleb oli kuollut veneellään kuukausi sitten. Olin lukenut tapauksesta *Las Vegas Sunista*. Juttu päätyi lehtiin Terrystä tehdyn elokuvan ansiosta. FBI-agentille tehtiin sydämensiirto ja hän nappasi rikollisen, joka oli murhannut elimen luovuttajan. Tarina oli kuin tehty Hollywoodia varten. Pääroolissa Terryä esitti Clint Eastwood, vaikka hän olikin parikymmentä vuotta Terryä vanhempi. Elokuva menestyi melko kehnosti, mutta Terry sai mainetta, joka takasi hänelle muistokirjoituksen sanomalehdissä kautta maan. Kun tulin yhtenä aamuna Las Vegasin pääkadun lähistöllä sijaitsevaan asuntooni, noukin uunituoreen *Sunin* kynnykseltäni ja näin Terryn kuolemasta kertovan lyhyen jutun A-osan loppupuolelta.

Lävitseni kulki voimakas puistatus lukiessani muistokirjoitusta. Olin yllättynyt mutta en sen ihmeemmin. Terry oli aina vaikuttanut mieheltä, jonka päivät olivat luetut. Sanomalehtikirjoitukset tai Catalinan saarella järjestetyssä muistotilaisuudessa kuulemani tarinat eivät kuitenkaan antaneet mitään aihetta epäilyksille. Terryn sydän – hänen uusi sydämensä – oli yksinkertaisesti pettänyt. Hän oli saanut kuusi hyvää elinvuotta, enemmän kuin sydämensiirtopotilaat keskimäärin, mutta sitten sydän oli altistunut samoille vaivoille, jotka olivat tehneet lopun edellisestäkin.

"En ymmärrä", kerroin Gracielalle. "Terry oli veneellään, kalaretkellä, ja sitten hän vain tuupertui. Senhän piti johtua hänen sydämestään."

"Se johtui hänen sydämestään", Graciela vahvisti. "Mutta jotain uutta on ilmennyt. Haluan, että otat siitä selvää. Tiedän, että olet jäänyt eläkkeelle, mutta Terry ja minä näimme uutisista, mitä täällä tapahtui viime vuonna."

Graciela katseli ympäri huonetta ja heilautti kättään. Hän tarkoitti talossani vuotta aiemmin sattuneita tapahtumia. Ensimmäinen yksityinen tutkimus, johon olin ryhtynyt jäätyäni eläkkeelle, oli päättynyt surkeasti ja johtanut verilöylyyn.

"Tiedän, ettet ole jättänyt menneisyyttäsi taaksesi", Graciela totesi. "Olet samanlainen kuin Terry. Hänkään ei pystynyt unohtamaan. Jotkut teistä ovat sellaisia. Kun näimme uutisista, mitä täällä oli sattunut, Terry kertoi haluavansa sinut, jos joutuisi valitsemaan jonkun. Luulen, että hän tietoisesti kehotti minua etsimään sinut käsiini, jos hänelle sattuisi jotain."

Nyökkäsin taas ja katsoin lattiaa.

"Kerro mitä uutta on ilmennyt, niin minä kerron mitä voin tehdä."

"Te tunsitte yhteenkuuluvuutta, eikö vain?"

Nyökkäsin jälleen.

"Jatka."

Graciela selvitti kurkkuaan. Hän siirtyi sohvan reunalle ja aloitti tarinansa.

"Olen ammatiltani sairaanhoitaja. En tiedä näitkö sitä elokuvaa, mutta siinä minusta tehtiin tarjoilija. Se ei pidä paikkaansa. Olen sairaanhoitaja ja hyvä työssäni. Tiedän sairaaloista, lääketieteestä, kaikesta siitä."

Nyökkäsin ymmärtäväni enkä keskeyttänyt häntä.

"Kuolinsyyntutkija suoritti ruumiinavauksen. Kuolemassa ei ollut mitään poikkeavaa, mutta ruumiinavaus tehtiin Terryn sydänlääkärin, tohtori Hansenin, pyynnöstä. Hän halusi tietää, löytyisikö kuolemalle selitystä."

"Ymmärrän. Mitä he löysivät?"

"Eivät mitään. Ei mitään rikokseen viittaavaa. Sydän vain lakkasi toimimasta... ja hän kuoli. Sitä tapahtuu. Ruumiinavaus osoitti, että sydänlihaksen seinämät olivat ohentuneet ja kaventuneet. Sitä sanotaan kardiomyopatiaksi eli sydänlihassairaudeksi. Terryn elimistö hylki sydäntä. Häneltä otettiin tavanomaiset verinäytteet ja siihen se jäi. Hänet luovutettiin minulle avauksen jälkeen. Hänen ruumiinsa siis. Terry ei halunnut tulla haudatuksi – hän oli puhunut siitä usein. Griffinin ja Reevesin hautaustoimisto tuhkasi hänet, ja muistotilaisuuden jälkeen Buddy vei lapset ja minut veneelle ja toteutimme Terryn pyynnön. Sirottelimme tuhkan mereen. Teimme sen kaikessa hiljaisuudessa. Se oli kaunis hetki."

"Kuka Buddy on?"

"Ai, hän veti kalareissuja Terryn kanssa. Liikekumppani."

"Totta. Muistankin nyt."

Nyökyttelin päätäni sulatellessani Gracielan kertomusta ja koetin keksiä, minkä vuoksi hän oli tullut tapaamaan minua.

21

"Entä ruumiinavauksen yhteydessä otettu verinäyte?" minä kysyin. "Mitä siitä löytyi?"

Graciela pudisti päätään.

"Kyse on siitä, mitä he eivät löytäneet."

"Anteeksi?"

"Sinun täytyy muistaa, että Terry söi valtavasti lääkkeitä. Joka ikinen päivä hän otti kymmeniä pillereitä, tabletteja, nesteitä, vaikka mitä. Lääkkeet pitivät hänet hengissä – tai siis viimeiseen hetkeen saakka. Verinäytteen tiedot eivät mahtuneet edes yhdelle sivulle."

"Lähettivätkö he tiedot sinulle?"

"Ei, vaan tohtori Hansenille. Hän kertoi minulle myöhemmin. Hän soitti, koska tuloksista uupui jotain, mitä niissä olisi pitänyt näkyä. Nimittäin CellCept ja Prograf. Niitä ei ollut Terryn veressä, kun hän kuoli."

"Ja nekö ovat tärkeitä?"

Graciela nyökkäsi myöntävästi.

"Ehdottomasti. Terry söi seitsemän kapselia Prografia päivittäin. Ja CellCeptia kahdesti päivässä. Ne olivat hänen tärkeimmät lääkkeensä. Ne estivät hylkimisreaktiot."

"Ja ilman niitä hän olisi kuollut?"

"Siihen olisi mennyt korkeintaan kolme tai neljä päivää. Sydämen vajaatoiminta voi tappaa nopeasti. Ja lopulta niin kävikin."

"Miksi Terry lopetti lääkkeiden käytön?"

"Ei hän lopettanut, ja juuri siksi tarvitsen apuasi. Joku peukaloi hänen lääkkeitään ja tappoi hänet."

Sulloin Gracielan kertomat uudet tiedot pääkoppaani.

"Aivan ensimmäiseksi minun on kysyttävä, miten voit tietää, että Terry otti lääkkeensä?"

"Koska minä, Buddy ja jopa viimeisen kalareissun asiakas näimme, että Terry otti lääkkeensä. Kysyin sitä heiltä. Harry, minähän sanoin jo. Olen sairaanhoitaja ja olisin huomannut, jos Terry ei olisi syönyt niitä."

"Eli väität, että hän otti lääkkeensä mutta ne eivät olleet oikeita. Että joku oli peukaloinut niitä. Miksi luulet niin?"

Gracielan ruumiinkieli paljasti, että hän alkoi turhautua. En ymmärtänyt asiayhteyksiä niin kuin hän halusi.

"Minä palaan hetkeksi taaksepäin", Graciela huokaisi. "Viikko hautajaisten jälkeen, ennen kuin tiesin mitään, koetin palata normaaliin päiväjärjestykseen ja tyhjensin kaapin, jossa Terry säilytti lääkevuortaan. Katsohan, sydänlääkkeet ovat hirvittävän kalliita. En halunnut haaskata niitä. Monilla potilailla on hädin tuskin varaa niihin. Hyvä että meilläkään oli. Terryn oma sairausvakuutus oli umpeutunut, ja me tarvitsimme sekä osavaltion että liittovaltion sairausvakuutuksia lääkkeiden ostoon."

"Joten sinä päätit lahjoittaa lääkkeet?"

"Juuri niin. Se on tavanomaista elimensiirtotapauksissa. Kun potilas..."

Graciela tuijotti käsiään.

"Ymmärrän", minä sanoin. "Loput lääkkeet palautetaan."

"Jotta muita voidaan auttaa. Ne maksavat hirvittävästi. Terryllä oli jäljellä ainakin yhdeksän viikon annos. Se on jollekulle tuhansien dollarien arvoinen."

"Aivan."

"Minä päätin käydä sairaalassa ja otin lautan mantereelle. Kaikki olivat kiitollisia, ja luulin sen jäävän siihen. Minulla on kaksi lasta. Minun täytyy jatkaa elämääni, tuntuu se sitten kuinka vaikealta tahansa. Lasten takia."

Ajattelin heidän tytärtään. En ollut koskaan nähnyt häntä mutta kuullut hänestä kylläkin. Terry oli maininnut tytön nimen ja kertonut minulle, miksi oli antanut juuri sen. Mietin, oliko Graciela kuullut saman tarinan.

"Kerroitko epäilyistäsi Hansenille?" minä kysyin. "Jos joku vaihtoi Terryn lääkkeet, sinun pitää varoittaa –"

23

Graciela pudisti päätään.

"Heillä on tarkat menettelytavat. Kaikki lääkkeet tutkitaan. Jokainen lääkepurkin sinetti, parasta ennen -päivämäärä, reseptinumerot, kaikki tarkistetaan, kun lääkkeitä palautetaan. Mitään poikkeavaa ei ilmennyt. Mitään ei ollut peukaloitu. Ei ainakaan niitä lääkkeitä, jotka minä lahjoitin pois."

"Mutta?"

Graciela nojautui lähemmäksi sohvan reunaa. Nyt päästäisiin asian ytimeen.

"Veneelle jääneet lääkkeet. En lahjoittanut avattuja lääkepakkauksia, koska niitä ei oteta vastaan. Se on vakiintunut menettelytapa kaikissa sairaaloissa."

"Ja huomasit, että lääkkeitä oli peukaloitu."

"Pakkauksissa oli yhden päivän Prograf-annos ja CellCeptiä kahdelle päivälle. Sujautin lääkkeet pieneen muovipussiin ja vein ne Avalonin klinikalle, jossa olen aiemmin työskennellyt. Keksin tarinan, jonka mukaan ystäväni oli löytänyt lääkkeet poikansa taskusta pestessään pyykkiä. Hän halusi muka tietää, mitä pillereitä poika napsi. Lääkkeet testattiin, ja jokainen kapseli – joka ikinen – oli lumetta. Kapseleissa oli valkoista pulveria. Tarkemmin sanottuna hainrustojauhetta. Sitä myydään luontaistuotekaupoissa ja Internetissä. Sen pitäisi olla mukamas jotain homeopaattista syöpälääkettä. Sulaa helposti eikä ärsytä vatsaa. Terry ei olisi huomannut maussa mitään eroa. Hän ei olisi voinut erottaa kapseleita toisistaan."

Graciela poimi käsilaukustaan kaksinkerroin taitellun kirjekuoren ja ojensi sen minulle. Kirjekuori sisälsi kaksi kapselia. Ne olivat valkoisia, mutta niissä oli pienenpientä vaaleanpunaista kirjoitusta.

"Ovatko nämä Terryn viimeisestä annoksesta?"

"Ovat. Säästin nuo kaksi ja annoin neljä ystävälleni klinikalla."

Avasin toisen kapseleista varovasti kirjekuoren päälle. Se aukesi helposti eikä kumpikaan kuoriosa vaurioitunut. Kapselin sisältämä valkoinen jauhe varisi kirjekuorelle. Tajusin heti, että kapselit olisi helppo tyhjentää ja vaihtaa niiden sisältö tehottomaan jauheeseen.

"Sinä siis uskot, että Terry otti viimeisellä kalareissulla lääkkeitä, joiden avulla hän uskoi pysyvänsä hengissä, mutta joilla ei oikeasti ollut mitään vaikutusta. Että lääkkeet itse asiassa tappoivat hänet."

"Juuri niin."

"Mistä Terry sai ne?"

"Sairaalan apteekista, mutta ne on voitu vaihtaa missä tahansa."

Graciela vaikeni ja antoi minun tehdä omat johtopäätökseni.

"Mitä tohtori Hansen aikoo tehdä?" minä kysyin.

"Hän sanoi, ettei hänelle jää vaihtoehtoja. Jos lääkkeitä peukaloitiin sairaalassa, hänen on saatava tietää. Muutkin potilaat voivat olla vaarassa."

"Se on kuitenkin epätodennäköistä. Sanoit, että kahta eri lääkettä oli peukaloitu, eli se tapahtui luultavasti sairaalan ulkopuolella. Lääkkeet on varmaan vaihdettu vasta, kun ne ovat päätyneet Terryn käsiin."

"Tiedän. Hansen sanoi samaa. Hän aikoo kertoa viranomaisille. Hänen on pakko. En kuitenkaan tiedä, kenelle hän kertoo ja mitä he aikovat tehdä. Sairaala on Los Angelesissa, mutta Terry kuoli veneellään 25 mailin päässä San Diegosta. En tiedä kenen vastuulla –"

"Tapaus menee ensin luultavasti rannikkovartiostolle, mutta sitten tutkinta siirtyy FBI:n hoidettavaksi. Jossain vaiheessa ainakin. Siinä voi kestää kuitenkin monta päivää. Voit nopeuttaa tutkimusta, jos soitat heti FBI:hin. En oikein ymmärrä, miksi tulit minun juttusille heidän sijaan."

"En voi. En ainakaan vielä."

"Miksi et? Tietenkin voit. Sinun ei olisi tarvinnut tulla minun luokseni. Kerro FBI:lle. Kerro Terryn työtovereille. He ryhtyvät tutkimaan tapausta siltä seisomalta, Graciela. Olen varma siitä."

Graciela nousi sohvalta, käveli terassin liukuovelle ja katsoi solan poikki. Kaupungin yllä leijuva savusumu näytti tänään niin paksulta, että se voisi leimahtaa liekkeihin hetkenä minä hyvänsä.

"Olit etsivä, Harry. Mieti vähän. Joku tappoi Terryn. Lääkkeiden peukalointi ei ollut sattumanvaraista – on kyse kahdesta eri lääkkeestä kahdessa eri lääkepakkauksessa. Se oli tarkoituksellista. Seuraava kysymys kuuluu, kuka voisi helpoiten vaihtaa ne. Kenellä on motiivi? He kuulustelisivat ensimmäiseksi minua eivätkä ehkä vaivautuisi enää sen jälkeen etsimään oikeaa syyllistä. Minulla on kaksi lasta. En voi ottaa niin isoa riskiä."

Graciela kääntyi ja katsoi minua tiukasti.

"Minä en tappanut Terryä."

"Mitä tarkoitit, kun puhuit motiivista?"

"Rahaa nyt ainakin. Terryllä oli henkivakuutus FBI:n ajoilta."

"Ainakin? Mitä muuta?"

Graciela käänsi katseensa kohti lattiaa.

"Rakastin miestäni, mutta meillä oli ongelmia. Terry yöpyi veneellä viimeiset viikot. Siksi hän varmaan suostui tekemään niin pitkän reissunkin. Yleensä hän veti vain päivämatkoja."

"Millaisista ongelmista on kyse, Graciela? Jos otan tehtävän vastaan, minun on pakko tietää."

Hän kohautti olkapäitään kuin ei tietäisi vastausta, mutta kertoi silti kaiken.

"Asuimme Catalinalla, enkä minä enää viihtynyt saarella. Ei se ollut mikään salaisuus. Halusin palata mante-

26

reelle. Ongelmana oli se, että Terry pelkäsi entisen työnsä vuoksi, että lapsille tapahtuisi jotain pahaa. Hän pelkäsi koko maailmaa. Hän halusi suojella heitä kaiken aikaa. Minä en halunnut. Tahdoin, että lapset näkisivät maailmaa eivätkä kasvaisi tynnyrissä."

"Oliko teillä muita erimielisyyksiä?"

"Vaikka mitä. En pitänyt siitä, että hän jatkoi ikivanhojen rikosten penkomista."

Nousin ja kävelin Gracielan viereen. Avasin terassille johtavan liukuoven tuulettaakseni asuntoa. Tajusin, että minun olisi pitänyt tehdä se heti tultuamme sisään. Talo oli tunkkainen. Olin ollut poissa kaksi viikkoa.

"Mitä rikoksia tarkoitat?"

"Te olette kumpikin samanlaisia. Ratkaisemattomat tapaukset jäävät vaivaamaan teitä. Terryllä oli veneellä laatikkokaupalla tavaraa."

Olin käynyt veneellä kauan sitten. Terryllä oli veneen keulassa hytti, jonka hän oli muuttanut työhuoneeksi. Muistan nähneeni ylävuoteella useita laatikoita, jotka olivat täynnä tutkintakansioita.

"Hän yritti salailla sitä pitkään, mutta salailu päättyi, kun sain tietää asiasta. Viimeisten kuukausien aikana hän kävi usein mantereella aina kun kalareissuilta jäi aikaa. Riitelimme monesti, mutta Terry sanoi, ettei voisi jättää tapauksia kesken."

"Oliko kyse yhdestä vai useammasta tutkimuksesta?"

"En tiedä. Terry ei koskaan kertonut, mitä hän teki, enkä minä vaivautunut kysymään. Halusin vain, että hän lopettaisi. Halusin, että hän viettäisi aikaa lapsien kanssa. Eikä niiden toisten."

"Toisten?"

"Niiden joiden kanssa hän niin hyvin viihtyi. Hän oli kiinnostunut tappajista ja heidän uhreistaan. Uhrien perheistä. Hän jäi koukkuun. Luulen, että toisinaan he merkitsivät hänelle enemmän kuin me."

Graciela tuijotti solan toiselle puolelle puhuessaan. Avonainen ovi päästi liikenteen äänet taloon. Solan pohjalla kiemurtelevalta moottoritieltä kantautui melua kuin etäisiä suosionosoituksia areenalta, jonka ohjelma ei koskaan tauonnut. Avasin oven kokonaan ja astuin terassille. Katsoin alas rinteen pensaikkoon ja mieleeni tuli taistelu elämästä ja kuolemasta, jonka olin käynyt siellä vuotta aiemmin. Olin selvinnyt hengissä ja saanut tietää, että minulla on lapsi, kuten Terrylläkin. Tapahtumaa seuranneiden kuukausien aikana olin oppinut näkemään tyttäreni silmissä sen, mitä Terry oli omien sanojensa mukaan jo löytänyt oman tyttönsä silmistä. Osasin etsiä sitä, koska Terry oli kertonut minulle. Olin velkaa hänelle siitä hyvästä.

Graciela astui terassille taakseni.

"Autatko sinä minua? Uskon, mitä Terry sanoi sinusta. Uskon, että voit auttaa meitä molempia."

Ajattelin, että voisin auttaa samalla myös itseäni, mutta en sanonut sitä ääneen. Katsoin sen sijaan moottoritielle ja näin auringonsäteiden kimpoilevan solan läpi ajavien autojen tuulilaseista. Aivan kuin tuhannet hopeanhohtoiset silmät olisivat tarkkailleet minua.

"Toki", minä sanoin. "Teen mitä pyydät."

4

Ensimmäinen tapaamiseni oli San Pedrossa Cabrillo Marinan venesatamassa. Pidin seudusta kovasti mutta kävin siellä harvoin. En oikein tiedä miksi. Se oli vain yksi niistä monista asioista, jotka pääsevät unohtumaan, kunnes taas muistaa, miksi niistä ylipäänsä pitää. Olin 16-vuotias karkulainen, kun päädyin San Pedroon ensimmäistä kertaa elämässäni. Kulutin päiväni sataman tatuointiluolissa ja laitureilla ja katselin tonnikala-alusten saapumista maihin. Nukuin yöt lukitsemattomassa *Rosebud*-hinaajassa, kunnes satamamestari löysi minut ja sain lähtöpassit takaisin sijaiskotiin. Tuliaisina minulla oli rystyseni poikki kulkeva merimiesten tatuointi *Hold Fast*.

Muistoni olivat vanhempia kuin Cabrillo Marina. Se ei ollut enää sama satama-alue, jossa olin viettänyt aikaa vuosikymmeniä sitten. Cabrillo Marina oli nykyään huvivenesatama, jonka suljettujen porttien takana taivaalle kohosivat satojen purjeveneiden mastot kuin palaneet puunlatvat metsäpalon jälkeen. Purjeveneiden lisäksi satama-altaassa kellui rivikaupalla ankkuroituja moottorijahteja, joiden hinta nousi monissa tapauksissa useisiin miljooniin. Mutta ei kaikissa tapauksissa. Buddy Lockridgen purjevene oli kaikkea muuta kuin kelluva huvila. Graciela oli kertonut, että Lockridge oli ollut Terryn liikekumppani ja paras ystävä viimeisinä vuosina. Hän asui 32 jalan pituisessa purkissa, jonka kannelle hän oli nähtävästi varastoinut 60 jalan aluksen koko sisällön. Vene olisi joutanut suoraan kaatopaikalle, ei siksi että se oli erityisen huonossa kunnossa, vaan siksi että siitä ei välitetty. Jos Lockridge asuisi omakotitalossa, pihalla lojuisi romuautoja ja huoneet olisivat täynnä vanhoja sanomalehtinivaskoja.

Lockridge oli painanut porttisummeria ja päästänyt minut laiturille, ja nyt hän nousi kannen alta yllään shortsit, sandaalit ja T-paita, jota oli pesty niin usein, että rinnan poikki kulkevaa tekstiä ei pystynyt enää lukemaan. Graciela oli soittanut hänelle etukäteen. Lockridge tiesi, että haluaisin puhua hänen kanssaan, mutta hän ei tiennyt keskustelumme perimmäistä syytä.

"No", Lockridge tokaisi astuessaan laiturille. "Graciela sanoi, että tutkit Terryn kuolemaa. Liittyykö tämä johonkin vakuutusjuttuun?"

"Niinkin voisi sanoa."

"Oletko siis yksityisetsivä?"

"Kyllä. Jotain sen suuntaista."

Lockridge halusi varmistua henkilöllisyydestäni, joten vilautin hänelle lompakossani olevaa laminoitua kopiota toimiluvastani, joka oli lähetetty minulle osavaltion pääkaupungista Sacramentosta. Lockridgen otsa rypistyi oudoksuvasti kun hän näki virallisen etunimeni.

"Heh, Hieronymus Bosch. Sama nimi kuin sillä sekopäisellä taidemaalarilla."

Oli harvinaista, että nimeni tunnistettiin. Se kertoi jotakin Buddy Lockridgesta.

"Hullu ehkä toisten mielestä. Toiset taas uskoivat, että hän osasi ennustaa tulevaisuuden."

Toimiluvan näkeminen tuntui rauhoittavan Lockridgea ja hän kertoi, että voisimme puhua veneellä tai kävellä satamapuotiin juomaan kahvit. Halusin vilkaista Lockridgen venettä ja kotia tarkemmin – kuten minun tutkijana pitäisikin – mutta en halunnut vaikuttaa heti aluksi liian tungettelevalta, joten vastasin, että kahvi kyllä maistuisi.

Kävelymatka puotiin kesti viitisen minuuttia. Kun kävelimme laituria pitkin, jutustelimme niitänäitä ja jouduin kuuntelemaan Lockridgen vuodatusta siitä, kuinka väärä kuva hänestä oli annettu elokuvassa, joka oli saanut innoituksensa Terryn sydämensiirrosta ja leikkausta seuranneesta elimenluovuttajan murhaajan etsinnästä.

"He kuitenkin maksoivat sinulle, eikö vain?" minä kysyin, kun hän oli lopettanut.

"Maksoivat, mutta ei se ole se juttu."

"Juuri se on se juttu. Nauti rahoistasi ja unohda muu. Se oli pelkkä leffa."

Satamapuodin edessä oli muutama pöytä ja penkki, ja päätimme juoda kahvit ulkosalla. Lockridge alkoi kuulustella minua ennen kuin ehdin esittää hänelle ensimmäistäkään kysymystä. Päätin antaa hänelle periksi. Hän oli mielestäni tärkeä osa tutkimusta, sillä hän tunsi Terryn hyvin ja oli toinen kuoleman silminnäkijöistä. Halusin hänen tuntevan olonsa mukavaksi, joten annoin hänen jatkaa.

"Millainen ansioluettelo sinulla on?" Lockridge kysyi. "Oletko entinen poliisi?"

"Olin poliisi lähes kolmekymmentä vuotta. LAPD:ssä. Puolet ajasta henkirikosyksikössä."

"Tutkit siis murhia. Tunsitko Terrorin?"

"Mitä?"

"Tarkoitan Terryä. Sanoin häntä Terroriksi."

"Miksi?"

"En minä tiedä, sanoinpahan vain. Annan kaikille lempinimen. Terry oli nähnyt maailman kauhut omin silmin, tiedäthän. Sanoin häntä sen vuoksi Terroriksi."

"Entä minä? Minkä nimen aiot antaa minulle?"

"Sinä olet..."

Lockridge katsoi minua kuin kuvanveistäjä, joka tutkiskelee graniitin lohkaretta ennen talttaan tarttumista.

"Sinä saat olla Matkalaukku-Harry."

"Miksi?"

"Koska olet nukkavieru ja koko maallinen omaisuutesi mahtuu yhteen matkalaukkuun."

Nyökkäsin hyväksyvästi.

"Osuva arvio."

"Sinä siis tunsit Terryn?"

"Kyllä, tunsinhan minä. Tutkimme yhdessä paria juttua silloin, kun hän oli vielä FBI:ssä. Sitten vielä yhtä, kun hän oli saanut uuden sydämen."

Lockridge napsautti sormiaan ja osoitti minua.

"Nyt muistankin. Sinä olet se kyttä. Olit Terryn veneellä sinä yönä, kun ne kaksi heppua tulivat listimään hänet. Pelastit Terryn hengen ja heti sen perään hän pelasti sinun henkesi."

Nyökkäsin.

"Niin siinä taisi käydä. Voinko minä nyt kysyä sinulta jotain, Buddy?"

Hän levitti kätensä sen merkiksi, että kysy pois, minulla ei ole mitään salattavaa.

"Tietenkin, anna palaa. Lopetan löpinät ennen kuin kieli kuivuu suuhun."

Otin muistikirjani esiin ja laskin sen pöydälle.

"Hyvä. Aloitetaan viimeisestä kalareissusta. Kerro siitä."

"Mitä haluat tietää?"

"Kaiken."

Lockridge huokaisi syvään.

"Aika paljon pyydetty", hän huomautti.

Hän alkoi kuitenkin kertoa, mitä viimeisellä reissulla oli tapahtunut. Kaikki mitä hän sanoi aluksi vastasi niitä tiedonmurusia, joita olin lukenut lasvegasilaisista sanomalehdistä ja kuullut Terryn muistotilaisuudessa. McCaleb ja Lockridge olivat olleet kolme yötä ja neljä päivää kestävällä kalareissulla, jonka aikana he veivät asiakkaansa Baja Kalifornian vesille pyydystämään marliineja. Neljäntenä päivänä, kun he olivat paluumatkalla Catalinan Avalon Harboriin, McCaleb tuupertui ruoriin veneen yläkannella. He olivat 22 mailin päässä rannikosta, puolivälissä Los Angelesia ja San Diegoa. Avunpyyntö lähetettiin radiopuhelimella rannikkovartiostolle, joka laittoi matkaan pelastushelikopterin. McCaleb lennätettiin sairaalaan Long Beachiin. Siellä hänet julistettiin heti kuolleeksi.

Kun Lockridge oli lopettanut, nyökkäilin kuin tarina olisi kaikilta osin vastannut aiempaa käsitystäni tapahtumista.

"Näitkö, kun Terry menetti tajuntansa?"

"En oikeastaan. Mutta tunsin sen."

"Mitä tarkoitat?"

"Terry oli yläkannella ruorissa. Minä olin asiakkaan kanssa istuinkaukalossa. Suuntasimme pohjoiseen, kohti kotia. Asiakas oli saanut jo tarpeekseen kalastuksesta, emmekä edes vetäneet siimaa. Terryllä oli kaasu pohjassa, vauhtia varmaan 25 solmua. Minä ja Otto – se asiakas – otettiin rennosti, ja yhtäkkiä vene kääntyi 90 astetta länteen takaisin merelle päin. Se vaikutti oudolta, joten minä nousin portaat ylös ja kurkistin yläkannelle. Terry oli ro-

33

jahtanut ruoria vasten. Taju kankaalla. Menin hänen luokseen ja näin, että hän oli elossa mutta ihan pihalla."

"Mitä teit sitten?"

"Olen toiminut hengenpelastajana Venice Beachilla. Ja osaan elvyttää vieläkin. Käskin Oton ylös ja yritin elvyttää Terryä. Sillä välin Otto tarttui ruoriin ja hälytti rannikkovartioston. En saanut Terryä tokenemaan, mutta puhalsin häneen ilmaa, kunnes helikopteri saapui. Niillä kesti pirun kauan."

Tein merkinnän muistikirjaani. En siksi, että Lockridge olisi sanonut mitään tärkeää, vaan siksi että halusin hänen uskovan, että otin hänet vakavasti ja pidin tärkeänä sitä mitä hän piti tärkeänä.

"Kauanko helikopterin tulo kesti?"

"Kaksikymmentä, ehkä kaksikymmentäviisi minuuttia. En ole ihan varma, mutta se tuntui ikuisuudelta, kun yritin pitää kaverini hengissä."

"Niinpä. Kaikki ovat kertoneet, että teit parhaasi. Terry ei kuitenkaan sanonut mitään koko aikana. Hän vain oli tajuton."

"Juuri niin."

"Muistatko, mitä hän sanoi viimeiseksi?"

Lockridge alkoi pureskella peukalonkynttä kaivellessaan muistinsa perukoita.

"Hyvä kysymys. Se taisi olla silloin, kun Terry tuli kaiteelle ja huikkasi alas, että olisimme kotona ennen auringonlaskua."

"Kuinka kauan ennen hänen kohtaustaan se tapahtui?"

"Puolisen tuntia, ehkä vähän enemmän."

"Oliko Terry silloin kunnossa?"

"Tietenkin, ei Terrorissa ollut mitään vikaa. Kukaan ei olisi voinut arvata, mitä hänelle tapahtuisi."

"Olitte veneellä jo neljättä päivää?"

"Niin. Ja siellä oli tosi ahdasta. Annettiin asiakkaalle suurin hytti. Minä ja Terry punkattiin keulassa."

"Näitkö, että Terry söi lääkkeensä joka päivä? Kaikki ne tabletit, jotka hänen oli määrä ottaa."

Lockridge nyökkäili suurieleisesti.

"Joo, Terry popsi pillereitä jatkuvasti. Joka ikinen aamu ja ilta. Me teimme yhdessä monta reissua. Se muistutti jotain rituaalia – Terry oli kellontarkka. Hän ei koskaan jättänyt lääkkeitään väliin. Eikä jättänyt silläkään kertaa."

Tein muutamia lisämerkintöjä ja pysyin hiljaa, jotta Lockridge saisi houkutuksen jatkaa. Hän ei kuitenkaan sanonut enää mitään.

"Sanoiko Terry, että lääkkeet maistuivat jotenkin omituiselta tai että hän tunsi olonsa erilaiseksi kuin yleensä lääkkeiden ottamisen jälkeen?"

"Siitäkö tässä onkin kyse? Väitätkö, että Terry otti vääriä lääkkeitä, ettei vakuutusyhtiön tarvitse maksaa? Jos olisin tiennyt, olisin pysynyt mieluummin hiljaa."

Lockridge meinasi nousta penkiltä. Ojensin käteni ja pidättelin häntä.

"Istu alas, Buddy. Ei sinne päinkään. En työskentele vakuutusyhtiön palveluksessa."

Hän istahti jälleen alas ja katsoi synkästi sitä kohtaa käsivarressaan, josta olin tarrannut kiinni.

"Mistä tässä on kyse?"

"Tiedät kyllä. Haluan vain varmistua, että Terry kuoli niin kuin pitikin."

"Pitikin?"

Tajusin valinneeni sanani surkeasti.

"Haluan vain varmistua, että kukaan ei avustanut häntä."

Lockridge tarkasteli ilmettäni hetken ja nyökkäsi ymmärtävänsä.

"Tarkoitat, että joku sormeili Terryn lääkkeitä."

35

"Kenties."

Lockridgen leukaperät kiristyivät. Hän ei vaikuttanut teeskentelevän.

"Tarvitsetko apua?"

"Saatan tarvita. Menen huomisaamuna Catalinalle katsomaan venettä. Voidaanko tavata siellä?"

"Ehdottomasti."

Lockridge tuntui innostuvan ajatuksesta. Tiesin, että joutuisin myöhemmin hillitsemään hänen auttamishalujaan, mutta juuri nyt tarvitsin apua.

"Hyvä. Minun pitää kysellä hiukan lisää. Kerro vähän asiakkaastanne. Tunsitko tämän Oton entuudestaan?"

"Joo, me käydään Oton kanssa kalassa pari kertaa vuodessa. Otto asuu Catalinalla, ja siksi me tehtiin pitkästä aikaa useamman päivän reissu. Katsos, se oli se pahin ongelma näiden kalareissujen kanssa, mutta Terry ei välittänyt siitä. Hän oli tyytyväinen siellä pikku satamassa ja teki mielellään vain muutaman tunnin retkiä."

"Hidasta vähän, Buddy. Mistä oikein puhut?"

"Terry halusi pitää venettä saarella. Mutta Catalinalla ei ole kuin turisteja, jotka haluavat kalastaa parin tunnin ajan. Siksi me emme saaneet kunnon asiakkaita. Mojovan tilipussin saa vain pitkistä kolmen, neljän tai viiden päivän reissuista. Otto oli poikkeus, koska hän asuu saarella ja haluaa käydä Meksikon vesillä pari kertaa vuodessa ja pitää samalla vähän hauskaa."

Lockridgelta saamani tiedot saivat minut miettimään useampia kysymyksiä kuin mitä pystyin esittämään. En vaihtanut puheenaihetta pois McCalebista mutta tiesin, että haluaisin myöhemmin kysyä lisää heidän asiakkaastaan.

"Eli Terry oli tyytyväinen pienimuotoiseen liiketoimintaan."

"Oli oli. Minä hoin jatkuvasti, että pitää siirtää vene mantereen puolelle ja laittaa ilmoituksia lehtiin ja laajentaa liiketoimintaa. Terry ei kiinnostunut yhtään."

"Kysyitkö koskaan syytä?"

"Tietenkin. Terry halusi jäädä saarelle ja viettää aikaa perheen kanssa. Lisäksi hän halusi aikaa tutkimuksiaan varten."

"Tarkoitatko hänen vanhoja juttujaan?"

"Niitä ja vähän uudempiakin."

"Mitä uudempia?"

"En tiedä tarkalleen. Terry leikkasi jatkuvasti artikkeleita sanomalehdistä, liitti niitä kansioihinsa ja soitti puheluita, sen sorttisia juttuja."

"Missä? Veneelläkö?"

"Veneellä tietenkin. Graciela ei sietänyt sitä kotioloissa. Terry kertoi kerran, että Graciela halusi hänen jättävän jutut sikseen. Joskus Terry jäi veneelle yöksikin. Varsinkin loppuvaiheessa. Ajattelin, että se johtui niistä vanhoista tutkimuksista. Joku asia jäi vaivaamaan Terryä, ja Graciela sanoi lopulta, että Terryn on parempi pysytellä veneellä, kunnes hoitaisi jutun loppuun."

"Kertoiko Terry sinulle tästä kaikesta?"

"Näinhän minä itsekin."

"Muistatko yhtään juttua, josta Terry oli kiinnostunut viime aikoina?"

"En. Terry ei enää puhunut niistä minulle. Autoin häntä sydämensiirron jälkeen, mutta hän ei sen koommin pyytänyt apuani."

"Vaivasiko se sinua?"

"Ei sen kummemmin, mutta olisin silti halunnut auttaa. Pahisten jahtaaminen on kiinnostavampaa kuin kalojen narraaminen, mutta tiesin, että se oli Terryn heiniä, ei minun."

Sanat kuulostivat liian paljon vakiovastaukselta, aivan kuin Lockridge olisi toistanut jotain, mitä Terry oli joskus teroittanut hänelle. Päätin olla kyselemättä enempää, vaikka tiesin, että palaisin aiheeseen vielä myöhemmin.

"Selvä, palataan takaisin Ottoon. Kuinka monta reissua olette tehneet yhdessä?"

"Tämä oli meidän kolmas – ei vaan neljäs – reissumme."

"Menittekö aina etelään Meksikon suuntaan?"

"Tavallisesti."

"Mistä hän saa rahaa matkoihin?"

"Otto on eläkkeellä. Hän kuvittelee olevansa joku Zane Grey. Hän haluaa tehdä urheilukalastusreissuja ja pyydystää mustan marliinin, jonka voi ripustaa seinälleen. Otolla on varaa. Hän kertoi minulle kerran, että oli ollut myyntimies, mutta en ikinä kysynyt, mitä hän myi."

"Eläkkeellä siis? Kuinka vanha hän on?"

"En ole varma, siinä kuudenkymmenenviiden hujakoilla."

"Mistä hän muutti Catalinalle?"

"Salmen toiselta puolelta. Long Beachista muistaakseni."

"Mitä tarkoitit, kun sanoit äsken, että Otto tykkää kalastaa ja pitää samalla vähän hauskaa?"

"Tarkoitin juuri sitä. Me veimme Oton kalaan ja kun pääsimme Caboon, hän puuhasteli omiaan."

"Yövyitte siis aina Cabon satamassa, myös tällä viimeisellä reissulla."

"Ensimmäiset kaksi yötä Cabossa mutta kolmas San Diegossa."

"Kuka valitsi paikat?"

"No, Otto pyysi päästä Caboon, ja San Diego oli puolimatkassa, kun tulimme takaisin. Paluumatkalla ei pidetä koskaan turhaa kiirettä."

"Mitä Otto teki Cabossa?"

"Hänellä oli omia juttuja, niin kuin jo kerroin. Hän siistiytyi molempina iltoina veneellä ja lähti sitten kau-

38

pungille. Ajattelin, että hänellä on varmaan tärskyt jonkun señoritan kanssa. Hän oli jutellut puhelimessa pitkin päivää."

"Onko hän naimisissa?"

"Ainakin minun tietääkseni. Luultavasti siksi hän piti pitkistä reissuista. Vaimo kuvitteli Oton olevan vain kalassa. En usko, että hän tiesi ukkonsa tutustuvan Cabossa paikallisiin nähtävyyksiin."

"Entä Terry, kävikö hän koskaan maissa?"

Lockridge vastasi samaan hengenvetoon.

"Ehei, Terryllä ei ollut mitään vastaavaa meininkiä eikä hän halunnut ikinä lähteä veneeltä. Terry ei astunut jalallaan laiturille."

"Miksi ei?"

"En minä tiedä syytä. Terry vain sanoi, ettei hänen tarvitse. Luulen, että hän oli himpun verran taikauskoinen."

"Millä tavalla?"

"Kapteeni ei jätä venettä ja sitä rataa."

"Mitä itse teit?"

"Yleensä puuhastelin Terryn kanssa veneellä. Joskus tuli käytyä maissa kurkkua kostuttamassa."

"Entä tällä reissulla?"

"Jäin veneelle. Rahat olivat aika vähissä."

"Terrykö ei noussut kertaakaan veneestä viimeisen kalareissun aikana?"

"Ei kertaakaan."

"Eikä kukaan käynyt veneessä sinun, Oton ja Terryn lisäksi?"

"Tuota – ei nyt ihan niinkään."

"Mitä tarkoitat? Kuka veneellä oli?"

"Toisena iltana kun olimme matkalla Caboon, *federales* pysäytti meidät. Meksikon rannikkovartiosto. Kaksi kaveria nousi kannelle ja katseli ympäriinsä muutaman minuutin ajan."

"Miksi?"

"Se on sellainen rutiini. He pysäyttelevät joskus veneitä, pyytävät pientä satamamaksua ja päästävät sitten jatkamaan matkaa."

"Lahjuksiako?"

"Lahjuksia, voitelurahaa, oli mitä oli."

"He pyysivät jotain sinä iltana."

"Joo, he menivät kannen alle ja Terry antoi viisikymppisen, minkä jälkeen he lähtivät pois. Nopeaa toimintaa."

"Penkoivatko he paikkoja? Katsoivatko he Terryn lääkkeitä?"

"Ei, se ei mennyt siihen pisteeseen. Juuri siksi heitä pitää suostutella dollareilla. Että välttyy vaikeuksilta."

Tajusin, etten ollut tehnyt lainkaan muistiinpanoja. Olin saanut kosolti uusia ja mielenkiintoisia tietoja, joita kannattaisi tutkia tarkemmin, mutta arvelin että tähän hätään minulla oli jo enemmän kuin tarpeeksi. Sulattelisin niitä, kunnes tulisi aika kysellä lisää. Olin varma, että Buddy Lockridge kertoisi kaiken mitä haluaisin, kunhan vain uskottelisin, että en pärjäisi ilman hänen apuaan. Kysyin häneltä vielä kaikkien niiden venesatamien nimet ja tarkat sijainnit, joissa he olivat yöpyneet Oton kanssa tekemällään reissulla, ja kirjoitin ne myös muistikirjaani. Sen jälkeen sovin vielä uudestaan tapaamisestamme Terry McCalebin veneellä seuraavana aamuna. Kerroin Lockridgelle, että aikoisin mennä Catalinalle aamun ensimmäisellä lautalla, ja hän sanoi tulevansa samalla kyydillä. Jätin hänet puodille, koska hän kertoi ostavansa vielä joitain tarvikkeita veneelleen.

Viskatessamme kertakäyttökupit roskakoriin hän toivotti minulle onnea tutkintaan.

"En tiedä, mitä saat selville. En tiedä, onko edes mitään selville saatavaa, mutta jos jollakulla oli näppinsä

40

pelissä, toivon että saat hänet kiinni. Ymmärrät kai, mitä tarkoitan?"

"Kyllä vain, Buddy, taidan ymmärtää. Nähdään huomenna."

"Minä tulen lautalle."

5

Soitin myöhemmin samana iltana Las Vegasiin tyttärelleni, ja hän halusi kuulla iltasadun. Hän oli vasta viisi ja halusi aina, että laulaisin tai kertoisin hänelle tarinoita. Osasin punoa tarinoita paremmin kuin muistin laulujen sanoja. Maddiella oli nuhjuinen pehmokissa nimeltä Nimetön, ja hän halusi kuulla jännittävistä ja suurta rohkeutta vaativista seikkailuista, jotka yleensä päättyivät siihen, että Nimetön onnistui ratkaisemaan monimutkaisen mysteerin, löytämään kadonneen lapsen tai lemmikkieläimen tai antamaan pahalle miehelle opetuksen.

Kerroin Maddielle lyhyen tarinan siitä, kuinka Nimetön löysi kadonneen Cielo Azul -nimisen kissanpennun. Hän halusi kuulla lisää, mutta minä sanoin, että kello oli jo paljon ja minun pitäisi lopettaa. Sitten hän yhtäkkiä kysyi, ovatko Burger King ja Dairy Queen naimisissa. Hymyilin ja ihmettelin tyttöni ajatuksenjuoksua. Kerroin, että kyllä he ovat, ja hän kysyi, ovatko he onnellisia yhdessä.

Kuka tahansa voi revetä liitoksistaan ja syrjäytyä tyystin. Kuka tahansa voi tuntea olevansa ulkopuolinen. Lapsen viattomuus voi kuitenkin pelastaa ja tarjota iloa, jolla suojautua maailman pahuutta vastaan. Olen tajunnut sen vasta myöhäisellä iällä, mutta en onneksi liian myöhään. Koskaan ei ole liian myöhäistä. Tunsin oloni apeaksi ajatellessani, mitä Maddie oppisi vanhemmiten. Tiesin, etten haluaisi opettaa hänelle mitään. Omat tekoni ja kokemukseni painoivat mieltäni. En halunnut jakaa niitä tyttäreni kanssa. Halusin vain, että hän opettaisi minua.

Päätin sen vuoksi kertoa, että Burger King ja Dairy Queen ovat hyvin onnellisia ja heillä on kivaa yhdessä. Halusin, että Maddiella olisi tarinansa ja satunsa niin kauan kuin hän voisi vielä uskoa niihin, sillä tiesin, että puhdas lapsenusko olisi mennyttä aivan liian pian.

Hyvän yön toivottaminen puhelimitse tuntui jotenkin väärältä ja se sai minut tuntemaan itseni yksinäiseksi. Olin juuri viettänyt kaksi viikkoa Las Vegasissa, ja olimme tottuneet olemaan yhdessä. Hain Maddien tarhasta, vahdin häntä kun hän ui ja tein muutaman kerran meille päivällistä pienessä yksiössäni, jonka olin vuokrannut lentokentän kupeesta. Iltaisin Maddien äidin pelatessa pokeria kasinolla vein Maddien kotiin, laitoin hänet nukkumaan ja jätin hänet sitten kokopäiväisen lastenhoitajan huomaan.

Olin vasta uusi tuttavuus Maddien elämässä. Ensimmäiseen neljään vuoteen hän ei ollut koskaan kuullutkaan minusta enkä minä hänestä. Siihen perustui koko suhteen kauneus ja vaikeus. Isyys oli yllättänyt minut aluksi täysin, mutta nyt osasin nauttia siitä ja tein aina parhaani. Maddiella oli yhtäkkiä toinenkin suojelija, joka kävi välillä pistäytymässä hänen elämässään. Ylimääräinen halaus ja suukko päälaelle. Maddie kuitenkin

43

ymmärsi, että mies joka oli vastikään ilmestynyt hänen elämäänsä aiheutti äidille suurta tuskaa ja lukemattomia kyyneliä. Eleanor ja minä yritimme kätkeä kahinamme ja satunnaiset kiivaat riitamme Maddielta, mutta seinät ovat joskus ohuita ja lapset parhaita etsiviä, kuten olin hiljattain tajunnut. Lapset vaistoavat ja osaavat tulkita tunteita pelottavan hyvin.

Eleanor Wish oli pimittänyt minulta suurimman mahdollisen salaisuuden. Oman lapsen. Sinä päivänä, kun lopultakin näin Maddien ensimmäistä kertaa, ajattelin että maailmassa on kaikki hyvin. Ainakin minun maailmassani. Tyttäreni oli perinyt minun silmäni, ja näin pelastukseni hänen tummissa iiriksissään. En kuitenkaan nähnyt aluksi railoja. Murtumia pinnan alla. Ne olivat syviä.

Elämäni onnellisimman päivän jälkeen koittivat elämäni synkimmät ajat, sillä en voinut antaa anteeksi sitä, että Eleanor oli salaillut asiaa vuosikausia. Vaikka joskus ajattelin, että olin saavuttanut kaiken mitä elämältä tahdoin, huomasin olevani liian heikko nauttiakseni siitä. Olin liian heikko kestääkseni sitä, että minua oli petetty, vaikka olinkin saanut vastineeksi Maddien.

Parempi mies olisi pystynyt siihen. Minä en. Jätin Eleanorin ja Maddien kodin. Nyt minulla on Las Vegasissa surkea pieni yksiö. Asunnon ikkunoista avautuu näkymä lentokentän seisonta-alueelle, jolle rikkaat ja ökyrikkaat uhkapelurit laskeutuvat yksityiskoneillaan ja joista he nousevat kasinoille matkaaviin salamyhkäisiin limusiineihin. Toinen jalkani on Las Vegasissa, toinen Los Angelesissa, vaikka tiedän hyvin, etten voi koskaan jättää Los Angelia pysyvästi paitsi ehkä jalat edellä.

Kun olin toivottanut Maddielle kauniita unia, hän antoi puhelimen äidilleen, joka oli ihme kyllä kotona. Suhteemme oli huonommalla tolalla kuin koskaan aiemmin. Riitelimme jatkuvasti tyttärestämme. En pitänyt siitä, että Maddie asui äidin kanssa, joka kävi öisin pelaamassa pokeria. En pitänyt siitä, että hän söi Burger Kingin hampurilaisia päivälliseksi. Enkä pitänyt varsinkaan siitä, että hän varttui kaupungissa, joka ei edes yrittänyt piilotella syntejään vaan päinvastoin retosteli niillä. En voinut kuitenkaan tehdä mitään. Tiedän, että huolenpitoni saattaa vaikuttaa naurettavalta, koska asun itse kaupungissa, jossa rikollisuus rehottaa, kaaos on käsin kosketeltavaa ja ilma kirjaimellisesti myrkyllistä. Mutta en siitä huolimatta tahdo, että tyttöni kasvaa Las Vegasissa. Kyse on mielestäni toivosta ja halusta, ja niillä on tietty ero. Los Angeles on kaupunki, joka saa voimansa toivosta, ja siinä on jotain puhtaan kaunista. Ainakin toivo auttaa näkemään savusumun lävitse. Las Vegas on tyystin erilainen. Kaupunki käy halun voimalla, eikä siitä voi seurata kuin sydänsuruja. En tahdo, että tyttäreni joutuu kärsimään niistä muiden tavoin. En halua, että hänen äitinsäkään joutuu. Olen valmis odottamaan mutta en ikuisesti. Kun vietän aikaa Maddien kanssa ja kun opin tuntemaan hänet paremmin ja rakastamaan häntä syvemmin, halukkuuteni odottaa rispaantuu kuin syvän kuilun yli kulkevan sillan kannatinköydet.

Kun Maddie antoi puhelimen äidilleen, meillä ei ollut mitään sanottavaa, joten emme puhuneet. Ennen kuin lopetimme puhelun, sanoin vain, että poikkeaisin taas katsomaan Maddieta mahdollisimman pian. Laskin puhelimen alas ja tunsin vatsanpohjassa kivistystä, johon en ollut tottunut. Se ei johtunut yksinäisyydestä tai tyhjyyden tunteesta. Ne olivat tunteita, joihin olin tottunut, ja niiden kanssa pärjäsin. Tämän piston aiheutti pelko tulevasta, hätä siitä mitä tulevaisuudella olisi annettavanaan rakkaalleni, jonka puolesta olin valmis uhraamaan henkeni hetkeäkään epäröimättä.

45

6

Saavuin Catalinalle aamun ensimmäisellä matkustajalautalla puoli kymmenen aikaan. Olin soittanut Graciela McCalebille matkalla, ja hän odotteli minua satamalaiturilla. Aamu oli aurinkoinen ja raikas, ja saaren ilman puhtauden pystyi lähes maistamaan. Graciela hymyili lähestyessäni porttia, jonka takana joukko saarelaisia odotti lautalta tulevia matkustajia.

"Huomenta. Mukavaa että tulit."

"Ei kestä kiittää. Mukavaa että tulit vastaan."

Luulin, että myös Buddy Lockridge olisi ollut portilla. En ollut nähnyt häntä lautalla ja arvelin, että hän oli tullut saarelle jo edellisenä iltana.

"Oletko nähnyt Buddya?"

"En. Onko hänkin tulossa?"

"Halusin, että Buddy tutkisi veneen kanssani. Hän sanoi, että tulisi ensimmäisellä lautalla, mutta en nähnyt häntä."

46

"Saaren ja mantereen välillä kulkee kaksi lauttaa. Seuraava saapuu kolmen vartin päästä. Ehkä hän on sillä. Mitä haluaisit tehdä ensimmäiseksi?"

"Tahtoisin nähdä veneen, aloittaa sieltä."

Kävelimme laiturille, jossa pidettiin huoltoveneitä, ja ajoimme pienellä yksihevosvoimaisella perämoottorilla varustetulla Zodiacilla satama-altaaseen, missä poijuihin kiinnitetyt jahdit keinahtelivat tasaiseen tahtiin virtauksen kanssa. Terryn vene *Following Sea* oli toisen venerivin toiseksi viimeisellä paikalla. Kun lähestyimme venettä ja lopulta tupsahdimme sen perään, mieleni valtasi pahaenteinen tunne. Terry oli kuollut aluksella. Minun ystäväni ja Gracielan aviomies. Minulla on ollut aina tapana etsiä edes jokin keinotekoinen henkinen yhteys rikoksen uhriin. Se lisää höyryä kattilaan ja antaa minulle vainun siitä, mitä minun pitää tehdä. Tiesin, että tällä kertaa minun ei tarvitsisi luoda yhteyttä. En joutuisi ponnistelemaan sen eteen, sillä se oli jo syntynyt. Kauan sitten.

Katsoin nimeä, joka oli maalattu mustilla kirjaimilla veneen perään, ja muistin kuinka Terry oli kertonut, mitä nimi tarkoittaa. Hän oli sanonut, että *following sea* on salakavala aalto, jota pitää varoa. Aalto joka nousee sokeasta pisteestä ja iskee selän takaa. Se oli hyvä ohjenuora. Jäin pakostakin miettimään, miksi Terry ei ollut vaistonnut, kun se iski häneen.

Nousin epävarmoin askelin kumiveneestä *Following Sean* perään. Käännyin ympäri sitoakseni veneen köydellä kiinni. Graciela esti aikeeni.

"En aio tulla kannelle", hän sanoi.

Graciela pudisti päätään kuin torjuakseen suostutteluyritykseni ja ojensi minulle avainnipun. Otin avaimet ja nyökkäsin.

"En halua olla veneellä", hän kertoi. "Sain tarpeekseni, kun kävin hakemassa hänen lääkkeensä."

"Ymmärrän."

"Jätän kumiveneen laituriin Buddya varten, jos hän nyt edes ilmestyy."

"Miten niin 'jos'?"

"Hän ei ole kaikkein luotettavimmasta päästä. Ainakaan Terryn mukaan."

"Mitä teen, jos hän ei tule?"

"Kutsu vesitaksi. Niitä menee ohi vartin välein. Älä huoli, pääset kyllä maihin. Minä maksan sen sitten myöhemmin. Siitä tulikin mieleeni, että emme ole puhuneet palkkiostasi."

Gracielan täytyi ottaa se puheeksi, mutta tiesimme molemmat, että tämä oli tutkimus, josta en laskuttaisi.

"Sinun ei tarvitse maksaa", minä sanoin. "Haluaisin kuitenkin jotain vastineeksi."

"Pyydä pois."

"Terry kertoi kerran tyttärestänne. Hän sanoi, että annoitte tytölle nimeksi Cielo Azul."

"Niin teimme. Se oli Terryn ehdotus."

"Kertoiko hän koskaan, mistä hän keksi nimen?"

"Terry sanoi vain, että piti siitä. Hän sanoi, että oli joskus tuntenut sen nimisen tytön."

Nyökyttelin päätäni.

"Ajattelin, että voisin palkkion sijasta tavata hänet – sitten kun kaikki on ohi."

Graciela pohti ehdotusta hetken. Sitten hän nyökkäsi suostuvansa.

"Cielo on ihana. Pidät hänestä varmasti."

"Uskon sen."

"Tunsitko häntä, Harry? Sitä tyttöä, jonka mukaan Terry antoi nimen?"

Katsoin Gracielaa kotvasen ja nyökkäsin.

"Kyllä, tavallaan. Voin joskus kertoa hänestä enemmän, jos haluat."

Graciela nyökkäsi ja tuuppasi kumiveneen irti *Following Sean* perästä. Työnsin jalallani venettä kauemmas. "Pieni avain käy salongin oveen", Graciela huikkasi. "Saat varmaan muut selville itsekin. Toivottavasti löydät jotain hyödyllistä."

Minä nyökkäsin ja killutin avaimia kädessäni aivan kuin sellaista ovea ei olisikaan, johon ne eivät kävisi. Katsoin kun kumivene lähti lipumaan laituria kohti. Nousin sitten istuinkaukaloon.

Jokin velvollisuudentunto pakotti minut kiipeämään portaat ylös ennen kuin menin kannen alle. Vedin yläkannella ohjauslaitteita peittävän kankaan sivuun ja seisoin hetken aikaa ruorin ja kuljettajan istuimen vieressä hahmottelemassa Buddy Lockridgen kertomaa tarinaa siitä, kuinka Terry oli menettänyt tajuntansa juuri samaisella paikalla. Tuntui soveliaalta, että Terry oli tuupertunut ruorin ääreen, mutta tiedot kuoleman vilpillisyydestä saivat sen tuntumaan myös väärältä. Laskin käteni istuimen selkänojalle kuin tarttuisin jotakuta olkapäästä. Päätin, etten lähtisi veneeltä ennen kuin saisin vastaukset kaikkiin kysymyksiini.

Gracielan antaman avainnipun pieni kromiavain kävi peililasisen liukuoven lukkoon, ja tieni johti kannen alle. Jätin oven auki, jotta vene tuulettuisi. Suolainen ja ummehtunut haju tulvahti sieraimiini. Se tuli vavoista ja keloista, jotka oli ripustettu katonrajan telineisiin. Näin, että keinotekoiset syötit olivat yhä paikoillaan. Arvelin, että varusteita ei ollut puhdistettu tai huollettu kunnolla viimeisen kalareissun jälkeen. Kenelläkään ei kai ollut siihen aikaa. Eikä tarvetta.

Halusin laskeutua heti portaat alas keulahyttiin, sillä tiesin, että Terry säilytti siellä tutkintakansioitaan, mutta päätin jättää niiden tutkiskelun viimeiseksi. Ajattelin aloittaa salongista ja raivata tieni pikkuhiljaa kansioiden suuntaan.

Salongin sisustus oli käytännöllinen. Oikealla sivustalla oli sohva, tuoli ja sohvapöytä. Salongissa oli myös toinen ruori, jonka istuimen takana olevan lipaston päällä lojui merikarttoja. Vastakkaisella seinällä oli ravintolatyylinen loosi, jonka pehmusteet olivat punaista nahkaa. Televisio oli pultattu väliseinään, joka erotti ruokailutilat kapyysistä. Salongissa oli myös portaat, joiden tiesin johtavan keulahytteihin ja kylpyhuoneeseen.

Salonki oli siisti ja puhdas. Seisoin sen keskellä ja katselin ympärilleni puolen minuutin ajan ennen kuin menin lipastolle ja ryhdyin aukomaan laatikoita, joissa McCaleb oli säilyttänyt liikeyritystä koskevia asiakirjoja. Löysin lipastosta asiakaslistoja ja kalenterin, johon McCaleb oli merkinnyt retkivaraukset. Löysin lisäksi Visan ja MasterCardin maksukuitteja eli ilmeisesti McCaleb kelpuutti luottokortitkin maksuvälineiksi. Liiketoimia varten oli avattu erillinen pankkitili, ja laatikosta löytyi myös sekkivihko. Vilkaisin tilikirjaa ja näin, että lähes kaikki kalareissuista saadut tulot hupenivat polttoaineeseen, laiturimaksuihin, kalastustarvikkeisiin sekä muihin tykötarpeisiin. Käteistalletuksista ei ollut merkintöjä, joten päättelin, että jos liiketoiminta oli vähänkään tuottavaa, rahat tulivat lähinnä asiakkaiden antamista palvelurahoista, ja niiden määrä riippui tietenkin asiakkaiden määrästä.

Alimmasta laatikosta löysin kansion, johon oli kerätty katteettomia sekkejä. Niitä oli vain muutama, ja sekkien päiväykset olivat kaukana toisistaan. Niin pienet rahamäärät tekivät tuskin suurta tuhoa liiketoiminnalle.

Huomasin, että sekkivihossa ja suurimmassa osassa tilitietoja liikeyrityksen omistajaksi oli merkitty joko Buddy Lockridge tai Graciela McCaleb. Tiesin siihen syyn, sillä Graciela oli kertonut aiemmin, että Terryn virallisille tuloille oli asetettu tiukat rajat. Jos hänen ansionsa olisivat ylittäneet tietyn rajan – ja se oli järkyttävän alhainen – hän ei olisi ollut oikeutettu osavaltion tai liittovaltion sairausvakuutuksiin. Jos Terry olisi menettänyt tuet, hän olisi joutunut maksamaan lääkkeet omasta pussistaan – se veisi kenet tahansa elimensiirtopotilaan konkurssin partaalle.

Samassa kansiossa oli kopio seriffin viraston raportista, joka ei kuitenkaan koskenut katteettomia sekkejä. Raportti oli kaksi kuukautta vanha, ja sen mukaan *Following Sealle* oli kaikesta päätellen murtauduttu. Asianomistajaksi oli merkitty Buddy Lockridge, ja tiivissanaisen asiakirjan mukaan veneestä oli viety vain yksi esine: kannettava GPS-paikannin. Papereissa mainittiin, että laite oli Gulliver 100 -mallia ja sen hinnaksi arvioitiin 300 dollaria. Raportin perusteella asianomainen ei ollut kyennyt kertomaan varastetun paikantimen sarjanumeroa, koska hän oli voittanut laitteen pokeripelissä henkilöltä, jonka nimeä hän ei tiennyt, ja koska hän ei ollut vaivautunut kirjoittamaan sarjanumeroa muistiin.

Vilkaistuani pikaisesti kaikkiin lipaston laatikoihin ryhdyin tutkimaan asiakaslistoja tarkemmin. Kiinnitin erityistä huomiota asiakkaisiin, jotka olivat tehneet kalareissun Terry McCalebin ja Buddy Lockridgen kanssa kuuden viikon aikana ennen Terryn kuolemaa. Yksikään nimi ei vaikuttanut oudolta eikä herättänyt epäilyksiäni, eikä Terryn ja Buddyn tekemissä merkinnöissä mikään viitannut siihen suuntaan. Otin silti muistikirjan farkkujeni takataskusta ja kirjoitin ylös jokaisen asiakkaan nimen, seurueisiin kuuluneiden henkilöiden lukumäärän sekä reissujen päivämäärät. Huomasin samalla, että asiakasvirta ei ollut lainkaan tasainen. Taloudellisesti hyvänä voisi pitää sellaista viikkoa, jolloin McCalebilla ja Lockridgella oli ollut kolme tai neljä puolenpäivän reissua. Listojen mukaan yhden viikon aikana heillä ei ollut

ollut yhtään asiakasta ja toisenakin vain yksi. Aloin ymmärtää, mitä Buddy oli tarkoittanut sanoessaan, että vene pitäisi siirtää mantereelle, jotta he saisivat enemmän asiakkaita ja pidempiä kalareissuja. Liiketoiminta tuntui olleen Terrylle pelkkä harrastus ja sen vuoksi se ei ollut ollut kannattavaa.

Uskoin tietäväni, miksi Terry hoiti liiketoimintaa puolihuolimattomasti. Hänellä oli toinenkin harrastus, jos sitä voi sellaiseksi sanoa, ja se vei runsaasti aikaa. Ryhdyin sullomaan asiakastietoja takaisin lipaston laatikoihin ja ajattelin juuri siirtyä keulahyttiin tutkimaan Terryn toiseen harrastukseen liittyviä papereita, kun kuulin salongin oven avautuvan takanani.

Se oli Buddy Lockridge. Hän oli noussut veneeseen, enkä minä ollut kuullut perämoottorin pörinää tai tuntenut kumiveneen töyssähtävän perää vasten. En ollut tuntenut edes veneen keinahdusta, kun melko isokokoinen Lockridge oli astunut veneeseen.

"Huomenia", hän sanoi. "Anteeksi että myöhästyin."

"Ei se mitään. Täällä riittää paljon katseltavaa."

"Oletko löytänyt mitään mielenkiintoista?"

"En oikeastaan. Ajattelin seuraavaksi vilkaista Terryn kansioita."

"Sehän sopii. Minä voin auttaa."

"Buddy, jos haluat tosiaan auttaa, voisit soittaa sille teidän viimeiselle asiakkaallenne."

Etsin muistikirjasta listan viimeisen nimen.

"Otto Woodall. Voisitko soittaa hänelle ja puhua puolestani? Ja kysy, voinko tulla tapaamaan häntä iltapäivällä."

"Ai? Pyysitkö minut tänne vain soittelemaan puhelimella?"

"En, minulla on vielä paljon kysymyksiä. Hyvä että tulit, mutta sinun ei pitäisi tutkia Terryn papereita. Ei ainakaan vielä."

Minulla oli tunne, että Lockridge oli jo lukenut joka ikisen keulahytistä löytyvän paperilappusen, mutta esitin hyväuskoista tarkoituksella. Halusin pitää Lockridgen lähellä ja etäällä samanaikaisesti, kunnes olisin varma hänestä. Hän oli ollut Terryn liikekumppani ja saanut kiitosta ystävänsä elvytysyrityksestä, mutta olin törmännyt urallani eriskummallisempiinkin surmatöihin. Minulla ei ollut vielä yhtään epäiltyä, minkä vuoksi epäilin kaikkia.

"Soita Otolle ja tule sitten takaisin alas."

Jätin Buddyn salonkiin ja laskeuduin lyhyet portaat syvemmälle veneeseen. Olin käynyt veneellä aiemmin ja tiesin missä mikäkin sijaitsi. Käytävän vasemmalla puolella olivat vessan ja varastokaapin ovet. Suoraan edessäpäin oli keulahytin ovi. Ovi käytävän oikealla seinällä johti suurimpaan hyttiin, jossa minut olisi tapettu neljä vuotta sitten, ellei Terry McCaleb olisi tarttunut aseeseen ja ampunut minua väijyneen miehen. Se oli tapahtunut vain hetki sen jälkeen, kun olin pelastanut Terryn samalta kohtalolta.

Katsoin tarkemmin käytävän panelointia kohdasta, josta Terryn ampumat kaksi luotia olivat pirstoneet sälöjä. Puupintaa peitti paksu lakkakerros, mutta erotin paikan, johon oli pantu uutta paneelia.

Varastokaapin hyllyt oli tyhjennetty, kylpyhuone siivottu ja etukannelle johtava katon tuuletusaukko aukaistu. Avasin suurimman hytin oven ja kurkistin sisään, mutta päätin jättää huoneen sittenkin viimeiseksi. Jouduin etsimään oikean avaimen Gracielan antamasta nipusta päästäkseni sisään keulahyttiin.

Hytti oli täsmälleen sellainen kuin olin muistellut. Sen kummallakin sivustalla oli kerrossänky ja ne muodostivat yhdessä V-kirjaimen noudattaessaan laivan keulan muotoa. Vasemmalla seinustalla oleva kerrossänky oli säästetty nukkumista varten, vaikka vuoteiden ohuet patjat olikin kääräisty rullalle ja sidottu koukkukiinnikkein. Oikean seinustan alemmalla vuoteella ei sen sijaan ollut patjaa, sillä siitä oli tehty kirjoituspöytä ja ylävuoteelle oli aseteltu vieretysten neljä isoa pahvilaatikkoa. Ne pitivät sisällään McCalebin tutkintakansiot. Katselin laatikoita kauan ja katkerasti. Jos Terry oli murhattu, uskoin löytäväni syyllisen sieltä.

"Joko lähdetään?"

Meinasin hypätä nahoistani. Buddy Lockridge seisoi selkäni takana. Se oli jo toinen kerta, kun en ollut kuullut enkä vaistonnut häntä. Hän hymyili, koska tuntui nauttivan yllättämisestäni.

"Hyvä", minä sanoin. "Käydään tapaamassa Ottoa vaikka iltapäivällä. Olen varmaan valmis pitämään pienen tauon silloin."

Katsoin Terryn kirjoituspöytää ja näin sen päällä kannettavan tietokoneen, jonka kannessa oli tuttu symboli omenasta josta oli haukattu pala. Aukaisin tietokoneen kannen mutta en tiennyt, mitä tehdä sitten.

"Kun kävin täällä viimeksi, hänellä oli eri tietokone."

"Joo", Lockridge totesi. "Terry osti tämän grafiikkaominaisuuksien takia. Hän kiinnostui digikuvista ja sen sellaisista."

Odottamatta pyyntöäni tai lupaani Lockridge ojensi kätensä ja painoi valkoista painiketta koneen kyljessä. Tietokone alkoi surista ja mustaan näyttöön syttyi valo.

"Millaisia valokuvia hän otti?" minä kysyin.

"Terry vain räpsi. Hän otti kuvia lapsista, auringonlaskuista ynnä muusta turhasta paskasta. Asiakkaista se kuitenkin alkoi. Me ryhdyimme kuvaamaan asiakkaita ja heidän nappaamiaan kaloja. Terry pystyi tulostamaan isot kuvat koneella saman tien. Täällä on jossain laatikko halpoja kehyksiäkin. Aina kun asiakkaat saivat kalan, kaupanpäällisiksi tuli valokuva. Se kuului palveluun ja toimi muuten tosi hyvin. Meidän palkkiomme nousivat mukavasti."

Tietokone oli valmis käytettäväksi. Näytöllä helotti vaaleansininen taivas, joka toi mieleeni Terryn tyttären. Sitten näytölle ilmestyi useita kuvakkeita. Huomasin niistä heti yhden, joka muistutti pientä kansiota. Sen alla luki PROFIILIT. Tiesin, että tahtoisin avata juuri sen. Katsellessani näytön alalaitaa näin kuvakkeen, joka muistutti kameraa ja valokuvaa palmupuusta. Koska olimme juuri puhuneet Terryn uudesta harrastuksesta, osoitin sitä sormellani.

"Ovatko kuvat tuolla?"

"Jep", Buddy tokaisi.

Hän ryhtyi taas toimeen odottamatta pyyntöäni. Hän laski etusormensa näppäimistön edessä sijaitsevalle pienelle suorakulmion muotoiselle alueelle ja siirsi hiiren osoittimen kameran kohdalle. Hän painoi peukalollaan suorakulmion alla olevaa painiketta, mikä sai näytön vaihtumaan. Buddy vaikutti tuntevan tietokoneen, mikä herätti mielessäni epäilyksiä. Oliko Terry antanut Buddyn käyttää konetta – olihan heillä sentään yhteinen liikeyritys – vai oliko Buddy oppinut käyttämään konetta Terryn tietämättä?

Näytölle avautui ikkuna otsikolla iPhoto. Sen alla näkyi lukuisia kansioita, joista suurin osa oli järjestyksessä kuukausien tai yksittäisten päivien mukaan muutaman viikon jaksoissa. Yhden kansion nimi oli yksinkertaisesti POSTILÄHETYS.

"Tästä se lähtee", Buddy totesi. "Haluatko nähdä muutaman kuvan asiakkaista ja kaloista?"

"Mikä ettei. Näytä uusimmat kuvat."

Buddy valitsi kansion, jonka päiväys päättyi Terry McCalebin kuolemaa edeltävään viikkoon. Kansio avautui, ja näin kymmeniä valokuvia päiväyksineen. Buddy valitsi niistä tuoreimman. Paria sekuntia myöhemmin kuva ilmestyi näytölle suurempana. Kuvassa oli pahasti auringossa palanut mutta iloisesti hymyilevä pariskunta, joka esitteli kameralle järkyttävän rumaa ruskeaa merenelävää.

"Santa Monica Bayn pallas", Buddy valisti. "Pirun hyvä saalis."

"Keitä kuva esittää?"

"Jaa-a, he taisivat olla Minnesotasta. Joo, St. Paulista. Eivätkä he olleet naimisissa. Tai siis olivat mutta eivät keskenään. Lomailivat saarella yhdessä. Meidän viimeiset asiakkaamme ennen Bajan-reissua. Ne kuvat ovat varmaan vielä kamerassa."

"Missä kamera on?"

"Sen pitäisi olla täällä. Jos ei, niin sitten Gracielalla."

Lockridge näpäytti kuvan ylälaidassa olevaa vasemmalle osoittavaa nuolta. Näytölle ilmestyi uusi kuva samasta pariskunnasta ja samasta kalasta. Lockridge painoi nuolta yhä uudestaan, kunnes sai lopulta esiin uuden asiakkaan ja tämän saaliin, joka oli noin 35 senttiä pitkä hailakkaanvaalea punertava otus.

"Valkoinen meriahven", hän kertoi. "Hyvä kala."

Buddy jatkoi nuolen painelua ja näytti minulle suuren joukon kalasankareita ja heidän pyydystämiään saaliita. Kaikki asiakkaat näyttivät nauttivan olostaan ja osa oli silminnähden humalassa. Buddy kertoi minulle kaikki kalalajit mutta jätti mainitsematta osan asiakkaista. Hän ei muistanut kaikkia. Joistakuista hän kertoi vain sen, olivatko he anteliaita vai pihejä palvelurahojen suhteen.

Lopulta näytölle ilmestyi mies, joka virnuili leveästi esitellessään pientä meriahventa. Buddy kirosi palavasti.

"Mitä nyt?" minä kysyin.

"Tuo saatanan jätkä vei kalalootani."

"Vei sinulta mitä?"

"Minun GPS-paikantimeni. Varasti sen minulta."

56

7

Backus pysytteli ainakin kolmisenkymmentä metriä naisen takana. Hän tiesi, että tämä pitäisi varansa jopa täpötäydellä Chicagon O´Haren lentoasemalla. Nainen vahti herkeämättä selustaansa, oli valpas ja vaistosi, jos joku tarkkailisi häntä, mikä oli tehnyt varjostamisesta harmillisen vaikeaa. Etelä-Dakotasta noussut kone oli ollut pieni, ja matkustajia oli ollut korkeintaan neljäkymmentä. Hän oli saanut istumapaikan vain kaksi penkkiriviä naisen edestä. Hän oli niin lähellä, että uskoi tuntevansa sieraimissaan naisen ominaishajun hajuveden ja meikin alta. Sen jonka vain eläimet pystyvät vainuamaan.

Oli suorastaan huumaavaa päästä niin lähelle mutta olla silti niin kaukana. Koko matkan ajan hän halusi kääntyä ja katsoa naista, nähdä vilauksen kasvoista penkkien raosta, nähdä edes vähän, mitä tämä teki lennon aikana. Hän ei kuitenkaan rohjennut. Hänen piti vartoa. Hän tiesi, että odotus palkittaisiin, kunhan hän

57

vain suunnittelisi huolellisesti ja jaksaisi odottaa rauhassa. Muuta ei tarvittu. Salaisuus piili siinä, että pimeys koittaisi kuitenkin. Se koitti aina lopulta.

Hän seurasi naista American Airlinesin terminaaliin, jonka keskivaiheilla sijaitsevan portin K9 edustalle tämä istui odottamaan. Portti oli tyhjä. Muita matkustajia ei näkynyt missään eivätkä lentoyhtiön työntekijätkään vielä pakertaneet tietokoneiden ääressä valmistautuakseen tarkistamaan matkustajien liput. Hän tiesi, että kello oli liian vähän. He olivat kumpikin reilusti etuajassa. Lento Las Vegasiin lähtisi vasta kahden tunnin kuluttua. Hän tiesi ajan, koska aikoi nousta samaan koneeseen. Hän tunsi itsensä tavallaan Rachel Wallingin suojelusenkeliksi, äänettömäksi saattajaksi, joka kulkisi agentin rinnalla lopulliseen päämäärään saakka.

Hän käveli portin ohi ja piti huolta, ettei herättäisi Rachelin huomiota. Mutta häntä kiinnosti kuitenkin tietää, mitä Rachel teki odottaessaan koneen lähtöä. Hän kiskaisi suuren lehmännahkaisen laukkunsa hihnan oikealle olalle, ja jos Rachel sattuisi vilkaisemaan häneen päin, huomio kiinnittyisi laukkuun eikä hänen kasvoihinsa. Hän ei ollut huolissaan siitä, että Rachel tunnistaisi hänet. Vaivannäkö ja kaikki kasvoleikkaukset pitivät huolen siitä, mutta Rachel voisi tunnistaa hänet Rapid Cityn lennolta. Ja sitä hän ei halunnut. Rachelin epäilykset eivät saisi herätä.

Hänen sydämensä hypähti rinnassa niin kuin pikkulapsi olisi potkinut unissaan peiton alla, kun hän vilkaisi Rachelia kävellessään portin ohi. Rachel oli painanut päänsä alas ja luki kirjaa. Se oli vanha ja rispaantunut monista lukukerroista. Rachel oli asetellut sivujen väliin suuren määrän keltaisia tarralappuja. Hän tunnisti kirjan kansikuvan ja nimen. *Runoilija*. Rachel luki hänen tarinaansa!

Hän käveli nopeasti Rachelin ohi ennen kuin tämä vaistoaisi tarkkailevat silmät ja nostaisi katseensa kirjasta. Hän kulki vielä kahden portin ohi ja meni sitten miestenhuoneeseen. Hän astui yhteen kopeista ja lukitsi oven huolellisesti. Hän ripusti laukkunsa ovikoukkuun ja ryhtyi pikaisesti töihin. Cowboy-hattu ja -liivi joutivat pois. Hän istui pöntölle ja otti myös saappaat jalasta. Viidessä minuutissa Backus muuttui etelädakotalaisesta karjapaimenesta lasvegasilaiseksi uhkapeluriksi. Hän puki ylleen silkkivaatteet. Hän ripusti kultakäädyt kaulaan, pani korun korvaan ja aurinkolasit silmille. Pramean, krominvärisen matkapuhelimen hän kiinnitti vyölleen, vaikka kukaan ei soittaisi siihen ikinä eikä hänelläkään ollut ketään kelle soittaa. Lopuksi hän kaivoi lehmännahkalaukusta pienemmän kassin, jonka kyljessä karjui MGM:n leijona.

Hän sulloi vanhan ihonsa MGM:n kassiin, heilautti kassin olalleen ja astui ulos kopista.

Hän käveli pesualtaan ääreen pestäkseen kätensä. Hän ihasteli itseään ja vaivannäkönsä hedelmiä. Oli vain yksi Backus, ja syy siihen, että hän oli menestynyt työssään niin hyvin, oli suunnitelmallisuus ja tunnontarkka paneutuminen yksityiskohtiin.

Hän unelmoi hetken siitä, mitä tulevina päivinä tapahtuisi. Hän veisi Rachel Wallingin kiertueelle, jonka päätyttyä tämä ymmärtäisi pahuuden syvimmän olemuksen. Hänen aikaansaamansa pahuuden. Rachel maksaisi kovan hinnan teoistaan.

Hän tunsi saavansa erektion. Hän valitsi uudestaan yhden miestenhuoneen kopin. Hän yritti ajatella jotain muuta. Hän kuunteli muiden matkustajien edestakaista liikettä sisään ja ulos, kopeissa asioimisen kuvottavia ääniä ja käsien pesusta syntyvää veden lorinaa. Naapurikopissa istui mies, joka puhui puhelimessa ulostaessaan.

59

Haju oli sietämätön. Kaikki oli kuitenkin hyvin. Miestenhuone löyhkäsi samalta kuin tunneli, jossa hän oli kauan sitten syntynyt uudelleen verestä ja pimeydestä. Voi jos he vain tietäisivät, kuka heidän seurassaan oli. Hetken ajan hän näki mustan, tähdettömän taivaan. Hän kaatui taaksepäin ja hapuili ilmaa käsillä, joissa ei ollut höyhenpeitettä ja jotka olivat yhtä kelvottomat kuin pesästä työnnetyn vasta kuoriutuneen linnunpojan siivet. Mutta hän oli selviytynyt ja oppinut lentämään. Häntä alkoi naurattaa ja hän nosti pöntön vetonuppia jalallaan peittääkseen ilonsa äänet.

"Haistakaa te kaikki pitkä vittu", hän manasi hiljaa. Hän odotti erektion laantumista ja kummasteli virnuillen, mistä oli sen saanut. Hän tunsi oman psykologisen profiilinsa läpikotaisin. Kyse oli loppujen lopuksi yhdestä ja samasta asiasta. Harmaiden aivopoimujen välisissä kapeissa kuiluissa vallanhimon, seksin ja tyydytyksen synapsit sijaitsivat vain nanometrin päässä toisistaan. Niiden kuilujen kapeikoissa tuntemuksilla ei ollut suurtakaan eroa.

Kun hän oli valmis, hän veti pöntön vielä kerran, koski vetonuppiin tunnontarkasti vain kengällään ja poistui kopista. Hän pesi kätensä toistamiseen ja tarkasteli itseään peilistä. Iloinen hymy levisi hänen kasvoilleen. Hän oli uusi mies. Rachel ei millään kykenisi tunnistamaan häntä. Ei sen puoleen kukaan muukaan. Itsevarmuuden pönkittämänä hän avasi kassinsa vetoketjun ja etsi kameraansa. Se oli kassissa ja valmis käytettäväksi. Hän päätti ottaa riskin ja näpsäistä Rachelista muutaman kuvan. Ihan muistoksi vain. Muutaman salaisen kuvan, joita hän voisi katsella ja ihastella sitten jälkeenpäin.

8

Kalaloota. Muistin seriffin raportin, jonka olin löytänyt
lipaston laatikosta.

"Minun piti kysyäkin siitä. Hänkö varasti GPS-laittee-
si?"

"Ihan varmasti. Saatanan jätkä. Hän teki meidän kans-
sa reissun, ja heti sen jälkeen huomasin, että GPS on ka-
donnut ja tuo paska on aloittanut bisnekset kannaksella.
Ei ole vaikea tajuta, mitä se mulkku meni tekemään.
Olen aikonut jo pitkään käydä hänen luonaan kylässä."

Minulla oli vaikeuksia pysyä Buddyn kärryillä. Pyysin
häntä selittämään koko jutun selkokielellä aivan kuin en
erottaisi ruoria ruodoista.

"Kuuntele sitten", Buddy sanoi. "Meidän parhaat ka-
lapaikat oli merkitty sen GPS-paikantimen muistiin. Mei-
dän pilkkireiät. Minä voitin sen pokeripelissä yhdeltä toi-
selta retkioppaalta, joka oli tallentanut sille kaikkein par-
haat sijainnit. Pelin panoksena ei ollut se saatanan vehje

61

vaan mitä sen muistissa oli. Kaveri pisti pöytään tusinan verran parhaita apajiaan, ja minä voitin potin täyskädellä."

"Hyvä on, ymmärrän kyllä", sanoin. "Paikannin sinänsä ei ollut arvokas, mutta sille tallennetut koordinaatit olivat."

"Juuri niin. Laite itsessään ei maksa kuin parisataa, mutta kalapaikat... niihin vaaditaan vuosien työ ja taito. Kokemusta."

Osoitin valokuvaa tietokoneen näytöllä.

"Eli hän vei paikantimesi ja perusti sitten oman yrityksen. Ja hänellä on etulyöntiasema, koska hän käyttää hyväkseen sekä sinun että sen pokeripöydässä päihittämäsi oppaan tietoja."

"Jätkä löi kunnarin. Niin kuin jo sanoin, minun pitää käydä joskus hänen luonaan kylässä."

"Missä se kannas on, josta puhuit?"

"Saaren toisessa päässä. Siinä kohdassa, missä saari kapenee vähän kuin kahdeksikon muotoiseksi."

"Kerroitko seriffin virastolle kuka paikantimen vei?"

"En heti, koska emme me tienneet. Vekotin vain katosi, ja me luulimme, että jotkut koltiaiset ovat käyneet veneellä yöaikaan ja vieneet sen. Ei täällä ole nuorille mitään tekemistä. Kysy vaikka Gracielalta Raymondista – poika kuolee tylsyyteen. Me teimme rikosilmoituksen ja ajattelimme, että koko juttu jää siihen. Sitten pari viikkoa myöhemmin näin *Fish Tales* -lehdessä mainoksen, jossa kerrottiin kannaksen uudesta firmasta. Tuo sama tyyppi virnuili mainoskuvassa, ja tietenkin minä tunnistin hänet. Ja päättelin loput. Hän oli *varastanut* meidän paikantimemme."

"Soititteko uudestaan seriffille?"

"Joo, minä soitin ja kerroin, mutta ne eivät ottaneet sitä tosissaan. Soitin uudestaan viikkoa myöhemmin ja silloin sain kuulla, että he olivat puhuneet hänen kanssaan – puhelimessa. Eivät vaivautuneet edes menemään juttelemaan kasvotusten. Tietenkin hän kiisti kaiken, eikä seriffi jatkanut tutkintaa."

"Mikä hänen nimensä on?"

"Robert Finder. Firman nimi on Isthmus Charters. Mainoksissa hän käyttää nimeä Robert 'Fish' Finder. Jumankauta. 'Kalavaras' niihin pitäisi painaa."

Katsoin miehen kuvaa ja mietin, liittyikö hän mitenkään tutkimukseeni. Voisiko varastettu GPS-paikannin liittyä Terry McCalebin kuolemaan? Se vaikutti epätodennäköiseltä. Kilpailevan yrityksen parhaita kalapaikkoja koskevien tietojen pihistäminen oli ymmärrettävää, mutta monimutkainen suunnitelma kilpailijan tappamiseksi ei tuntunut uskottavalta. Surmatyö olisi vaatinut Finderilta valtavasti suunnittelutyötä. Se oli vaatinut helvetisti työtä keneltä tahansa.

Lockridge tuntui lukevan ajatukseni.

"Hei, luuletko että tuolla kusipäällä on jotain tekemistä Terrorin kuoleman kanssa?"

Katsoin Buddya pitkään ja päädyin siihen tulokseen, että oli paljon uskottavampaa, että hän oli sotkeentunut Terryn kuolemaan saadakseen haltuunsa liikeyrityksen päätösvallan ja *Following Sean.*

"En ole varma", minä sanoin. "Mutta käyn ehkä jututtamassa häntä."

"Kysy vain, jos haluat että tulen mukaasi."

"Hyvä on. Huomasin muuten, että rikosilmoituksen mukaan veneeltä ei viety mitään muuta. Pitääkö se paikkaansa? Ettekö huomanneet, että muita tavaroita olisi kadonnut?"

"Mitään muuta ei viety. Sen vuoksi Terry ja minä pidimmekin sitä niin outona juttuna. Emme ihmetelleet enää kun tajusimme, että syyllinen onkin Finder."

"Pitikö Terrykin häntä syyllisenä?"

"Hän alkoi uskoa siihen. Mieti nyt, kuka muukaan se voisi olla?"

Se oli hyvä kysymys, mutta en uskonut, että se oli tärkeintä juuri nyt. Osoitin tietokoneen näyttöä ja pyysin Buddya selaamaan kuvia vielä alkuunpäin. Iloisten kalamiesten kuvasarja jatkui Buddyn näpsytellessä nuolinäppäintä. Kuvien joukossa oli muitakin erikoisia otoksia. Buddy paineli nuolta, kunnes löysimme kuuden kuvan sarjan miehestä, jonka kasvot eivät näkyneet ensimmäisissä kuvissa kovinkaan hyvin. Kolmessa ensimmäisessä kuvassa hän poseerasi kameralle pitäen käsissään upeaa kirjavaa kalaa. Hän piteli kalaa kuitenkin niin korkealla, että se peitti suurimman osan hänen kasvoistaan. Kalan selkäevän yläpuolella näkyi vain kaistale hänen tummia aurinkolasejaan. Kala näytti samalta jokaisessa kuvassa, mikä sai minut epäilemään, että kuvaaja oli yrittänyt toistuvasti ottaa kuvan, jossa asiakkaan kasvot näkyisivät paremmin. Yritykset olivat olleet turhia.

"Kuka otti kuvat?"

"Terror. En ollut mukana tuolla reissulla."

Jokin seikka, tai ehkä asiakkaan tapa vältellä kameraa, oli saanut Terryn epäilykset heräämään. Se oli päivänselvää, sillä Terry oli ottanut kuvasarjan kolme viimeistä kuvaa salaa. Ensimmäiset kaksi hän oli ottanut salongista ja kohdistanut kameran istuinkaukalolle, jossa asiakas nojaili oikeanpuoleista kaidetta vasten. Koska salongin liukuovessa oli yksisuuntainen peililasi, asiakas ei olisi voinut tietää, että hänestä otettiin kuvia.

Toisessa kuvassa miehestä näkyi sivuprofiili, toisessa hänen kasvonsa. Jos kuvausympäristön unohti kokonaan, McCaleb oli ottanut kuvat vaistomaisesti kuin poliisin arkistoa varten, mikä entisestään vahvisti aavis-

64

tukseni, että Terry oli epäillyt jotain. Miehen kasvot eivät kuitenkaan näkyneet hyvin näissäkään kuvissa. Hänellä oli ruskeanharmaa tuuhea parta, tummat suurikokoiset aurinkolasit ja sininen L.A. Dodgersien lippalakki. Kuvista ei erottanut kunnolla miehen tukkaa, mutta se vaikutti olevan lyhyt ja suunnilleen samanvärinen kuin hänen partansa. Oikeassa korvassa roikkui kultainen rengas.

Profiilikuvassa mies siristi silmiään, joten niitä ei olisi erottanut hyvin, vaikka hän olisi ottanut tummat aurinkolasinsa pois. Miehen vaatetus koostui farmarihousuista, valkoisesta T-paidasta ja Leviksen takista.

Kuvasarjan viimeinen, kuudes kuva oli otettu kalareissun jälkeen. Se oli otettu kaukaa, ja asiakas käveli siinä pitkin Avalonin laituria lähdettyään *Following Sealta*. Miehen kasvot olivat kääntyneet piirun verran kameran suuntaan, mutta profiilikuvaksi sitä ei voinut sanoa. Jäin kuitenkin miettimään, oliko mies kääntänyt päätään enemmän kuvan ottamisen jälkeen ja nähnyt Terryn ja kameran.

”Entä hän?” kysyin Buddylta. ”Kerro hänestä.”

”En voi”, Buddy intti. ”Minähän sanoin jo, etten ollut veneellä silloin. Terry poimi hänet kyytiin lennosta. Ei varausta eikä mitään. Terry oli ollut veneellä, kun hän oli tullut vesitaksilla ja pyytänyt päästä kalaan. Hän maksoi puolenpäivän reissusta, lyhyimmästä mahdollisesta. Hän halusi lähteä heti, ja minä olin silloin mantereen puolella. Terry ei voinut jäädä odottelemaan, joten hän teki reissun ilman minua. Se on muuten saatanan raskasta yksin. Saivat näköjään espanjanmakrillin. Ei paha.”

”Puhuiko Terry hänestä jälkeenpäin?”

”Ei oikeastaan. Terry sanoi vain, että asiakas ei halunnut viettää kalassa edes puolta päivää. Hän halusi palata maihin parin tunnin jälkeen, ja niin he sitten tekivätkin.”

"Terryn hälytyskellot soivat. Hän otti kuusi valokuvaa, kolme niistä salaa. Oletko varma, että hän ei sanonut mitään muuta?"

"No ei ainakaan minulle. Terry piti monet asiat omana tietonaan."

"Tiedätkö hänen nimeään?"

"En, mutta Terry on varmasti merkinnyt sen ylös. Haluatko, että käyn katsomassa?"

"Kyllä. Haluan tietää lisäksi tarkan päivämäärän ja maksutavan. Voitko ensin kuitenkin tulostaa nämä kuvat?"

"Kaikki kuusiko? Siinä kestää jonkin aikaa."

"Tulosta kaikki kuusi ja vielä yksi Finderistakin. Minulla on aikaa."

"Et taida tarvita kehyksiä."

"En, Buddy, en halua kehyksiä. Kuvat riittävät."

Nousin pehmustetulta tuolilta tietokoneen edestä ja annoin Buddylle tilaa. Tietokoneen vieressä oli tulostin, johon Buddy kytki virran ja lisäsi valokuvapaperia. Asiantuntijan elkein hän valitsi komennot, jotka lähettivät kaikki seitsemän valokuvaa tulostimelle. Huomasin taas, kuinka vaivattomasti hän käytti konetta. Olin varma, että tietokoneella ei ollut yhtään tiedostoa, johon Buddy ei ollut jo tutustunut. Sama päti ylävuoteen tutkintakansioihin.

"Se on siinä", Buddy sanoi noustessaan tuolista. "Kestää ehkä minuutin per kuva. Ne ovat aluksi vähän tahmeita. Kannattaa levittää ne pöydälle kuivumaan. Minä käyn katsomassa, mitä varauskirjassa kerrotaan tuosta hämärämiehestä."

Buddyn lähdettyä minä istuin taas koneen ääreen. Olin tarkkaillut Buddyn työskentelyä ja opin nopeasti. Palasin päävalikkoon ja näpäytin kahdesti kansiota, jonka nimeksi oli annettu POSTILÄHETYS. Näytölle avautui 36 pienen valokuvan ruudukko. Napsautin hiirellä ensimmäistä kuvaa, jolloin se avautui näytölle suurempana. Kuvassa näkyi Graciela McCaleb työntämässä lastenrattaita, joissa nukkui pieni tyttö. Cielo Azul. Terryn tytär. Näytti siltä, että kuva oli otettu ostoskeskuksessa. Kuten Terryn valokuvien outo asiakas, Gracielakaan ei tuntunut tietävän, että häntä kuvattiin.

Käännyin ympäri ja katsoin oviaukosta salongin portaisiin. En nähnyt Buddya. Nousin ylös ja siirryin vaivihkaa käytävään. Livahdin avoimesta oviaukosta kylpyhuoneeseen, painauduin seinää vasten ja odotin. Hetken päästä Buddy tuli käytävään ja käveli kylpyhuoneen ohi varauskirja kädessään. Hän koetti liikkua mahdollisimman äänettömästi. Annoin Buddyn mennä ohitseni ja astuin sitten käytävään hänen taakseen. Tarkkailin kuinka hän hiipi keulahyttiin valmiina säpsäyttämään minut kolmannen kerran.

Tällä kertaa oli kuitenkin Buddyn vuoro yllättyä, kun hän huomasi, että en ollutkaan hytissä. Kun hän kääntyi ympäri, seisoin aivan hänen selkänsä takana.

"Onko hiippailu todella noin hauskaa, Buddy?"

"Ei, ei yhtään. Minä vain –"

"Älä viitsi pelleillä minun kanssani, onko selvä? Mitä kirjassa sanotaan?"

Buddyn naama lehahti punaiseksi purjehtijan kestorusketuksesta huolimatta. Tarjosin kysymykselläni Buddylle tilaisuuden pelastaa kasvonsa, ja hän tarttui tilaisuuteen.

"Terry merkitsi kirjaan vain asiakkaan nimen. Siinä sanotaan 'Jordan Shandy, puolikas päivä'. Ei muuta."

Buddy avasi kirjan ja näytti merkintää minulle.

"Entä maksutapa? Paljonko muuten pyydätte puolenpäivän reissusta?"

"Kolmesata puolikkaasta, viisi vuorokauden pituisesta reissusta. Tarkistin korttimaksutiedot, eikä niissä ollut merkintöjä. Sama sekkien suhteen. Tyhjää täynnä. Se tarkoittaa, että hän maksoi käteisellä."

"Milloin hän kävi veneellä? Kai kirjassa mainitaan reissun päivämäärä?"

"Mainitaan tietenkin. He tekivät reissun helmikuun kolmantenatoista – se oli perjantai 13. Onkohan sillä merkitystä?"

"Mistä sen voi tietää? Oliko se ennen vai jälkeen Finderin?"

Buddy laski kirjan pöydälle, jotta voisimme molemmat lukea merkintöjä. Hän kuljetti etusormeaan pitkin asiakaslistaa ja pysähtyi Finderin kohdalle.

"Finder oli viikkoa myöhemmin. Hän kävi kalassa 19. helmikuuta."

"Entä minä päivänä ilmoititte seriffille varkaudesta?"

"Saatana, pakko ravata taas ylös."

Buddy lähti, ja kuulin raskaiden askelten töminän portaissa. Poimin ensimmäisen valokuvan tulostimesta ja laskin sen pöydälle. Se oli kuva Jordan Shandysta aurinkolasit ja makrilli kasvojensa edessä. Katselin kuvaa, kunnes Buddy palasi hyttiin. Tällä kertaa hän ei yrittänyt säikyttää minua hiiviskelyllään.

"Ilmoitimme murrosta 22. helmikuuta."

Minä nyökkäsin. Viisi viikkoa ennen Terryn kuolemaa. Kirjoitin päivämäärät muistiin. En tiennyt, oliko niillä mitään merkitystä.

"Selvä homma, Buddy. Voisitko tehdä vielä yhden jutun puolestani?"

"Kerro pois."

"Ota nuo vavat telineistä ja pese ne. En usko, että kukaan on huoltanut niitä. Ne haisevat, ja luulen että joudun viettämään täällä ainakin pari päivää. Olisin kiitollinen avustasi."

"Haluat, että pesen vavat", Buddy toisti.

68

Hän kuulosti loukkaantuneelta ja pettyneeltä. Nostin katseeni valokuvasta.

"Niin, pesisitkö ne? Auttaisit vähän. Voimme sitten mennä tapaamaan Otto Woodallia, kun saan tulostettua loputkin kuvat."

"Ihan sama."

Buddy lähti huoneesta lannistuneena, ja kuulin kuinka hän jymisteli portaissa. Hän mekasti nyt yhtä tietoisesti kuin oli aiemmin yrittänyt olla mahdollisimman äänetön. Otin toisen valokuvan tulostimesta ja laskin sen pöydälle ensimmäisen kuvan viereen. Sitten otin pöydällä olevasta kahvikupista mustan tussin ja kirjoitin valokuvan alalaitaan nimen Jordan Shandy.

Istuin uudestaan tietokoneen ääreen ja katsoin Gracielan ja hänen tyttärensä valokuvaa. Painoin nuolinäppäintä eteenpäin, ja seuraava kuva ilmestyi näytölle. Sekin oli otettu ostoskeskuksessa mutta kauempaa, minkä vuoksi kuva oli rakeinen. Siinä Gracielan perässä tallusteli nuori poika. Perheen poika, päättelin. Adoptoitu Raymond.

Kuvassa näkyi koko perhe Terryä lukuun ottamatta. Oliko hän ottanut kuvan? Jos oli, niin miksi niin kaukaa? Painoin nuolinäppäintä yhä uudestaan ja selasin kuvia eteenpäin. Lähes kaikki oli otettu ostoskeskuksessa pitkän matkan päästä. Yhdessäkään kuvassa kukaan ei katsonut kameraan eikä muutenkaan tuntunut huomaavan sitä. Kahdenkymmenenkahdeksan samanlaisen kuvan jälkeen paikka vaihtui, ja perhe oli nyt Catalinanlautalla. He olivat matkalla kotiin, ja kuvaaja seurasi perässä.

Tämä kuvasarja koostui vain neljästä otoksesta. Graciela istui kaikissa lautan peräpään keskivaiheilla lapset vieressään. Näytti siltä, että kuvat oli otettu monen penkkirivin päästä matkustamon etuosasta. Vaikka Graciela olisi huomannut kameran, hän olisi tuskin arvannut, että se oli kohdistettu häneen. Hän olisi pitänyt kuvaajaa pelkkänä turistina.

Viimeiset kaksi otosta olivat täysin erilaisia, aivan kuin ne kuuluisivat toiseen kuvasarjaan. Ensimmäisessä näkyi vihreä liikennemerkki. Suurensin kokoa ja näin, että se oli otettu auton tuulilasin läpi. Erotin kuvassa tuulilasin puitteet, osan auton kojelautaa ja tarran lasin yhdessä kulmassa. Siinä näkyi myös osa kuvaajan kädestä, joka puristi ohjauspyörää kello yhdentoista paikkeilla.

Liikennemerkki seisoi karussa aavikkomaisemassa. Siinä luki

ZZYZX ROAD
1 MAILI

Tunnistin tien. Tai oikeastaan tunnistin kyltin. Jokainen, joka kulki autolla Los Angelesin ja Las Vegasin väliä yhtä usein kuin minä, olisi tunnistanut sen. Zzyzx Road oli kaupunkien puolivälissä valtatie 15:n varrella. Paikka jäi helposti mieleen omalaatuisen nimensä vuoksi. Liittymä sijaitsi keskellä Mojaven autiomaata, eikä tienpätkä tuntunut johtavan mihinkään. Lähistöllä ei ollut huoltoasemia, ei edes levähdyspaikkoja. Se sijaitsi aakkosten lopussa maailman laidalla.

Myös kuvasarjan viimeinen otos oli yhtä omituinen. Suurensin sen ja näin, että se muistutti eriskummallista asetelmaa. Kuvan keskellä makasi vanha vene – kylkien laudoitus repsotti auki sieltä täältä ja kellertävä maali oli lohkeillut paahtavassa auringossa. Vene lojui aavikon kivikkoisella pinnalla, vaikka lähin järvi oli varmasti kilometrien päässä. Tuuliajolle joutunut vene keskellä aaltoilevaa hiekkaerämaata. Jos symboliikalla oli jokin syvempi merkitys, minä en ymmärtänyt sitä.

Tulostin autiomaakuvat Buddyn esimerkkiä noudatta-
en, minkä jälkeen tutkin vielä muita kuvia ja yritin päät-
tää, mitkä tulostaisin. Valitsin kaksi kuvaa ostoskeskuk-
sesta ja lautalta. Odotellessani tulostusta suurensin ostos-
keskuksessa otettuja valokuvia näytölle siinä toivossa,
että näkisin taustalla jotain, minkä perusteella voisin tun-
nistaa paikan, missä Graciela ja lapset olivat käyneet.
Tiesin, että voisin kysyä sitä Gracielalta suoraan. En kui-
tenkaan ollut varma haluaisinko.

Valokuvissa ihmisillä oli ostoskasseja, joissa luki
Nordstrom, Saks Fifth Avenue ja Barnes & Noble. Yh-
dessä kuvassa McCalebin perhe käveli ravintolanurk-
kauksen ohi. Näin muun muassa Cinnabonin ja Hot Dog
on a Stickin palvelutiskit. Kirjoitin liikkeiden nimet muis-
tikirjaani ja tiesin, että saisin niiden perusteella melko
varmasti selville, missä ostoskeskuksessa valokuvat oli
otettu, jos haluaisin ottaa siitä selvää kysymättä Gracie-
lalta. En ollut vielä päättänyt, miten toimisin. En nimit-
täin halunnut pelotella häntä tarpeettomasti. Ei tuntunut
alkuunkaan järkevältä kertoa Gracielalle, että joku oli
saattanut seurailla häntä ja lapsia – joku jolla saattoi olla
merkillinen yhteys hänen aviomieheensä. Ei ainakaan
vielä.

Yhteys muuttui yhä ilmeisemmäksi ja huolestuttavam-
maksi, kun tulostin sylkäisi sisuksistaan yhden ostoskes-
kuksessa otetuista kuvista, jonka olin päättänyt tulostaa.
Perhe käveli kuvassa Barnes & Noble -kirjakaupan ohi.
Kuva oli otettu ostoskeskuksen käytävän toiselta puolel-
ta, lähes vastapäätä liikettä. Kuvaajan kasvot heijastuivat
hämärästi kirjakaupan näyteikkunaan. En ollut nähnyt
yksityiskohtaa tietokoneen näytöllä mutta tulostetussa
kuvassa kasvot kuitenkin erottuivat.

Kuvajainen oli liian pieni ja epätarkka näyteikkunan
taakse pystytettyä mainosta vasten – luonnollista kokoa

71

oleva mainos esitti kilttiin pukeutunutta miestä, jonka ympärille oli aseteltu kirjapinoja ja kyltti, jossa luki IAN RANKIN LIIKKEESSÄMME TÄNÄÄN! Tajusin, että saisin mainoksen ansiosta selville tarkan päivämäärän, jolloin valokuvat oli otettu. Minun ei tarvitsisi kuin soittaa liikkeeseen ja kysyä, milloin Ian Rankin oli vieraillut siellä. Pistin kuitenkin mainoksen syyksi sen, että valokuvaajan kasvot eivät erottuneet sen paremmin näyteikkunassa. Selasin taas tiedostoa, löysin oikean kuvan ja suurensin sen näytölle. Tuijotin sitä tietämättä, mitä minun pitäisi tehdä.

Buddy oli istuinkaukalossa pesemässä kahdeksaa vapaa ja kelaa, jotka nojasivat perää vasten. Hän suihkutti vettä letkusta, jonka toinen pää kiemurteli partaaseen asennettuun hanaan. Käskin häntä sulkemaan hanan ja palaamaan Terryn työhuoneeseen. Buddy totteli sanomatta sanaakaan. Päästyämme alas viittilöin Buddya istumaan, minkä jälkeen kumarruin hänen olkansa yli ja osoitin valokuvan kohtaa, jossa kuvaajan kasvot heijastuivat kirjakaupan näyteikkunaan.

"Voitko suurentaa tämän kohdan? Haluan nähdä sen tarkemmin."

"Kyllä sen voi suurentaa, mutta kuvasta tulee epätarkka. Digikuvat, tiedäthän? Ne ovat sellaisia kuin ne ovat."

En ymmärtänyt, mitä Buddy tarkoitti, ja käskin häntä uudestaan suurentamaan näyttämäni kohdan. Buddy näpäytti hiirellä muutamaa painiketta, jotka sijaitsivat kuvan ylälaidassa, ja ryhtyi suurentamaan ja siirtelemään kuvaa niin että oikea kohta pysyi näytöllä. Pian hän sanoi suurentaneensa kuvaa niin paljon kuin pystyi. Nojauduin katsomaan lähempää. Kuva oli entistä epätarkempi. Edes kirjailijan kiltin helmat eivät erottuneet kunnolla.

"Saatko sitä selvemmäksi?"

"Saan sen pienemmäksi. Minä voin –"

"Ei, vaan saatko tarkennettua kuvaa?"

"En mitenkään. Siinä se nyt on."

"Anna olla, tulosta se. Edellisen kuvan laatu oli parempi tulostettuna. Ehkä tämänkin."

Buddy painoi tulostusnäppäintä, ja minä odotin jännittyneenä.

"Mitä siinä pitäisi muuten näkyä?" Buddy kysyi.

"Kuvaajan kasvot."

"Ai. Eikö Terry ottanutkaan sitä?"

"Ei, en ainakaan usko. Luulen, että joku otti kuvia Terryn perheestä ja lähetti ne hänelle. Se on joku viesti. Mainitsiko Terry siitä mitään sinulle?"

"Ei."

Päätin kokeilla, jos Buddy sattuisi puhumaan sivu suunsa.

"Milloin huomasit ensimmäisen kerran, että tiedosto on ilmestynyt koneelle?"

"En tiedä. Se oli varmaan... itse asiassa taisin nähdä sen nyt ekan kerran."

"Älä jauha paskaa, Buddy. Tämä voi olla tärkeää. Tunnet koneen kuin olisit omistanut sen viimeiset kaksikymmentä vuotta. Tiedän, että olet käyttänyt sitä ennenkin, kun Terry ei ole ollut näkemässä. Hän luultavasti tiesi, mitä teit. Se ei kiinnostanut häntä eikä se kiinnosta minuakaan. Milloin siis näit tiedoston ensimmäistä kertaa?"

Buddy oli hetken vaiti ja mietti.

"Näin kuvat ehkä kuukausi ennen Terryn kuolemaa. Mutta jos varsinainen kysymys kuuluu, milloin Terry näki kuvat ensimmäistä kertaa, meidän ei tarvitse kuin katsoa, milloin tiedosto on luotu."

"Katsotaan sitten."

Buddy tiesi mitä tehdä ja tarkisti tiedoston päiväyksen. Hän sai vastauksen muutamassa sekunnissa.

"27. helmikuuta", hän sanoi. "Tiedosto on luotu silloin."

"Hyvä. Entä jos Terry ei ottanut näitä kuvia, miten ne ovat voineet päätyä hänen koneelleen?"

"Monellakin tavalla. Ensinnäkin Terry on voinut saada kuvat sähköpostilla ja hän on tallentanut ne sitten koneelle. Toisaalta joku on voinut lainata Terryn kameraa ja ottaa kuvat. Hän on löytänyt kuvat kameralta ja siirtänyt ne koneelle. Kolmas tapa on se, että joku on lähettänyt Terrylle kameran muistikortin tai cd-levyn, jolle kuvat on tallennettu. Siten kuvia ei voisi ainakaan jäljittää kovin helposti."

"Pystyikö Terry lukemaan sähköpostinsa täällä?"

"Ei, kotona vain. Veneellä ei ole piuhoja. Sanoin Terrylle, että hänen pitäisi hankkia langaton verkkoyhteys niin kuin sillä mainoksen tyypillä, joka istuu työpöytänsä ääressä keskellä peltoa. Ei Terry ikinä vaivautunut."

Tulostin lopetti surinan, ja nappasin valokuvan hyppysiini ennen Buddya. Laskin sen kuitenkin pöydälle, jotta voisimme molemmat katsoa sitä. Heijastus erottui yhä epätarkasti ja heikosti, mutta se oli silti paljon selkeämpi tulosteessa kuin tietokoneen näytöllä. Kamera oli kuvaajan kasvojen edessä niin että niitä näki tuskin lainkaan, mutta huomasin kuvassa kuitenkin päällekkäiset L- ja A-kirjaimet, jotka muodostivat Los Angeles Dodgersien logon. Miehellä oli päässään lippalakki.

Kaupungissa oli vähintään viisikymmentätuhatta ihmistä, jotka käyttivät täsmälleen samanlaista Dodgersien lippistä. En tiennyt tarkkaa lukumäärää, mutta tiesin, etten usko sattumiin. En ole koskaan uskonut enkä koskaan aiokaan. Katsoin miehen suttuista kuvajaista ja tiesin heti, että kuvassa näkyi salaperäinen Jordan Shandy. Buddy oli samaa mieltä.

"Saatana", hän manasi. "Se on se, eikö olekin? Se asiakas. Shandy."

"Kyllä. Luulen niin."

Laskin tulostetun suurennoksen Shandysta ja makrillista otetun valokuvan viereen. En voinut olla vuorenvarma, että kuvissa oli sama mies, mutta en keksinyt yhtään syytä epäillä aavistustani. En voinut olla varma mutta olin silti täysin varma. Tiesin, että yksinään Terry McCalebin veneelle ilman ajanvarausta ilmestynyt mies oli sama, joka oli väijynyt Terryn vaimoa ja lapsia ja napsinut heistä valokuvia.

En kuitenkaan tiennyt, miten Terry oli saanut kuvat ja oliko hän tehnyt saman johtopäätöksen kuin minä.

Ryhdyin kasaamaan tulostamiani kuvia. Yritin samalla tavoitella jotain, mistä tarttuisin kiinni, jotta löytäisin edes jonkin loogisen yhteyden. Mutta en keksinyt mitään. Minulla oli pelkkiä hajanaisia aavistuksia, en tajunnut kokonaisuutta. Vaistoni kertoi, että McCalebille oli asetettu syötti. Valokuvat hänen perheestään oli lähetetty joko sähköpostilla, kameran muistikortilla tai cd-levyllä. Viimeiset kaksi kuvaa olivat tärkeimmät. Ensimmäiset 34 kuvaa vain toimivat syöttinä. Koukku kätkeytyi autiomaakuviin.

Uskoin ymmärtäväni, mitä viesti tarkoitti. Kuvat ottanut henkilö oli halunnut houkutella Terry McCalebin autiomaahan Zzyzx Roadille.

9

Rachel Walling laskeutui liukuportaat McCarran Internationalin sokkeloiseen matkatavara-aulaan. Hän oli raahannut laukkuaan koko matkan Etelä-Dakotasta, mutta Las Vegasin lentokenttä oli suunniteltu niin, että kaikkien matkustajien oli pakko kulkea tätä vaivalloista reittiä. Liukuportaiden alapäässä seisoi suuri ihmislauma. Autonkuljettajat pitelivät kylttejä, joihin oli kirjoitettu heidän asiakkaidensa nimiä, toisilla oli kylttejä, joissa luki hotellien, kasinoiden tai matkanjärjestäjien nimiä. Aulasta nouseva äänten sekamelska vyöryi Rachelin ylitse, kun hän laskeutui portaat alas. McCarran poikkesi täysin siitä pienestä lentokentästä, jolta hän oli aloittanut matkansa aamuvarhaisella.

Cherie Dein oli määrä tulla vastaan. Rachel ei ollut tavannut kollegaansa neljään vuoteen, ja silloinkin he olivat nähneet vain ohimennen Amsterdamissa. Siitä oli kulunut jo kahdeksan vuotta, kun he olivat viettäneet kunnolla aikaa yhdessä, eikä Rachel ollut varma, tunnistaisi-ko hän Cherie Deitä tai Cherie Dei häntä.

Murehtiminen oli turhaa. Vilkuillessaan vellovaa kas-vojen ja kylttien merta Rachelin huomio kiinnittyi yhteen tiettyyn nimikylttiin.

BOB BACKUS

Kylttiä pitelevä nainen hymyili hänelle. Sen piti kaiketi olla hyväkin vitsi, mutta Rachelia ei naurattanut, kun hän käveli Cherie Dein luokse.

Cherie Deillä oli punaruskea tukka, jonka hän oli kiin-nittänyt tiukalle poninhännälle. Hän oli viehättävä ja hoikka ja hän hymyili kauniisti. Hänen katseensa oli yhä iloinen. Rachelin mielestä Cherie Dei näytti pikemminkin parin kouluikäisen lapsen äidiltä kuin sarjamurhaajien metsästäjältä.

Dei ojensi kätensä. He kättelivät ja Dei esitteli kyltti-ään.

"Huono vitsi, tiedän kyllä, mutta ajattelin, että se kiin-nittäisi huomiosi."

"Suunnitelma onnistui."

"Jouduitko odottamaan Chicagossa kauan?"

"Muutaman tunnin. Vaihtoehdot ovat vähissä, kun lentää Rapid Citystä. Pitää mennä Denverin tai Chicagon kautta. Chicagon O'Harella on paremmat ravintolat."

"Onko sinulla muita matkatavaroita?"

"Ei, tämä vain. Voimme lähteä."

Rachelilla oli yksi laukku – keskisuuri kangaskassi. Hän oli pakannut vain muutaman vaatekerran. Dei osoitti kädellään liukuovien rivistöä, joka reunusti aulan yhtä seinää, ja he lähtivät kävelemään ovien suuntaan.

"Saimme sinulle huoneen Embassy Suitesista, jossa me muutkin olemme. Teki aluksi tiukkaa, mutta hotellista löytyi peruutuspaikka. Kaupunki on täynnä sen matsin takia."

"Minkä matsin?"

"En tiedä. Raskaansarjan tai nuorten keskisarjan nyrkkeilyottelu jollakin kasinolla. Ei kiinnosta pätkääkään, mutta kaikki hotellit ovat täynnä."

Rachel tiesi, että Cherie Dein puheripuli johtui hermostuneisuudesta, mutta hän ei tiennyt miksi tämä oli hermostunut. Oliko tapahtunut jotain poikkeuksellista vai pitäisikö häntä vain käsitellä varovasti näissä olosuhteissa?

"Voimme mennä hotellille, jos haluat ensin asettua taloksi. Voit vaikka levätä matkan jäljiltä. Meillä on palaveri paikallistoimistossa vähän myöhemmin. Voit aloittaa hommat sieltä, jos –"

"Ei. Haluan nähdä rikospaikan."

He astuivat automaattisesti avautuvista lasiovista ulos, ja Rachel tunsi Nevadan kuivan ilman kasvoillaan. Sää ei ollut yhtään niin kuuma kuin hän oli kuvitellut ja minkä mukaan hän oli valinnut vaatteensa. Ilma tuntui viileältä ja raikkaalta jopa suorassa auringonpaisteessa. Hän pani aurinkolasit silmilleen ja tajusi että takki, jonka hän oli pukenut ylleen lähtiessään Rapid Cityn lentokentälle, tulisi tarpeeseen täälläkin. Hän oli tunkenut sen kassin pohjalle.

"Rachel, sinne on kahden tunnin ajomatka. Oletko varma, että –"

"Olen. Vie minut sinne. Haluan aloittaa sieltä."

"Aloittaa mitä?"

"En minä tiedä. Mitä ikinä Backus haluaa, että aloitan."

Sanat saivat Cherie Dein vaikenemaan. Hän ei sanonut enää muuta. He kävelivät paikoitusalueelle, jonne Dei oli jättänyt autonsa. Se oli liittovaltion Crown Vic, joka oli niin paksun pölyn peitossa, että se näytti siltä kuin se olisi naamioitu autiomaassa suoritettavaa operaatiota varten.

Kun he olivat päässeet liikkeelle, Dei otti matkapuhelimensa esiin. Rachel kuuli Cherie Dein sanovan jollekulle – luultavasti päällikölleen, työtoverilleen tai rikospaikan johtavalle tutkijalle – että lähetys on poimittu lentokentältä ja on nyt matkalla tapahtumapaikalle. Cherie Dei oli hiljaa, toinen henkilö puhui pitkään. Sitten hän hyvästeli ja sulki puhelimen.

"Sait luvan päästä rikospaikalle, Rachel, mutta sinun täytyy pitää itsesi kurissa. Toimit vain tarkkailijana, kai ymmärrät sen?"

"Mitä oikein selität? Olen FBI:n agentti siinä missä sinäkin."

"Mutta et työskentele enää käyttäytymistieteissä. Tämä ei ole sinun tutkimuksesi."

"Eli minut pyydettiin paikalle vain siksi, että Backus otti minuun yhteyttä."

"Rachel, yritetään tulla toimeen paremmin kuin Ams –"

"Oletteko saaneet selville mitään uutta tänään?"

"Ruumiita on nyt kymmenen. Enempää ei pitäisi kuulemma löytyä. Ei ainakaan tältä rikospaikalta."

"Entä ruumiiden tunnistaminen?"

"Tutkinta etenee pikkuhiljaa. Meillä on vasta alustavia tietoja, mutta kokonaiskuva selviää pian."

"Onko Brass Doran paikalla?"

"Ei, hän on Quanticossa. Hän työstää –"

"Hänen pitäisi olla täällä. Ettekö te tajua, mitä olette löytäneet? Hän on –"

"Hei, Rachel, riittää jo. Rauhoitu vähän. Koeta ymmärtää, että tämä on minun juttuni, onko selvä? Sinä et johda tutkimusta. Homma ei toimi, jos luulet niin."

"Mutta Backus otti yhteyttä minuun. Hän kutsui minut tänne."

"Juuri siksi soitimme sinulle. Et voi kuitenkaan ryhtyä määräilemään, Rachel. Sinun täytyy katsella sivusta. Minun on lisäksi pakko sanoa, että en pidä siitä tavasta, miten yhteistyö on nyt lähtenyt käyntiin. Minä en ole autonkuljettajasi. Olit ohjaajani, mutta siitä on kymmenen vuotta. Olen työskennellyt käyttäytymistieteiden yksikössä kauemmin ja ratkaissut useampia tapauksia kuin sinä. Älä pompota minua, äläkä esitä ohjaajaani tai äitiäni."

Rachel ei ensin vastannut mitään ja pyysi sitten vain, että Cherie Dei pysäyttäisi auton, jotta hän saisi haettua takkinsa laukusta, jonka hän oli viskannut tavaratilaan. Dei pysähtyi Blue Diamond Roadin varrella sijaitsevalle Travel American huoltamolle ja avasi takaluukun.

Kun Rachel istui takaisin autoon, hänen yllään oli musta, liian iso jokasään takki, joka näytti siltä, että hän oli löytänyt sen miestenosastolta. Dei päätti pysyä hiljaa.

"Kiitos", Rachel sanoi. "Ja olet tietenkin oikeassa. Olen pahoillani. On kuitenkin turhauttavaa saada selville, että oma päällikkö – ja opettaja – on yksi niistä paskiaisista, joita olen jahdannut koko elämäni. Ja sitten *minua* vielä rangaistaan siitä."

"Ymmärrän mitä tarkoitat, Rachel. Mutta kyse ei ollut vain Backusista. Siihen vaikuttivat monet muutkin asiat. Se toimittaja, osa tekemistäsi valinnoista. Olit monien mielestä onnekas, että sait edes pitää työsi."

Rachelin poskia kuumotti. Hän oli saanut Cherie Deiltä muistutuksen, että hän oli yksi FBI:n suurimpia häpeäpilkkuja jopa toisten agenttien mielestä. Hänen entinen oppilaansakin ajatteli niin. Rachel oli maannut toimittajan kanssa, joka oli tehnyt juttua Runoilijasta. Se oli tarinan lyhyt versio. Sillä ei tuntunut olevan mitään merkitystä, että kyseinen toimittaja oli itse asiassa tärkeä osa tutkintaa ja että he olivat työskennelleet yhdessä tunnista ja päivästä toiseen. Agentit kuulevat aina ainoastaan tarinan lyhyen version ja levittävät sitten juoruja siitä. Toimittaja, piru vie. Voiko agentti pahemmin toimia vastoin tapoja ja rikkoa käyttäytymissääntöjä? Ehkä hyppäämällä sänkyyn mafiapomon tai vakoojan kanssa, ei kuitenkaan muutoin.

"Jouduin ensin viideksi vuodeksi Pohjois-Dakotaan, minkä jälkeen sain huikean ylennyksen Etelä-Dakotaan", Rachel huokaisi. "Olen ollut tosi onnekas."

"Tiedän, että maksoit kovan hinnan. Yritän vain sanoa, että sinun täytyy tietää paikkasi. Toimi nyt tahdikkaasti. Tapaus on herättänyt suurta kiinnostusta. Jos pelaat korttisi oikein, saatat päästä takaisin kuvioihin."

"Selvä on."

"Hyvä."

Rachel tunki kätensä istuimen sivuun ja sääti selkänojaa voidakseen nojata taaksepäin.

"Kuinka kauan sanoit että matka kestää?"

"Pari tuntia. Olemme säästäneet aikaa, kun olemme lentäneet paikalle helikoptereilla Nellisin sotilastukikohdasta."

"Eikö se ole herättänyt huomiota?"

Rachel tarkoitti sitä, olivatko tiedotusvälineet saaneet vihiä tutkimuksesta.

"Välillä on tehnyt tiukkaa, mutta homma on vielä pysynyt hanskassa. Rikospaikka on Kalifornian puolella, mutta me toimimme Nevadasta käsin. Ehkä se on auttanut pitämään tutkimuksen salassa. Jos ihan totta puhutaan, niin monet ovat sinusta hiukan huolissaan."

Rachel ajatteli toimittaja Jack McEvoyta.

"Ei tarvitse murehtia", hän sanoi. "En edes tiedä, missä hän on."

"No, sitten kun lehdistö kuulee asiasta, tapaat hänet varmasti. Hän kirjoitti tapahtumista menestyskirjan ensimmäisellä kerralla. Takaan, että hän ilmaantuu jatko-osassakin."

Rachel mietti lentokoneessa lukemaansa kirjaa, joka oli nyt hänen laukussaan. Hän ei osannut sanoa, oliko hän lukenut kirjan niin monesti aiheen vai kirjoittajan vuoksi.

"Luultavasti."

Rachel jätti keskustelun sikseen, veti takkinsa tiukasti kiinni ja risti kätensä. Häntä väsytti, sillä hän ei ollut nukkunut silmäystäkään Dein puhelun jälkeen.

Hän nojasi päänsä ikkunaa vasten ja nukahti nopeasti. Hän näki taas samaa synkkää unta. Tällä kertaa hän ei ollut kuitenkaan yksin. Hän ei nähnyt ketään, vain ympäröivää pimeyttä, mutta vaistosi silti jotain. Joku piileskeli lähettyvillä, joku pahaenteinen. Hän kääntyi kohti syvää pimeyttä ja yritti nähdä, kuka siellä väijyi. Hän ojensi kätensä, mutta ne haroivat tyhjää.

Hän kuuli vaikerointia eikä aluksi tajunnut, että ääni tuli hänen omasta kurkustaan. Samassa joku tarttui häneen. Hän oli jäänyt loukkuun, ja periksi antamattomat kädet ravistelivat häntä voimakkaasti.

Rachel avasi silmänsä. Hän näki tuulilasin läpi kuinka auto halkoi valtatietä. Cherie Dei irrotti otteensa Rachelin takista.

"Onko kaikki hyvin? Käännymme seuraavasta liittymästä."

Rachel katsoi vihreää kylttiä auton sujahtaessa sen ohi.

ZZYZX ROAD
1 MAILI

Rachel suoristi selkänsä. Hän katsoi kelloa ja huomasi nukkuneensa yli puolitoista tuntia. Niska oli jäykkä ja ikkunaa vasten nojaaminen oli saanut oikeanpuoleiset lihakset jomottamaan. Hän hieroi niskaansa ja paineli sormenpäillä lihaksia.

"Onko kaikki hyvin?" Dei kysyi uudestaan. "Taisit nähdä pahaa unta."

"On on. Puhuinko ääneen?"

"Et puhunut. Valitit vain. Ihan kuin olisit juossut karkuun tai joutunut vangiksi."

Dei näytti suuntamerkkiä ja kääntyi liittymästä. Zzyzx Road sijaitsi keskellä ei-mitään. Liittymän tienoolla ei ollut yhtään rakennusta, ei hylättyä asuintaloa, ei edes huoltoasemaa. Liittymän tai koko tien olemassaololle ei tuntunut olevan mitään syytä.

"Leiri on tässä suunnassa."

Dei kääntyi vasemmalle ja ajoi sillalle, joka kulki valtatien yli. Pian sillan jälkeen tie muuttui päällystämättömäksi kärrypoluksi, joka kiemurteli etelän suuntaan ja alas kohti Mojaven tasaista syvännettä. Maisema oli lohduttoman karu. Alavaa maata peittävä valkoinen suola näytti kaukaa katsottuna lumelta. Kärsivien palmuliljojen kituliaat oksankäppyrät kurottivat kohti taivasta, ja pienet pensastupsut pinnistivät esiin kivien koloista. Kai sekin jonkinlaista elämää oli. Rachel ei osannut edes kuvitella, millaiset eläimet voisivat pärjätä niin ankarissa olosuhteissa.

He ohittivat tienviitan, jonka mukaan he olivat matkalla Soda Springsiin. Tie teki sitten mutkan, ja Rachel näki yhtäkkiä horisontissa valkoisia telttoja, matkailu- ja pakettiautoja ja joukon muita ajoneuvoja. Hän huomasi myös leirin vasemmalle laidalle laskeutuneen ilmavoimien vihreän helikopterin, jonka roottorin lavat olivat ainakin sillä hetkellä pysähdyksissä. Kauempana leirin takana kohoavien kukkuloiden juurella oli ryhmä pieniä rakennuksia. Ne muistuttivat tienvarsimotellia, mutta näköpiirissä ei ollut yhtään motellin mainosta tai edes varsinaista tietä.

"Mikä paikka tämä on?" Rachel ihmetteli.

"Nimi on Zzyzx", Dei vastasi. Hän lausui sen *zii-zix*. "Universumin persreikä, jos minulta kysytään. Joku radioevankelista keksi nimen ja perusti paikan kuusikymmentä vuotta sitten. Hän sai maat haltuunsa luvattuaan hallitukselle, että tekisi alueella koekaivauksia. Hän palkkasi niitä varten Los Angelesin syrjäkujilta kiertolaisia samalla kun saarnasi itse radiossa kuinka kaikkien uskovaisten pitäisi tulla kylpemään alueen luonnonlähteisiin ja juomaan hänen pullottamaansa vettä. Liittovaltion viranomaisilta meni kaksikymmentäviisi vuotta päästä hänestä eroon. Sen jälkeen alue luovutettiin osavaltion yliopistolle autiomaatutkimuksia varten."

"Miksi juuri tänne? Miksi Backus hautasi heidät tänne?"

"Ehkä siksi että alue on liittovaltion omistuksessa. Hän halusi varmistua, että tutkinta lankeaisi meille – tai siis luultavasti sinulle. Jos hän halusi, että FBI ottaa vastuun tutkimuksesta, siinä hän todellakin onnistui. Kaivamista on muuten aivan valtavasti. Meidän piti kuljettaa tänne omat sähköt, suojat, ruoat, juomavedet, kaikki."

Rachel oli vaitonainen. Hän katseli leirin jokaista yksityiskohtaa aina kaukaiseen horisonttiin asti, jossa harmaat vuorijonot nousivat laakson reunasta. Hän oli eri mieltä Dein kanssa paikasta. Hän oli kuullut, että Irlannin rannikkoa sanottiin yhtä aikaa sekä kammottavaksi että kauniiksi. Hänen mielestään myös Zzyzx Roadin lohduttomat, kuun pintaa muistuttavat maisemat olivat tavallaan viehättäviä. Se oli korutonta kauneutta. Vaarallista kauneutta. Rachel ei ollut viettänyt pitkiä aikoja autiomaassa, mutta Dakotassa vietetyt vuodet olivat saaneet hänet arvostamaan karuja kolkkia ja harvaan asuttuja seutuja, joissa ihmiset olivat lähinnä tunkeilijoita. Se oli hänen salaisuutensa. Hän oli saanut pakkosiirron epämiellyttävään paikkaan. Sen tarkoituksena oli ollut saada hänet taipumaan ja jättämään eroanomus. Hän oli kuitenkin päihittänyt heidät. Hän kestäisi syrjäisessä sijoituspaikassaan vaikka loppuikänsä. Hän ei luovuttaisi.

Dei hidasti vauhtia, kun he lähestyivät vartiopaikkaa, joka sijaitsi noin sadan metrin päässä telttarykelmästä. Avonaisen telttakatoksen alla seisoi mies, jonka sinisen haalarin rintataskussa luki valkoisilla kirjaimilla FBI. Puuskissa puhaltava tuuli uhkasi riuhtaista katoksen taivaalle, ja agentin hiukset sojottivat sekaisin.

Dei laski sivuikkunan. Hän ei kertonut nimeään eikä antanut henkilökorttiaan vartijalle. Hänet tunnettiin. Dei kertoi vain Rachelin nimen ja sanoi, että tämä on "vieraileva agentti", mitä ikinä se tarkoittikaan.

"Onko hän saanut luvan erikoisagentti Alpertilta?" haalarimies kysyi äänellä, joka oli yhtä kuiva ja iloton kuin hänen takanaan levittäytyvä autiomaa.

"Kyllä on."

"Selvä. Tarvitsen vielä hänen henkilökorttinsa."

Rachel antoi miehelle paperinsa. Hän kirjoitti muistiin Rachelin nimen ja virkanumeron ja antoi henkilökortin takaisin.

"Quanticostako?"

"Etelä-Dakotasta."

Agentti vilkaisi Rachelia, ja hänen ilmeensä kertoi, millaisena surkimuksena hän Rachelia piti.

"Pitäkää hauskaa", hän huikkasi mennessään takaisin katoksen alle.

Dei ajoi eteenpäin, rullasi ikkunan ylös ja jätti agentin nielemään pölyä.

"Hän on Las Vegasin paikallistoimistosta", Dei sanoi. "He eivät tunnu pitävän siitä, että veimme heidän tutkimuksensa."

"Niinhän siinä aina käy."

"Sanos muuta."

"Johtaako Alpert tutkimusta?"

"Kyllä vain."

"Millainen hän on?"

"Muistatko teoriasi, että agentit ovat aina joko morfeja tai empaatteja?"

"Tietenkin."

"Alpert on morfi."

Rachel nyökkäsi.

He lähestyivät palmuliljan oksaan kiinnitettyä pientä pahvinpalaa, johon oli kirjoitettu AJONEUVOT ja jossa oli oikealle osoittava nuoli. Dei kääntyi ja pysäköi auton neljän yhtä likaisen Crown Vicin viereen.

"Entä sinä?" Rachel kysyi. "Kumpi sinusta loppujen lopuksi tuli?"

Dei ei vastannut.

"Oletko valmis?" hän kysyi sen sijaan.

"Ehdottomasti. Olen odottanut uutta tilaisuutta napata hänet viimeiset neljä vuotta. Tästä se lähtee."

Rachel avasi auton oven ja astui ulos kirkkaaseen auringonpaisteeseen. Hän tunsi saapuneensa kotiin.

10

Backus ajoi heidän perässään Zzyzx Roadille johtavaa liittymää pitkin. Hän pysytteli turvallisen välimatkan päässä. Hän ajoi valtatien yli kulkevan sillan toiselle puolelle, näytti suuntamerkkiä ja kääntyi ympäri. Jos he sattuisivat tarkkailemaan taustapeiliä, hän antaisi vaikutelman kuljettajasta, joka oli vain päättänyt kääntyä takaisin Las Vegasiin.

Ennen kuin hän ohjasi autonsa valtatielle, hän näki, että FBI:n auto jätti isomman tien ja suuntasi kohti rikospaikkaa. Hänen aikaansaamaansa rikospaikkaa. Auto nostatti peräänsä muhkean pölypilven. Hän näki valkoisten telttojen muodostelman horisontissa ja tunsi saavuttaneensa jotain ennennäkemätöntä. Rikospaikka oli kuin kaupunki, jonka hän oli rakentanut. Luukaupunki. FBI:n agentit säntäilivät kuin muurahaiset keossaan. He pyristelivät edestakaisin ja tekivät työtään hänen luomassaan maailmassa tietämättä sitä,

87

että he tottelivat kaiken aikaa hänen käskyjään. Hän toivoi, että voisi mennä lähemmäksi tarkkailemaan ja saisi nähdä järkytyksen heidän kasvoillaan, mutta hän tiesi että riski oli liian suuri. Sitä paitsi hänellä oli muutakin tekemistä. Hän painoi jalkansa kaasulle ja lähti ajamaan takaisin synninpesään. Hän halusi varmistua, että kaikki olisi valmista, kun palaset loksahtaisivat lopulta paikoilleen.

Hän tunsi lievää haikeutta sydänalassaan ajaessaan Las Vegasiin. Ehkä se johtui pettymyksestä, kun hänen oli pitänyt jättää Rachel aavikolle yksin. Hän hengitti syvään ja koetti karkottaa apeutensa. Hän tiesi, että voisi taas pian olla Rachelin kanssa.

Hetken päästä hän hymyili jälleen muistaessaan, kuinka Rachelia tapaamaan tullut nainen oli kirjoittanut hänen nimensä kylttiin, jota tämä piteli käsissään. Se oli FBI:n käsitys hauskasta sisäpiirin vitsistä. Backus tunnisti naisen. Agentti Cherie Dei. Rachel oli ollut Cherie Dein ohjaaja, aivan kuten hän oli ollut Rachelin ohjaaja. Se tarkoitti, että ainakin osa hänen taidoistaan oli siirtynyt Rachelin kautta uudelle sukupolvelle. Ajatus kutkutti häntä. Mitenköhän Cherie Dei olisi reagoinut, jos hän olisi kävellyt tämän luokse liukuportaiden alapäähän ja tervehtinyt sanoen "Kiva kun tulit vastaan".

Hän katseli tasaista ja hedelmätöntä autiomaata tuulilasin läpi. Maisema näytti uskomattoman kauniilta, etenkin sen vuoksi, mitä hän oli istuttanut hiekan ja kivien joukkoon.

Hän ajatteli autiomaahan kätkemiään muistoesineitä, ja pian rintakehää puristanut alakulo kaikkosi ja hän tunsi olonsa kepeäksi. Hän vilkaisi taustapeiliin varmistuakseen, ettei häntä seurattu ja ettei peilissä näkynyt mitään uhkaavaa. Sitten hän katsoi omaa kuvajaistaan ja ihaili taas kirurgin loisteliasta työtä. Ja hymyili itselleen.

11

Kun he kävelivät lähemmäs telttoja, Rachel tunsi hajun nenässään ensimmäisen kerran. Leirin läpi puhaltava telttoihin tunkeutuva ja niitä löyhyttävä tuuli kantoi mukanaan maatuvien ihmisruumiiden löyhkää, josta ei voinut erehtyä. Rachel hengitti suun kautta, koska häntä vaivasi tieto, että hajuaistimus syntyy mikroskooppisten hiukkasten ajautuessa nenän aistinsolujen pinnalle. Hän toivoi, ettei olisi tiennyt sitä juuri nyt. Se nimittäin tarkoitti, että jos nenässään tunsi mätänevän lihan hajun, silloin hengitti sisäänsä mätänevää lihaa.

Leirin laidalle oli pystytetty kolme pienehköä nelikulmaista telttaa. Ne eivät olleet retkeilyä varten. Ne olivat komentotelttoja, joiden pystysuorat seinät olivat noin kaksi ja puoli metriä kantiltaan. Niiden takana kohosi suurempi suorakulmainen teltta. Rachel huomasi, että jokaisen telttakatoksen tuuletusaukkojen liepeet olivat levällään. Hän tiesi, että teltoissa suoritettiin kaivauksia.

Tuuletusaukkojen kautta vapautui edes osa kuumuudesta ja hirvittävästä hajusta.

Kaikkialla leirissä kuului kovaa melua. Alueella oli ainakin kaksi bensiinikäyttöistä generaattoria, jotka tuottivat energiaa tutkijoiden käyttöön. Alueen vasemmalle laidalle oli pysäköity myös kaksi isoa matkailuautoa, ja niidenkin ilmastointilaitteet humisivat täydellä teholla.

"Mennään ensin tänne", Cherie Dei sanoi ja osoitti toista matkailuautoa. "Randal on yleensä täällä."

Matkailuauto näytti samalta kuin kaikki muutkin maantielaivat, joita Rachel oli nähnyt risteilevän pitkin valtateitä. Tämän yksilön nimi oli Open Road, ja siinä oli Arizonan kilvet. Dei koputti ovelle ja kiskaisi sen auki odottamatta vastausta. He kapusivat sisään. Ajoneuvon sisustuksesta näki, että sitä ei ollut todellakaan tarkoitettu matkailuun maan avarilla tieosuuksilla. Väliseinät ja kodin mukavuudet oli poistettu. Ajoneuvon sisäpuoli koostui yhdestä avonaisesta tilasta, jossa oli neljä klahvipöytää ja paljon tuoleja. Takaseinällä oli työtaso, jonka päällä oli tavanomaisia toimistotavaroita: tietokone, faksi, kopiokone ja kahvinkeitin. Kahden pöydän päällä lojui läjä papereita. Kolmannelle oli pantu iso hedelmäkulho, mikä tuntui oudolta näissä olosuhteissa. Ruokapöytä, Rachel tuumi. Lounasta on pakko saada jopa joukkohaudan laidalla. Neljännen pöydän ääressä istui mies, joka puhui matkapuhelimeen avoin kannettava tietokone edessään.

"Paina puuta", Dei kehotti. "Esittelen teidät, kun hän lopettaa."

Rachel istui ruokapöydän ääreen ja nuuskaisi ilmaa varovasti. Auton ilmastointi kierrätti sisäilmaa. Kalmiston hajua pystyi tuskin erottamaan. Ei ihme, että tutkinnan johtaja viihtyi sisätiloissa. Rachel katsoi hedelmäkulhoa kaihoisasti ja harkitsi ottavansa pari viinirypälettä mutta päätti lopulta olla ilman.

"Syö vain jos haluat", Dei tokaisi.

"Ei kiitos, ei maistu."

"Ihan miten vain."

Dei nappasi kulhosta muutaman mehukkaan rypäleen, ja Rachel tunsi olonsa typeräksi ahdistettuaan itsensä nurkkaan. Kännykkämies, jonka Rachel uskoi olevan erikoisagentti Alpert, puhui tuskin kuiskausta kovempaa, eivätkä hänen sanansa kantautuneet Rachelin korviin – tuskin edes linjan toiseen päähän. Hän huomasi, että ajoneuvon vasen seinusta oli täynnä rikospaikalla otettuja valokuvia. Hän käänsi katseensa pois. Hän ei halunnut tutkia niitä ennen kuin olisi käynyt teltoissa. Hän katsoi ulos pöydän vieressä olevasta ikkunasta. Autiomaa näkyi tästä kohdasta parhaiten. Rachel näki suoraan tasangolle ja koko pitkän vuorijonon. Hän mietti, merkitsikö näkymä jotain. Oliko Backus valinnut tämän paikan juuri maiseman vuoksi ja jos oli, mitä se mahtoi tarkoittaa?

Kun Dei käänsi selkänsä, Rachel nappasi hedelmäkulhosta kolme rypälettä suuhunsa. Samalla hetkellä Alpert sulki matkapuhelimensa, nousi pöydästä ja tuli Rachelin luokse käsi ojossa.

"Erikoisagentti Randal Alpert, johdan tätä tutkintaa. Olemme iloisia, että pääsit tulemaan."

Rachel kätteli miestä mutta puhui vasta kun oli saanut nielaistua rypäleet.

"Hauska tavata. Olosuhteet vain eivät ole kovin hauskat."

"Niinpä, mutta mahtavat maisemat. Päihittävät ainakin Quanticon tiiliseinät. Onneksi olemme täällä huhtikuun lopussa elokuun sijaan. Helle olisi tehnyt selvää meistä kaikista."

Randal Alpert oli saanut Robert Backusin viran. Hän johti käyttäytymistieteiden yksikköä Quanticosta käsin ja tuli kentälle vain kun jotain merkittävää tapahtui. Ja

91

tämä oli tietenkin iso juttu. Rachel päätti heti, ettei pitäisi Alpertista ja että Cherie Dei oli ollut oikeassa sanoessaan tätä morfiksi.

Rachel oli ollut aina sitä mieltä, että käyttäytymistieteiden agentit pystyi jakamaan kahteen ryhmään. Hän sanoi ensimmäisen kategorian agentteja "morfeiksi". He muistuttivat jahtaamiaan ihmishirviöitä. He pystyivät erottamaan työn ja vapaa-ajan toisistaan. Sarjamurhaajien tavoin he kykenivät siirtymään tapauksesta toiseen ilman että karmivat rikokset, syyllisyydentunto ja tieto pahuuden todellisesta luonteesta nujersivat heidät. Rachel nimitti heitä morfeiksi, koska he onnistuivat muuttamaan taakkansa joksikin muuksi. Esimerkiksi joukkohaudan ympäristö saattoi tarjota paremmat näkymät kuin Quanticon tylynharmaat virastorakennukset.

Toisen ryhmän muodostivat "empaatit". He imivät sisäänsä kaikki kokemansa kauheudet ja takertuivat niihin. Maailman pahuus oli heille kuin leirinuotio, jonka ympärille he kerääntyivät lämmittelemään iltaisin. Empaatit piehtaroivat rikosten karmeissa yksityiskohdissa, löysivät yhteyksiä tapausten välillä ja piiskasivat itseään saattaakseen työnsä päätökseen. Rachelin mielestä he olivat parempia agentteja, sillä he eivät koskaan luovuttaisi. He päinvastoin ylittäisivät itsensä, jotta pahantekijät saataisiin kiinni ja rikokset ratkaistua.

Oman terveyden kannalta oli toki parempi olla morfi ja tehdä työtä ilman musertavaa painolastia. Käyttäytymistieteiden yksikön pitkillä käytävillä vaelsi lukuisia empaattien haamuja. Jotkut heistä eivät olleet säästelleet itseään ja tuska oli käynyt lopulta ylivoimaiseksi: Janet Newcomb oli tunkenut virka-aseen suuhunsa, Jon Fenton oli ohjannut autonsa sillankaiteeseen ja Terry McCaleb oli kirjaimellisesti antanut sydämensä työlleen. Rachel muisti heidät kaikki, mutta eritoten hän muisti

Bob Backusin, ylivertaisen morfin, agentin joka oli sekä saalistaja että saalis.

"Puhuin juuri Brass Doranin kanssa", Alpert sanoi. "Hän käski kertoa terveisiä."

"Onko hän Quanticossa?"

"Kyllä, hän taitaa kärsiä vähän torikammosta. Hän ei koskaan haluaisi lähteä mihinkään. Hän pyörittää operaatiota siinä päässä. No mutta, agentti Walling, taidat tietää mistä on kyse. Tilanne on tulenarka. Olemme kiitollisia, että tulit, mutta olet täällä ainoastaan tarkkailijana ja mahdollisena todistajana."

Rachel ei pitänyt Alpertin virallisesta suhtautumisesta. Se oli vain keino pitää hänet poissa sisäpiiristä.

"Todistajana. Minäkö?" Rachel hämmästeli.

"Voit ehkä antaa meille uusia ideoita. Sinä tunsit hänet. Useimmat meistä jahtasivat vielä pankkirosvoja Backus-sotkun aikoihin. Tulin yksikköön vasta kun sinun juttusi oli ohi. Heti kun virkavastuuosasto oli syynännyt paikat. Cherie on yksi harvoista, jotka ovat jäljellä niiltä ajoilta."

"Mikä minun juttuni?"

"Tiedäthän sinä. Sinun ja Backusin pieni välienselvittely."

"Voinko nyt käydä leirissä? Haluaisin nähdä, mitä siellä tapahtuu."

"Cherie näyttää paikkoja ihan kohta. Ei siellä ole paljon muuta kuin tänään esiin kaivettu ruho."

Ehdan morfin sanavalinta, Rachel tuumi. Hän vilkaisi Deitä ja näki tämän ajattelevan samaa.

"Haluaisin sitä ennen puhua yhdestä toisesta asiasta."

Rachel tiesi, minkä saarnan saisi kuulla, mutta antoi Alpertin jatkaa. Tämä siirtyi auton ohjaamoon ja osoitti sormellaan autiomaata. Rachel katsoi tarkkaan mutta ei nähnyt muuta kuin vuorijonon.

"No, sitä ei näe oikein kunnolla tästä kulmasta", Alpert myönsi, "mutta maassa lukee suurin valkoisin kirjaimin: KUVAUKSET KÄYNNISSÄ – EI YLILENTOJA, EI MELUA. Se on tarkoitettu kaikille niille, jotka voisivat kiinnostua teltoista ja ajoneuvoista. Aika hyvä keksintö, vai mitä? Leiri näyttää elokuvan kuvauspaikalta. Teksti pitää uteliaat loitolla."

"Entä sitten?"

"Entä sitten? Sitä vain, että pyrkimyksemme on pitää tutkinta mahdollisimman hyvin kurissa. Kukaan ulkopuolinen ei tiedä siitä, ja hyvä niin."

"Ja te väitätte että minä voisin vuotaa tietoja?"

"En, minä en väitä mitään. Pidän saman puheen kaikille, jotka tulevat alueelle. Mutta en halua saada aikaan samanlaista mediasirkusta kuten viimeksi. Tällä kertaa me kontrolloimme tilannetta. Onko selvä?"

Eli käsky pitää tutkinta aisoissa oli tullut suoraan FBI:n johdosta, Rachel ajatteli. Backusin paljastuminen oli ollut vähällä tuhota käyttäytymistieteiden yksikön ja sen henkilökunnan maineen puhumattakaan siitä, millainen fiasko tapaus oli ollut koko FBI:n organisaatiolle kansalaisten silmissä. FBI:n maine oli kärsinyt uuden kolauksen syyskuun 11:nnen terrori-iskujen yhteydessä, ja lisäksi he joutuivat taistelemaan rahasta ja imartelevista uutisotsikoista sisäisen turvallisuuden viraston kanssa, joten johtoporras ja virkavastuuosasto tuskin halusivat, että lehdistö kiinnostuisi uudemman kerran mielipuolesta tappaja-agentista. Etenkin koska kansalaisille oli uskoteltu, että kyseinen psykopaatti oli kuollut jo ajat sitten.

"Ymmärrän", Rachel vakuutti. "En aio aiheuttaa harmeja. Voinko nyt mennä ulos?"

"Vielä yksi juttu."

Alpert mietti hetken. Hän halusi selvästikin valita sanansa tarkasti.

"Kaikki tutkintaan osallistuvat henkilöt eivät tiedä, että tapaus liittyy Robert Backusiin. Heidän ei tarvitsekaan tietää ja niin saa luvan olla jatkossakin."

"Mitä? Eivätkö muut agentit tiedä, että Backus on syypää tähän? Heille pitää –"

"Tämä ei ole sinun tutkimuksesi, Walling. Älä yritä omia sitä itsellesi. Olet täällä tarkkailemassa ja auttamassa. Emme tiedä, onko Backus syyllinen, ja ennen kuin varmistumme siitä –"

"Niinpä. GPS-paikannin oli varmaan muuten vain täynnä hänen sormenjälkiään. Hänellä on selvästi näppinsä pelissä."

Alpert vilkaisi Deitä ärtyneesti.

"Cherien ei olisi pitänyt kertoa sormenjäljistä, ja mitä rikollisen toimintatapaan tulee, meillä ei ole siitä täyttä varmuutta."

"Kertoi Cherie minulle mitä tahansa, niin totta se kuitenkin on. Ette voi salailla tätä pitkään."

Alpert tuhahti kärsimättömästi.

"Ei kukaan puhunut mitään salailusta. Yritämme vain pitää langat käsissämme ja rajoittaa tietovuotoja. Kerromme muista seikoista sitten kun aika on kypsä. Emme me salaile. Jo se että sinä ilmestyt paikalle, kertoo useimmille riittävästi. En halua, että päätät omin päin kenelle puhut ja mitä. Teen vain työtäni. Onko nyt kaikki selvää?"

Rachel nyökkäsi muodon vuoksi ja katsoi samalla Deitä.

"Täysin."

"Hyvä. Siinä tapauksessa voit näyttää hänelle paikkoja, Cherie. Vie hänet kierrokselle."

He astuivat ulos matkailuautosta, ja Dei johdatti Rachelin ensimmäisen pienen teltan luokse.

"Pääsit heti hänen suosioonsa", Cherie sanoi, kun he kävelivät kohti telttaa.

"Naurettavaa. Jotkut asiat eivät koskaan muutu. On varmaan turha toivoa, että virkakoneisto kehittyisi tai oppisi jotain omista virheistään. Ihan sama. Sitä on turha murehtia nyt. Mitä olette löytäneet?"

"Meillä on kahdeksan säkissä ja kaasujäljet kahdesta muusta, joita emme ole vielä nostaneet. Klassinen käänteinen pyramidi."

Rachel tunsi jargonin. Hän oli kehittänyt osan siitä. Dei tarkoitti, että tutkijat olivat löytäneet kahdeksan ruumista ja että kaasuanturien mukaan maassa oli haudattuna vielä kaksi, joita ei ollut ehditty kaivaa ylös. Aiemmista tutkimuksista oli saatu tietoja, joiden avulla rakennettiin vastaavaa käyttäytymistä kuvaavia malleja. Toimintatapa oli tuttu: tappaja, joka hautaa uhrinsa samaan paikkaan, noudattaa yleensä tiettyä kaavaa, jossa uudemmat haudat erkanevat ensimmäisestä käänteisen pyramidin tai V-kirjaimen muotoisesti. Niin nytkin, sillä Backus noudatti joko tiedostamattaan tai tietoisesti kaavaa, joka perustui aineistoon, jota hän oli itse koonnut ollessaan FBI:ssä.

"Tahtoisin kysyä jotain", Rachel sanoi. "Alpert puhui Brass Doranin kanssa puhelimessa. Kai hän tietää, että kyse on Backusista?"

"Kyllä Brass tietää. Hän löysi sormenjäljet."

Rachel huojentui. Hänellä oli ainakin yksi työtoveri, johon voisi luottaa ja joka olisi perillä asioista.

He pääsivät teltalle, ja Dei veti etuliepeen sivuun. Rachel astui sisään ennen Deitä. Koska teltan tuuletusaukko oli auki, sisällä ei ollut pimeää. Vain hieman hämärää. Silmät tottuivat nopeasti, ja Rachel näki teltan keskellä ison neliskulmaisen kuopan. Sen vieressä ei ollut ylimääräistä haudasta nostettua maata. Hän arveli, että hiekka ja kivet oli lähetetty Quanticoon tai Las Vegasin paikallistoimistoon seulottavaksi ja analysoitavaksi.

"Kaikki poikkeava ilmeni tällä ensimmäisellä haudalla", Dei kertoi. "Muut ovat pelkkiä monttuja. Niistä ei löytynyt muuta kuin ruumiit."

"Mitä poikkeavaa tarkoitat?"

"GPS-paikantimen koordinaatit vastasivat juuri tätä kohtaa. Kun agentit tulivat paikalle, he löysivät veneen, joka oli –"

"Sanoitko veneen? Keskellä autiomaatako?"

"Muistatko kun puhuin siitä saarnaajasta, joka perusti tämän paikan? Hän kaivatti kanavan lähdevettä varten. Vene oli luultavasti hänen perujaan. Se oli todella vanha. Me siirsimme veneen pois tieltä, iskimme maahan anturin ja aloimme kaivaa. Toinen poikkeus on se, että haudassa oli kaksi ruumista. Muissa vain yksi."

"Oliko ne haudattu samaan aikaan?"

"Kyllä. Päällekkäin. Mutta toinen oli kääritty muoviin ja kuollut paljon aiemmin kuin toinen. Luultavasti noin seitsemän kuukautta aiemmin."

"Hän siis piti ruumista piilossa. Paketoi sen myöhempää käyttöä varten. Kun uhrien lukumäärä kasvoi, hän tajusi että niille pitää tehdä jotain, joten hän tuli tänne ja hautasi ne hiekkaan. Hän käytti venettä hautapaikan merkkinä. Se toimi hautakivenä ja maamerkkinä, koska hän tiesi, että joutuisi palaamaan paikalle muiden ruumiiden kanssa."

"Kenties. Mutta miksi Backus tarvitsi venettä maamerkkinä, jos hänellä oli GPS-paikannin?"

Rachel pohti kysymystä ja tunsi, kuinka adrenaliini alkoi virrata suonissa. Aivoriihi oli aina ollut hänestä työn paras puoli.

"Paikannin tuli kuvaan vasta myöhemmin. Vastikään. Se oli meitä varten."

"Meitä?"

"Teitä. FBI:tä. Minua."

Rachel siirtyi kuopan reunalle ja katsoi sen pohjalle. Se oli varsin matala, varsinkin kahden ruumiin haudaksi. Rachel ei enää hengittänyt suunsa kautta vaan veti löyhkäävää ilmaa sieraimiinsa. Hän halusi muistaa, miltä hauta haisi.

"Joko heidät on tunnistettu?"

"Ei virallisesti. Sukulaisiin ei ole otettu yhteyttä, mutta olemme tunnistaneet heistä osan. Ainakin viisi. Ensimmäisestä murhasta on kolme vuotta. Toinen tapahtui seitsemän kuukautta myöhemmin."

"Onko sykli selvitetty?"

"Saimme sen valmiiksi. Reduktio on kahdeksan prosenttia. Kahden viimeisen myötä pääsemme luultavasti viime marraskuuhun."

Eli kahden murhan välinen ajanjakso lyheni aina kahdeksalla prosentilla verrattuna ensimmäisen ja toisen tapauksen väliseen seitsemään kuukauteen. Myös se noudatti kaavaa. Murhien välisen ajanjakson lyheneminen oli yleistä vanhojen tapausten perusteella, se oli oire murhaajan itsehillinnän pettämisestä ja ylivertaisuuden tunteen kasvamisesta. Jos ensimmäisestä murhasta selviää kuin koira veräjästä, toinen hoituu paljon helpommin ja tapahtuu myös pikemmin. Ja sitä rataa aina uudestaan ja uudestaan.

"Hän taitaa olla jäljessä aikataulusta", Rachel arvaili.

"Niin, oletettavasti."

"Oletettavasti?"

"Rachel, me puhumme nyt Robert Backusista. Hän tietää kaiken minkä mekin. Hän leikkii kanssamme. Ihan kuten Amsterdamissa. Hän häipyy maisemista ennen kuin tajuamme, kuka syyllinen on. Sama toistuu nytkin. Hän on jo uusilla metsästysmailla. Miksi hän olisi muutoin lähettänyt GPS:n meille? Backus on liuennut. Hän ei ole myöhässä aikataulusta eikä palaa enää takaisin. Hän naureskelee meille, seuraa kuinka noudatamme kaavojamme ja rutiineitamme ja tietää, että emme saa häntä kiinni sen vertaa mitä viimeksikään."

Rachel nyökkäili. Hän tiesi, että Dei oli oikeassa, mutta päätti silti pysyä toiveikkaana.

"Hän tekee vielä joskus virheen. Entä se GPS? Onko siitä selvinnyt mitään?"

"Tutkimme sen, tietenkin. Se on Brassin heiniä."

"Onko vielä jotain muuta?"

"No sitten olet sinä, Rachel."

Hän oli hiljaa. Cherie Dei oli jälleen oikeassa. Backus suunnitteli jotain muutakin. Hänen epäselvä mutta suorasukainen viestinsä vahvisti sen. Backus oli halunnut, että hän tulisi rikospaikalle, liittyisi mukaan leikkiin. Mutta miksi? Mitä Runoilija halusi?

Aivan kuten Rachel oli ollut Cherie Dein ohjaaja, Backus oli ohjannut Rachelia. Hän oli ollut loistava oppiisä. Jälkiviisaasti voisi sanoa, että hän oli ollut etevämpi kuin Rachel tai kukaan muu olisi voinut edes kuvitella. Rachel oli saanut oppinsa sekä agentilta että tappajalta, metsästäjältä ja saaliilta, mikä teki Backusista poikkeustapauksen koko maan rikoshistoriassa. Rachel muistaisi ikuisesti, mitä Backus oli sanonut ohimennen eräänä yönä, kun he olivat lähdössä yksiköstä ja kävelivät ylös portaita Quanticon kellarikerroksesta.

"Koko juttu on oikeastaan pelkkää paskaa. Emme me voi ennustaa, miten nämä tyypit käyttäytyvät. Voimme ainoastaan reagoida. Käytännössä olemme täällä tyhjän panttina. Meistä voi kirjoittaa vetäviä artikkeleita ja Hollywoodissa meistä tehdään kelpo leffoja, mutta siinä se sitten onkin."

Rachel oli vasta aloittanut käyttäytymistieteissä. Hän puhkui ihanteita, suunnitelmia ja uskoa. Seuraavan puolen tunnin ajan hän yritti vakuuttaa, että Backus oli väärässä. Nyt muisto lähinnä hävetti häntä: hän oli saarnannut ja intoillut miehelle joka oli myöhemmin paljastunut murhaajaksi.

"Voinko käydä muissakin teltoissa?" Rachel kysyi.

"Tietenkin", Dei vastasi. "Tee niin kuin itse haluat."

12

Kello oli paljon, ja veneen akuista hupeni virta. Keulahytin valot himmenivät tasaista tahtia. Tai siltä se ainakin vaikutti. Ehkä silmäni vain pettivät. Olin lukenut ylävuoteelle säilöttyjen pahvilaatikoiden tutkintakansioita viimeiset seitsemän tuntia. Olin täyttänyt muistikirjani merkinnöillä viimeistä sivua myöten, kääntänyt kirjan lopulta ympäri ja alkanut tehdä muistiinpanoja jo sivujen toisellekin puolelle.

Iltapäivän tapaaminen oli ollut yhtä tyhjän kanssa. Terry McCalebin viimeinen asiakas oli ollut mies nimeltä Otto Woodall, jonka hienostoasunto sijaitsi kuuluisan Avalon Casinon takana. Jututin häntä lähes tunnin ja sain kuulla saman tarinan, jonka Buddy Lockridge oli kertonut. Woodall, 66-vuotias eläkeläinen, vahvisti kaikki kalareissuun liittyvät seikat, joista olin kiinnostunut. Hän sanoi poistuneensa veneeltä Meksikossa ja viettäneensä aikaa tuntemiensa naisten kanssa. Hän ei nolostunut eikä häntä hävettänyt. Woodallin vaimo oli päivän kestävällä ostosmatkalla mantereen puolella, eikä jutustelu häirinnyt Woodallia lainkaan. Hän kertoi jääneensä eläkkeelle työstään mutta ei elämästä. Hän sanoi, että hänellä oli yhä miehelle ominaisia tarpeita. Aihe ei ollut sellainen, josta halusin kuulla, joten koetin saada Woodallin keskittymään McCalebin viimeisiin hetkiin.

Woodallin havainnot ja muistikuvat vastasivat Buddyn kertomusta kaikissa tärkeissä yksityiskohdissa. Woodall vahvisti myös sen, että hän oli nähnyt, kuinka Terry McCaleb oli ottanut lääkkeensä ainakin kahdesti matkan aikana ja huuhdellut tabletit ja nestemäiset lääkkeet alas appelsiininimehulla.

Kirjoitin muistiinpanoja, vaikka tiesin etten tarvitsisi niitä. Tunnin tarinoinnin jälkeen kiitin Woodallia ja jätin hänet katselemaan Santa Monica Bayn vastarannalla leijuvaa savusumua.

Buddy Lockridge odotti minua talon eteen pysäköidyssä golfautossa, jonka olin vuokrannut aiemmin päivällä. Häntä harmitti edelleen viime hetkellä tekemäni päätös kuulustella Woodallia yksin. Buddyn mielestä olin käyttänyt häntä hyväkseni vain päästäkseni Woodallin puheille. Hän oli tietenkin oikeassa, mutta minä en välittänyt hänen valituksistaan.

Olimme molemmat hiljaa ajaessamme takaisin satamaan. Kävin palauttamassa golfauton ja sanoin Buddylle, että hän voisi lähteä kotiin, sillä minä käyttäisin loppupäivän ja illan Terryn kansioiden lukemiseen. Buddy tarjosi anelevasti apuaan, mutta kerroin, että hän oli auttanut jo tarpeeksi. Katselin kuinka hän raahusti lauttalaiturille hartiat lysyssä. En ollut vieläkään varma, mitä ajatella Buddy Lockridgesta. Tiesin, että minun pitäisi vielä pohtia asiaa.

En halunnut pelleillä kumiveneen kanssa, joten päätin ottaa vesitaksin *Following Sealle*. Tutkin suurimman hytin nopeasti löytämättä mitään mielenkiintoista ja siirryin sitten keulaan.

Näin että Terryllä oli cd-soitin työhuoneessaan. Pieni levykokoelma koostui lähinnä bluesista ja 1970-luvun rokista. Panin soittimeen hiukan uudemman Lucinda Williamsin levyn *World Without Tears* ja pidin siitä niin paljon, että annoin levyn soida tauotta seuraavan kuuden tunnin ajan. Laulajalla oli elämän karaisema ääni, josta pidin suuresti. Kun veneen akut alkoivat käydä vähiin, suljin soittimen ja huomasin osaavani ulkoa ainakin kolmen kappaleen sanat. Voisin laulaa niitä Maddielle, kun seuraavan kerran tuudittaisin häntä uneen.

Päätin ensimmäiseksi palata Terry McCalebin työhuoneeseen ja tutkia hänen tietokonettaan. Avasin kansion, jolle hän oli antanut nimen PROFIILIT.

Kansiossa oli kuusi päivän mukaan nimettyä tiedostoa, kaikki viimeisten kahden vuoden ajalta. Avasin ne yksitellen kronologisessa järjestyksessä ja näin, että kukin sisälsi murhatutkimuksiin liittyvän psykologisen profiilin. Konstailemattomalla, ammattilaisen kliinisellä tyylillä kirjoitetut profiilit sisälsivät rikospaikan teknisen tutkinnan perusteella tehtyjä johtopäätöksiä murhista. Seikkaperäisistä tiedoista kävi ilmi, että Terry ei ollut tyytynyt vain lukemaan tapauksista sanomalehdistä. Hän oli selvästikin saanut tietoa kaikista tutkinnan osa-alueista – ehkä kysymällä henkilökohtaisesti, mutta luultavimmin hän oli saanut tutkijoilta valokuvia, nauhoituksia ja muistiinpanoja. Myös se tuntui mielestäni selvältä, että tiedostoja ei ollut kirjoittanut puolihuolimaton profiloija, joka kaipasi vanhaa työtään ja halusi pitää taitojaan yllä. Terry oli tehnyt profiilit todennäköisesti sen vuoksi, että joku oli pyytänyt häntä tekemään ne. Kaikki tapaukset olivat sattuneet länsirannikolla pienten poliisilaitosten toimialueilla. Arvelin, että Terry oli kuullut rikoksista uutisissa tai jotain muuta kautta ja tarjonnut apuaan tutkimustyön kanssa kamppaileville viranomaisille. Kun tarjous oli otettu vastaan, Terrylle luultavasti lähetettiin rikospaikkatiedot, joita hän alkoi sitten analysoida ja joiden avulla hän ryhtyi laatimaan samalla profiileja. Mietin, oliko Terryn maineesta ollut hyötyä vai haittaa. Kuinka monta kertaa hänet oli torjuttu ennen kuin hän oli saanut nämä kuusi tapausta tutkittavakseen?

Terry oli luultavasti tehnyt kaikki työt juuri tämän pöydän ääressä, missä minäkin nyt istuin, enkä uskonut että hän oli pahemmin viettänyt aikaa muualla kuin täällä. Hän oli tuskin osannut arvata sitäkään, miten hyvin hänen vaimonsa oli perillä hänen harrastuksestaan.

Näin heti, että tapaukset olivat vieneet kosolti aikaa ja kaiken hänen huomionsa. Ymmärsin aiempaa paremmin, kuinka iltapuhteista oli tullut todellinen ongelma McCalebien avioliitossa, kuten Graciela oli minulle kertonut. Terry ei osannut sanoa ei menneisyydelleen. Hän ei pystynyt jättämään kutsumustaan. Eläkepäivinä tehdyt profiilit eivät kertoneet ainoastaan Terryn paneutumisesta rikostutkijan työhön vaan myös kykenemättömyydestä omistautua vaimolle ja lapsille.

Profiilit liittyivät rikoksiin, jotka oli tehty Scottsdalessa Arizonassa, Hendersonissa Nevadassa ja neljässä kalifornialaisessa kaupungissa: La Jollassa, Laguna Beachissa, Salinasissa ja San Mateossa. Kaksi pikkulapsen murhaa sekä kolmen naisen ja yhden miehen raiskausmurhat. McCaleb oli ollut varma, että tapaukset eivät liittyneet toisiinsa. Ne olivat vain erillisiä rikoksia, jotka olivat sattuneet herättämään hänen mielenkiintonsa viimeisten kahden vuoden aikana. Tiedostoissa ei ollut merkintöjä, oliko Terryn panos auttanut tutkimuksissa tai oliko rikokset ratkaistu. Kirjoitin muistiin kunkin tapauksen pääkohdat, sillä ajattelin myöhemmin soittaa poliisilaitoksille ja kysyä missä vaiheessa tutkimukset olivat. Se oli hakuammuntaa, mutta profiilien joukosta voisi löytyä jokin selitys sille, miksi Terrylle oli käynyt huonosti. En asettanut tapauksia etusijalle mutta tiesin, että nekin pitäisi tarkistaa jossain vaiheessa.

Jätin tietokoneen hetkeksi rauhaan ja keskityin tutkimaan ylävuoteen pahvilaatikoihin varastoituja kansioita. Nostin laatikot yksitellen alas kunnes keulahytin lattialta loppui tila. Huomasin, että laatikot sisälsivät kansioita sekä ratkaistuista että ratkaisemattomista rikoksista. Käytin ensimmäisen tunnin pelkästään kansioiden lajitteluun. Auoin selvittämättömien tapausten kansioita ja ajattelin, että jos Terryn kuolema liittyi johonkin vanhaan tapaukseen, kyse oli todennäköisesti rikoksesta, jonka tekijä oli yhä vapaalla jalalla. Terryllä ei ollut mitään syytä puuhastella tapauksen parissa, joka oli jo ratkaistu.

Tutkintakansioiden aineisto oli todella mielenkiintoista. Monet niistä koskivat tutkimuksia, joista olin kuullut tai joissa olin ollut jopa osallisena. Ne eivät olleet keränneet pölyä Terryn työhuoneessa. Sain selvän kuvan siitä, että avoimet tapaukset olivat olleet jatkuvassa kierrossa. Terry oli aika ajoin ottanut ne esiin, pohtinut yhä uudestaan tutkinnan kulkua, epäiltyjä, rikospaikkoja, eri vaihtoehtoja. Hän oli soitellut rikostutkijoille, laboratorioihin ja jopa todistajille. Tiesin sen kaiken, koska Terryllä oli ollut tapana kirjoittaa yksityiskohtaisia ja päivättyjä merkintöjä tutkimuksistaan kansioiden sisäliepeeseen.

Huomasin päiväyksistä, että Terry oli tutkinut monia tapauksia samaan aikaan. Yhtä selvää oli, että hänellä oli suora linja FBI:hin ja käyttäytymistieteiden yksikköön Quanticossa. Luin kokonaisen tunnin ajan paksua paperinivaskaa, jonka Terry oli koonnut Runoilijan tapauksesta, yhdestä FBI:n kaikkien aikojen luokattomimmista ja eittämättä noloimmista sarjamurhatutkimuksista. Runoilija oli ollut murhaaja, joka oli lopulta paljastunut FBI:n agentiksi ja joka oli johtanut periaatteessa itsensä vangitsemiseen määrättyä tutkintaryhmää. Skandaali oli vavisuttanut koko FBI:n organisaatiota ja sen kohuttua käyttäytymistieteiden yksikköä perusteitaan myöten noin kahdeksan vuotta sitten. Kyseinen agentti, Robert Backus, oli valinnut uhreikseen henkirikoksia tutkivia etsiviä. Hän lavasti murhat itsemurhiksi ja jätti rikospaikoille sitaatteja Edgar Allan Poen runoista. Hän ehti surmata kahdeksan etsivää eri puolilla maata kolmen vuoden aikana, kunnes eräs denveriläinen toimittaja havaitsi, että itsemurhaviestit olivat tekaistuja, minkä jälkeen etsinnät Runoilijan vangitsemiseksi alkoivat. Toinen FBI:ssä työskennellyt agentti oli tajunnut Runoilijan henkilöllisyyden ja ampunut tämän Los Angelesissa. Tuolloin arveltiin, että Backus oli valinnut seuraavaksi uhrikseen etsivän, joka työskenteli LAPD:n Hollywoodin piirin henkirikosyksikössä. Se oli minun yksikköni. Runoilijan valitsema uhri, Ed Thomas, oli työkaverini, joten minulla oli läheinen yhteys tapaukseen. Muistan kiinnostuneeni Runoilijasta henkilökohtaisesti.

Nyt pääsin lukemaan sisäpiirin selvitystä tapahtumista. Tutkinta oli virallisesti saatettu päätökseen, mutta FBI:n epävirallisen kannan mukaan Backus oli päässyt livahtamaan. Kun häntä oli ammuttu, hän oli aluksi paennut Los Angelesin alla kiemurteleviin sadevesitunneleihin. Kuusi viikkoa myöhemmin yhdestä tunnelista oli löytynyt ruumis, jossa oli luodinreikä juuri oikeassa paikassa, mutta ruumiin pitkälle edenneen hajoamisen vuoksi tunnistaminen ja sormenjälkien vertailu oli ollut mahdotonta. Haaskaeläimet olivat repineet ruumiista kappaleita, muun muassa alaleuan ja hampaat, joiden perusteella tutkijat olisivat muutoin voineet verrata hammastietoja ja selvittää ruumiin henkilöllisyyden. Kaiken lisäksi Backus oli hävinnyt jättämättä ainuttakaan DNA-näytettä, joten tutkijoilla oli ollut käsissään ruumis luodinreikineen mutta ei mitään, mihin verrata sitä. Tai niin ainakin väitettiin. FBI päätti julkaista pikaisesti lehdistötiedotteen. Sen mukaan Backusin oletettiin kuolleen. Tutkinta lopetettiin, jotta FBI:tä perin pohjin nöyryyttänyt tapaus saataisiin lakaistua maton alle.

Terry McCalebin vuosien varrella keräämä aineisto kuitenkin vahvisti tarujen pitävän paikkansa. Backus oli yhä hengissä ja vapaalla jalalla. Kukaan ei tiennyt missä. Neljä vuotta myöhemmin hän oli putkahtanut esiin Alankomaissa. Terry McCaleb oli saanut lähteeltään salaisia FBI:n tiedotteita, joiden perusteella Runoilija oli tappanut viisi miestä kahden vuoden aikana Amsterdamissa. Uhrit olivat ulkomaalaisia turisteja, jotka olivat uskaltautuneet kaupungin punaisten lyhtyjen alueelle. Kaikki viisi uhria oli kuristettu ja viskattu Amsteljokeen. Surmatöiden ja Backusin välinen yhteys paljastui viesteistä, joita murhaaja lähetti paikallisille viranomaisille. Hän tunnusti niissä murhat ja pyysi FBI:tä ottamaan tapauksen hoidettavakseen. Salassa pidettyjen asiakirjojen mukaan viestien lähettäjä pyysi tutkimukseen mukaan erityisesti Rachel Wallingia, agenttia, joka oli ampunut Robert Backusia neljä vuotta aiemmin. Alankomaiden viranomaiset tarjosivat FBI:lle mahdollisuutta osallistua tutkimuksiin epävirallisesti. Viestit oli allekirjoitettu yksinkertaisesti "Runoilija." Käsialanäyte viittasi siihen, että kirjoittaja ei pyrkinyt ainoastaan ratsastamaan Robert Backusin hurjalla maineella vaan että hän oli Backus itse. Siitä ei saatu kuitenkaan täyttä varmuutta.

Kun FBI, paikalliset viranomaiset ja Rachel Walling olivat lopulta lyöneet viisaat päänsä yhteen Amsterdamissa, tappaja oli hävinnyt jo aikoja sitten. Eikä Robert Backusista ollut kuultu sen koommin, ei ainakaan Terry McCalebin lähteen antamien tietojen mukaan.

Panin paksun kansion takaisin pahvilaatikkoon ja otin esiin muita. Huomasin pian, että Terry ei ollut tutkinut vain vanhoja juttuja. Hän oli valjastanut ammattitaitonsa ja kykynsä kaikkiin tapauksiin, jotka olivat vähänkin herättäneet hänen kiinnostuksensa. Laatikoissa oli nimittäin kymmeniä kansioita, jotka eivät sisältäneet paljon muuta kuin lehtileikkeen ja muutamia liepeeseen kirjoitettuja muistiinpanoja. Osa tapauksista oli kuuluisia, osa mitättömiä. Terry oli koonnut lehtiartikkeleita muun muassa Laci Petersonista, raskaana olleesta naisesta, joka oli kadonnut kodistaan Keski-Kaliforniassa jouluaattona kaksi vuotta aiemmin. Tapaus oli pysynyt otsikoissa ja suuren yleisön mielessä pitkään erityisesti sen jälkeen, kun naisen kappaleiksi hakattu ruumis löytyi merenpoukamasta, jossa naisen aviomies oli sanonut olleensa kalassa katoamisen aikoihin. Ennen ruumiin löytymistä päivätty merkintä kansion sisäliepeessä kuului: *Kiistattomasti kuollut – vedessä*. Toinen merkintä ennen aviomiehen pidätystä kuului: *Toinen nainen*.

Terryllä oli kansio myös Elizabeth Smartista, Utahissa kidnapatusta lapsesta, joka löytyi ja palautettiin vanhemmilleen lähes vuoden kateissa olon jälkeen. Kansion merkinnät näyttivät kertovan Terryn uskomattomista ennustajan taidoista, sillä hän oli kirjoittanut sanan *elossa* sanomalehtiartikkelissa julkaistun pikkutytön kuvan alle.

Terry oli tutkinut epävirallisesti myös Robert Blaken tapausta. Entistä elokuva- ja tv-tähteä syytettiin vaimonsa murhasta, mistä tietenkin kirjoitettiin sanomalehdissä kissankokoisin kirjaimin. Kansion merkinnät olivat intuitiivisia ja täsmällisiä, ja loppujen lopuksi ne myös pitivät paikkansa jutun edetessä kohti oikeuskäsittelyä.

Minun oli pakko kysyä itseltäni, oliko Terry saanut tietää tiedotusvälineistä miten tapauksissa kävi, tehnyt merkinnät kansioihin vasta jälkeenpäin ja vain lisännyt muistiinpanoihin aiemmat päivämäärät, kuin olisi muka aavistanut tutkimusten lopputuloksen, vaikka ei oikeasti ollutkaan. Mikä tahansa oli toki mahdollista, mutta en uskonut Terryn tehneen niin. En voinut kuvitella, että hän olisi huijannut ja pettänyt itseään niin perinpohjaisesti. Uskoin, että tutkimustyö oli aitoa ja päätelmät Terryn omia.

Yksi löytämäni kansio sisälsi lehtileikkeitä LAPD:n vasta perustetusta ratkaisemattomien tapausten yksiköstä. Liepeeseen oli merkitty yksikköön nimitettyjen neljän etsivän nimet ja matkapuhelinnumerot. Terry oli ilmeisesti onnistunut ylittämään LAPD:n ja FBI:n välisen muurin, jos hän oli onnistunut saamaan etsivien kännykkänumerot. Tiesin, ettei niitä jaeltu noin vain kenelle tahansa.

Tunsin yhden etsivistä. Tim Marcia oli työskennellyt Hollywoodin piirissä, henkirikosyksikössä hänkin. Kello oli jo paljon, mutta poliisit osaavat varautua myös myöhäisiin soittoihin. Tiesin, ettei Marcia pahastuisi. Otin puhelimen esiin ja soitin numeroon, jonka Terry oli kirjoittanut kansioon Marcian nimen viereen. Hän vastasi heti. Kerroin Marcialle nimeni, kävimme läpi "eipä olla muuten pitkään aikaan nähty" -jutustelun ja kerroin, että soitan Terry McCalebin vuoksi. En valehdellut mutta en kuitenkaan sanonut tutkivani ystäväni murhaa. Kerroin, että setvin Terryn papereita hänen vaimonsa pyynnöstä ja että olin törmännyt Marcian nimeen ja numeroon. Sanoin, että olin vain utelias tietämään, mikä heidän suhteensa oli ollut.

"Harry, kyllähän sinäkin olet tutkinut ratkaisemattomia juttuja. Eikös se viimevuotinen tapaus kämpälläsi ollut sekin vanhoja peruja?"

"Olihan se."

"Tiedät sitten miten näissä joskus käy. Sitä tarttuu oljenkorsiin ja ottaa vastaan kaiken avun. McCaleb soitti yhtenä päivänä ja tarjosi apuaan. Kyse ei ollut mistään tietystä rikoksesta. Hän oli kai nähnyt *Timesin* artikkelin meidän yksiköstämme ja sanoi, että jos joskus tarvitsemme apua profiilien tekemisessä, hän voisi auttaa. Hän oli hyvä tyyppi. Oli ikävä kuulla mitä tapahtui. Ajattelin käydä Catalinalla muistotilaisuudessa, mutta sitten tuli kaikenlaista kiirettä."

"Sellaista se on. Otitko koskaan tarjousta vastaan, pyysitkö häneltä apua?"

"Pyysin, minä ja pari muutakin kaveria. Tiedäthän sinä. Laitoksella ei pahemmin harrasteta profilointia, ja FBI:n ja Quanticon kanssa pelkkään odotteluun menee monta kuukautta. Terry tiesi mitä teki eikä halunnut vastapalveluksia. Hän halusi vain puuhastella jotakin. Siksi otimme avun vastaan. Kysyimme Terryn mielipidettä muutamista jutuista."

"Miten hän pärjäsi?"

"Tosi hyvin. Nyt on kesken aika mielenkiintoinen tapaus. Kun uusi poliisipäällikkö perusti meidän yksikkömme, aloimme käydä läpi keskeneräisiä ja ratkaisemattomia tapauksia. Löysimme kuusi murhaa, joissa ruumis oli viskattu johonkin Valleyn kolkkaan. Tapauksissa oli yhteneväisyyksiä, mutta niitä ei ollut koskaan hoksattu. Kopioimme tiedot Terrylle, ja hän vahvisti epäilyksemme. Terry yhdisti tapaukset 'psykologisten yhteneväisyyksien' perusteella niin kuin hän kutsui niitä. Juttu on vielä kesken, mutta nyt ainakin tiedämme, mistä on kyse. Toisin sanoen me edistymme. En usko, että olisimme päässeet näin pitkälle ilman Terryn apua."

"Hyvä, mukava kuulla että hän pystyi auttamaan. Kerron uutiset vaimolle. Hänkin varmasti ilahtuu, kun saa kuulla."

"Hienoa. Entä sinä, Harry, aiotko palata takaisin ruotuun?"

Olin odottanut, että Marcia kysyisi, miksi oikeasti kahlasin läpi Terry McCalebin papereita. En ollut osannut odottaa kuulevani kysymystä omista aikeistani.

"Mitä oikein horiset?"

"Etkö ole kuullut päällikön kolmen vuoden suunnitelmasta?"

"En, mikä se on?"

"Päällikkö tietää, kuinka monta hyvää miestä laitos on menettänyt viime vuosina. Kaikkien skandaalien jälkeen monet ovat päättäneet haistattaa pitkät ja häipyä muihin hommiin. Nyt päällikkö on tarjoutunut raottamaan ovea niille, jotka tahtovat takaisin. Jos hakemuksen jättää kolmen vuoden sisällä eläkkeelle jäämisestä ja hakija hyväksytään, ei tarvitse edes mennä takaisin poliisikouluun. Sopii hyvin sinunlaisille vanhuksille."

Kuulin Marcian äänessä pelkkää hyväntahtoisuutta.

"Kolmen vuoden sisällä, vai?"

"Niin. Milloin sinä lähdit, onko siitä jotain kaksi ja puoli vuotta?"

"Sitä luokkaa."

"Älä sitten enää jahkaile. Mitä sanot? Sinulle olisi tarvetta meidän yksikössämme. Keskeneräisiä ja ratkaisemattomia tapauksia on noin seitsemäntuhatta. Saat ihan itse valita parhaat päältä."

En osannut sanoa mitään. Jostain käsittämättömästä syystä ajattelin hetken jopa palaavani töihin. En muistanut sillä hetkellä ammatin huonoja puolia. Kykenin vain unelmoimaan, millaista olisi taas kantaa virkamerkkiä.

"Toisaalta taidat viihtyä vähän turhan hyvin oloneuvoksena. Tarvitsetko muuta, Harry?"

"Tuota, en, ei minulla muuta ollut. Kiitos paljon, arvostan apuasi."

"Soittele milloin vain. Ja harkitse toki päällikön tarjousta. Apu tulee tarpeeseen olit sitten täällä, Hollywoodin piirissä tai missä hyvänsä."

"Joo, kiitos. Ehkäpä. Aion kyllä miettiä tarjousta." Suljin puhelimen ja istuessani toisen miehen pakkomielteiden keskellä en osannut ajatella kuin omiani. Harkitsin vakavasti palaavani vanhaan työhöni. Mietin seitsemäätuhatta haudantakaista avunpyyntöä. Määrä oli suurempi kuin yötaivaalla näkyvien tähtien.

Puhelin soi kun pitelin sitä vielä kädessäni. Ääni havahdutti minut mietteistäni, ja vastasin puhelimeen ja odotin, että soittaja olisi Tim Marcia ja hän sanoisi kaiken olleen pelkkää vitsiä. Soittaja oli Graciela McCaleb.

"Veneellä palavat valot", hän ihmetteli. "Oletko vieläkin siellä?"

"Olenhan minä."

"Näin myöhään, Harry. Viimeinen lautta meni jo."

"En aikonutkaan lähteä tänään. Päätin jäädä tänne kunnes olen valmis. Taidan lähteä huomenna. Meidän pitää varmaan vielä jutella."

"Sopii. Minulla on huomenna vapaapäivä. Olen talolla pakkailemassa."

"Pakkailemassa?"

"Muutamme takaisin mantereelle. Northridgeen. Sain vanhan työpaikkani Holy Crossin ensiapupolilta."

"Muutatteko Raymondin vuoksi?"

"Raymondinko? Mitä tarkoitat?"

"Ajattelin, että hänellä voi olla sopeutumisvaikeuksia. Kuulin, että hän ei pidä saarella asumisesta."

"Raymondilla ei ole montakaan ystävää. Hän ei oikein viihdy täällä, mutta ei se ole muuton syy. Minä haluan pois. Halusin muuttaa jo ennen kuin Terry kuoli. Kerroinhan minä siitä."

"Muistan kyllä."

Graciela vaihtoi puheenaihetta.

"Tarvitsetko mitään? Oletko edes syönyt?"

"Löysin syötävää keittiöstä. Pärjään hyvin."

Graciela päästi inhon kiljaisun.

"Ruoat ovat varmasti pilaantuneet. Tarkista eräpäivä ennen kuin syöt mitään muuta."

"Hyvä on."

Graciela epäröi hetken ja esitti sitten kysymyksen, jonka vuoksi oli soittanut.

"Oletko löytänyt mitään?"

"Olen löytänyt joitakin juttuja, jotka ovat herättäneet uteliaisuuteni, mutta en mitään erityistä."

Ajattelin miestä Dodgersien lippalakissa. Hän oli jotain erityistä, mutta en tahtonut puhua hänestä Gracielan kanssa ainakaan vielä. Halusin tietää enemmän.

"Selvä", hän sanoi. "Älä kuitenkaan jätä mitään kertomatta, sopiiko?"

"Sopii."

"Puhutaan lisää huomenna. Yövytkö veneellä vai menetkö hotelliin?"

"Taidan jäädä veneelle, jos se ei haittaa."

"Ei tietenkään, tee niin kuin haluat."

"Hyvä. Voinko vielä kysyä jotain?"

"Toki, mitä haluat tietää?"

"Puhuit äsken pakkaamisesta, ja tulin uteliaaksi. Kuinka usein käytte mantereen puolella? Tarkoitan ostoksilla, ravintoloissa tai vaikka sukulaisissa käymistä."

"Yleensä kerran kuussa. Ellei ole mitään pakottavaa tarvetta käydä useammin."

"Otatteko lapset mukaan?"

"Yleensä. Haluan, että he tottuvat siihen. Jos elää aina saarella, jolla kaikki ajavat golfautoilla ja tuntevat toisensa... voi olla outoa muuttaa yhtäkkiä salmen toiselle puolelle. Koetan valmistella heitä sitä varten."

"Se kuulostaa järkevältä. Mikä ostoskeskus sijaitsee lähimpänä lauttasatamaa?"

"Lähimmästä en osaa sanoa, mutta minä käyn aina Promenadessa. Satamasta pääsee suoraan 405:lle Picon suuntaan. Ostoskeskuksia on lähempänäkin, ainakin Fox Hills, mutta minä pidän Promenadesta. Siellä on paljon hyviä liikkeitä ja sinne on helppo ajaa. Tapaan siellä joskus ystäviäni Valleystä. Promenade on sopivasti puolimatkassa."

Ja sinua olisi myös helppo seurata sinne, ajattelin sanomatta sitä kuitenkaan ääneen.

"Hyvä", tokaisin tietämättä, mikä siinä oli niin erityisen hyvää. "Vielä yksi juttu. Valo käy vähiin, luulen että virta loppuu. Jos haluan ladata akut, niin väännänkö jostain vivusta vai mitä minun pitäisi tehdä?"

"Etkö kysynyt Buddylta?"

"En, en tiennyt silloin kun Buddy oli vielä täällä, että virta loppuisi."

"Voi, en minä osaa neuvoa. Siellä on jossain generaattori, joka pitää käynnistää, mutta en edes tiedä missä."

"Ei se mitään, Graciela. Minä soitan Buddylle. Käy sinä nukkumaan. Teen vielä vähän töitä ennen kuin valot sammuvat."

Suljin puhelimen ja kirjoitin muistikirjaani ostoskeskuksen nimen, minkä jälkeen poistuin hytistä ja sammutin kaikki veneen valot keulahytin kirjoituspöydän lamppua lukuun ottamatta säästääkseni virtaa. Soitin Buddylle, ja hän vastasi unisesti.

"Hei, Buddy, herää. Harry Bosch tässä."

"Kuka? Ai joo. Mitä haluat?"

"Tarvitsen apua. Onko veneellä generaattoria tai jotain, mistä saan lisää valoa? Akuista loppuu virta."

"Älä hitto päästä niitä tyhjenemään kokonaan."

"Mitä minun pitää tehdä?"

"Käynnistä ensin Volvot ja kytke sitten generaattori päälle. Kohta on kyllä puoliyö. Naapuriveneissä nukkuvat ihmiset eivät hypi riemusta kun kuulevat sen metakan."

"Annetaan olla sitten. Mutta mitä minä teen aamulla, käännän virta-avainta vai?"

"Joo, samanlaista kuin autossakin. Mene salongin ruorille, pistä avaimet virtalukkoihin ja kytke koneet päälle. Siinä yläpuolella näkyy käynnistysvipu. Napsauta se ylös, niin moottori käynnistyy – ellet sitten ole käyttänyt kaikkea virtasta eikä kone jaksa enää startata."

"Teen sen huomisaamuna. Onko täällä taskulamppuja?"

"Keittiöstä löytyy yksi, merikarttojen luona on toinen ja sitten on vielä yksi ison hytin piironginlaatikossa heti siinä sängyn vasemmalla puolella. Keittiön toisessa alakaapissa on lyhtykin, mutta älä sytytä sitä kannen alla. Vene täyttyy kerosiinihöyryistä, ja sinäkin saatat kupsahtaa. Sitten pitäisi selvittää toinenkin salaperäinen kuolemantapaus."

Buddy sanoi viimeisen virkkeen ääni täynnä ivaa. En välittänyt siitä.

"Kiitos, Buddy. Puhutaan myöhemmin."

"Joo. Hyvät yöt vaan."

Suljin puhelimen ja ryhdyin etsimään. Palasin keulaan, kun olin löytänyt suurimmasta hytistä pienen taskulampun ja keittiöstä hieman isomman pöytälampun. Laskin sen työpöydän kulmalle ja sytytin valon. Kaikki muut valot päätin sammuttaa. Pöytälampun valo heijastui hytin matalaan kattoon, josta valon kajo levisi tasaisesti. Pöytälampun ja pienen taskulampun turvin näin lukea Terryn muistiinpanoja.

Jäljellä oli enää vajaa puolikas pahvilaatikollinen, ja halusin lukea ne ennen kuin miettisin, missä ummistaisin silmäni yöksi. Loput kansiot olivat ohuita, Terryn kokoelman uusimpia lisäyksiä, ja huomasin että suurimmassa osassa ei ollut muuta kuin lehtileike ja parit muistiinpanot.

Sujautin käteni laatikkoon ja valitsin summamutikassa yhden kansion. Minun olisi pitänyt olla heittämässä noppaa Vegasissa, sillä sain jättipotin. Tutkimukseni sai heti uuden suunnan. Se sai minut tien päälle.

13

Nimilapussa ei lukenut muuta kuin 6 KATEISSA. Kansiossa oli *Los Angeles Timesista* leikattu artikkeli sekä muutamia päivättyjä merkintöjä, nimiä ja puhelinnumeroita, joita McCaleb oli tapansa mukaan kirjoittanut kansion liepeeseen. Vaistosin, että kansio oli tärkeä jo ennen kuin olin lukenut artikkelin tai edes ymmärtänyt, mitä muistiinpanot tarkoittivat. Aavistukseni johtui päiväyksistä. McCaleb oli kirjoittanut mietteitään tapauksesta neljään otteeseen tammikuun 7. ja helmikuun 28. päivän välillä. Hän kuoli kuukautta myöhemmin maaliskuun viimeisenä päivänä. Nämä olivat tuoreimmat merkinnät, joita olin illan aikana nähnyt. Tiesin tutkivani parhaillaan McCalebin viimeisiä merkintöjä, hänen viimeistä tutkimustaan ja pakkomiellettään. En ollut katsonut vielä kaikkia kansioita, mutta tämä tuntui tähdellisimmältä, ja päätin siksi paneutua siihen.

Artikkelin oli kirjoittanut toimittaja, jonka tunsin hyvin. Keisha Russell oli ollut *Timesin* rikosreportteri viimeiset kymmenen vuotta, ja hän oli hyvä. Hän oli myös tarkka ja rehti. Hän oli suoraselkäinen toimittaja, jonka sanaan olin voinut aina luottaa, kun olin työskennellyt poliisina, ja viime vuonna hän oli ollut reilu minua kohtaan, kun minulla ei ollut ollut enää virkamerkkiä ja ensimmäinen oma tutkimukseni oli mennyt päin helvettiä. Luotin siihen, että Russellin kirjoittamassa artikkelissa ei olisi virheitä. Ryhdyin lukemaan.

KATOAMISET ASKARRUTTAVAT LAS VEGASISSA
LIITTYVÄTKÖ KAHDEN LOSANGELESILAISEN JA NELJÄN MUUN NEVADASSA KADONNEEN MIEHEN TAPAUKSET TOISIINSA?

Keisha Russell
Los Angeles Times

Poliisi etsii yhteyttä Nevadan uhkapeliluolista oudolla tavalla kadonneiden miesten väliltä. Kuudesta kateissa olevasta miehestä kaksi on kotoisin Los Angelesista.

Las Vegasin poliisilaitoksen rikosetsivät kertoivat tiistaina, että jokin ratkaiseva seikka saattaa kytkeä kadonneet miehet toisiinsa, vaikka he eivät tunne toisiaan, ovat kotoisin eri puolilta maata ja eroavat toisistaan myös taustoiltaan.

Miesten ikä vaihtelee 29:stä 61:een. Katoamiset ovat sattuneet viimeisten kolmen vuoden aikana, ja ilmoitukset heidän häviämisestään on saatu heidän perheiltään. Neljä heistä on nähty viimeisen kerran Las Vegasissa, jonka poliisilaitos on ottanut vastuun tutkinnasta. Loput kaksi ovat kadonneet matkalla Laughliniin ja Primmiin. Miesten hotellihuoneista, ajoneuvoista tai kodeista ei ole löytynyt viitteitä siitä, mihin he ovat hävinneet tai mitä heille on tapahtunut.

"Tämä on tällä hetkellä täysi mysteeri", kertoo etsivä Todd Ritz Las Vegasin poliisilaitoksen kadonneiden yksiköstä. "Ihmisiä katoaa täällä ja ympäri maata kaiken aikaa. Yleensä heidät kuitenkin löydetään jostain joko elävänä tai kuolleena ja katoamiselle saadaan jokin selitys. Nyt meillä ei ole mitään. He ovat hävinneet jäljettömiin." Ritz on kollegoineen kuitenkin sitä mieltä, että selitys löytyy tälläkin kertaa. Saadakseen lisätietoja poliisi pyytää nyt yleisövihjeitä. Viime viikolla Las Vegasin, Laughlinin ja Primmin etsivät kokoontuivat Las Vegasiin vertailemaan tietojaan ja sopimaan tutkimuksen jatkosta. Samalla he päättivät kertoa tapauksesta julkisuuteen siinä toivossa, että kadonneiden miesten valokuvien ja henkilötietojen avulla saataisiin uutta tietoa. Tämän viikon tiistaina Ritz kuitenkin kertoi, että poliisi on saanut hyvin vähän varteenotettavia vihjeitä.

"Jonkun täytyy tietää jotain ja jonkun on täytynyt kuulla tai nähdä heidät", Ritz vannoi puhelinhaastattelussa. "Kuusi miestä ei noin vain katoa ilman että kukaan ei tiedä mitään. Haluamme, että mahdolliset silminnäkijät kertovat tietonsa meille."

Kuten etsivä Ritz sanoo, katoamisia tapahtuu usein. Poikkeuksellista tässä tapauksessa on kuitenkin se, että kadonneet miehet olivat tulleet Nevadaan joko työ- tai lomamatkalla, eikä heistä ole sen koommin nähty merkkiäkään.

Tieto katoamisista tuli julki hetkenä, jolloin Las Vegas on jälleen muuttamassa imagoaan. Neonkaupunkia ei enää markkinoida otollisena perhelo-

119

makohteena. Synti on palannut taas muotiin. Viimeisten kolmen vuoden aikana Las Vegasiin on perustettu ennätyksellisen suuri määrä uusia yökerhoja, joiden ohjelmanumeroihin kuuluu alastomuutta. Myös monissa pääkadun varrella sijaitsevissa kuuluisissa kasinoissa on alastonesityksiä ja ohjelmanumeroita, jotka on tarkoitettu vain aikuiskatsojille. Kaupunkiin on pystytetty lisäksi joukko mainostauluja, joissa kuvatut alastomat naisvartalot ovat herättäneet närkästystä monissa kansalaisaktivisteissa. Muutokset ovat vaikuttaneet merkittävästi kaupungin imagoon. Nyt Las Vegasin mainonta keskittyy jälleen esittelemään kaupunkia aikuisten huvittelupaikkana, jonne perheen pienimmillä ei ole asiaa.

Kuten rohkeista mainostauluista noussut häly osoittaa, viimeaikaiset muutokset eivät miellytä kaikkia kaupunkilaisia. Monet arvelevatkin, että turistien katoamiset johtuvat osittain paikkakunnan ilmapiiristä, jossa kaikki on taas sallittua.

"Jos ihan totta puhutaan, niin kaupunginisät yrittivät houkutella tänne perheitä, mutta ei siitä tullut mitään", sanoo Las Vegas Sunin kolumnisti Ernie Gelson. "Nyt palataan siihen, mikä myy parhaiten. Matkailijoiden rahoistahan tässä on kyse. Onko kaupungin muuttunut tarjonta sitten syynä niiden kuuden kaverin katoamiseen? Itse en olisi siitä niinkään varma. Emmekä saa ehkä koskaan tietää sitä."

Gelson ei halua vetää hätiköityjä johtopäätöksiä Las Vegasin muuttuneen imagon ja miesten katoamisen välisestä suhteesta.

"Ensinnäkin täytyy pitää mielessä, että kaikki eivät edes kadonneet Las Vegasissa", Gelson muistuttaa. "Toiseksi kenelläkään ei ole vielä tarpeeksi tietoa, että kannattaisi esittää mitään vakuuttavia teorioita heidän kohtalostaan. Luulen, että on parempi odotella rauhassa, että tapaukset ratkeavat, ennen kuin ryhdymme kovin sanoin vaatimaan tämän synninpesän hävittämistä."

Kadonneet miehet ovat:

– Gordon Stansley, 41, Los Angelesista, kadonnut 17. toukokuuta 2001. Stansley oli ottanut huoneen Las Vegasin Mandalay Bayn kasinohotellista, mutta hotellihuoneen vuoteessa ei ollut nukuttu eikä hän ollut avannut matkalaukkujaan. Häntä jäi suremaan vaimo ja kaksi lasta.

– John Edward Dunn, 39, Kanadan Ottawasta. Dunn oli automatkalla Los Angelesiin lomanviettoon mutta ei saapunut koskaan perille veljensä luokse Granada Hillsiin. Dunnin kymmenmetrinen matkailuauto löydettiin 29. joulukuuta 2001 leirintäalueelta Laughlinista. Lomasuunnitelmien perusteella hänen olisi pitänyt päästä perille Los Angelesiin jo noin kolme viikkoa aiemmin.

– Lloyd Rockland, 61, kadonnut Las Vegasissa 17. kesäkuuta 2002. Rocklandin kone Atlantasta laskeutui aamuyhdeltätoista Las Vegasin lentokentälle. Rockland oli vuokrannut etukäteen auton Herziltä ja kävi noutamassa sen vuokraamosta, mutta hän ei saapunut MGM Grandiin, jossa hänellä oli huonevaraus. Auto palautettiin lentokentän kupeessa sijaitsevaan vuokraamoon seuraavana päivänä kello 14, mutta silminnäkijät eivät muista, oliko autoa ajanut henkilö Rockland, neljän lapsen isä ja kolminkertainen vaari, vai joku muu.

– Fenton Weeks, 29, Texasin Dallasista. Ilmoitettiin kadonneeksi 25. tammikuuta 2003, kun hän ei ollut palannut työmatkaltaan Las Vegasista. Poliisin mukaan hänellä oli ollut huone Golden Nuggetissa keskustassa ja hän oli osallistunut kaupungin messukeskuksessa järjestettyjen sähköalan messujen ensimmäisen päivän tapahtumiin mutta ei ollut saapunut paikalle kahtena seuraavana messupäivänä. Katoamisilmoituksen teki Weeksin vaimo. Heillä ei ollut lapsia.

– Joseph O'Leary, 55, Pennsylvanian Berwynistä. Kadonnut 15. toukokuuta 2003 Bellagiosta, jossa hän yöpyi puolisonsa kanssa. Alice O'Leary jätti miehensä black jack -pöydän ääreen ja vietti itse päivänsä kasinohotellin kylpylässä. Pörssimeklarina työskennellyt O'Leary ei palannut hotellihuoneeseensa illalla, ja seuraavana päivänä hänet ilmoitettiin kadonneeksi.

– Rogers Eberle, 40, Los Angelesista. Kadonnut 1. marraskuuta vuorokauden kestäneen lomamatkansa aikana. Burbankissa sijaitsevilla Disneyn studioilla työskennelleen graafisen suunnittelijan auto löytyi Buffalo Bill's Casinon pysäköintialueelta Primmistä, joka sijaitsee Nevadassa Kalifornian osavaltion rajan tuntumassa valtatie 15:n varrella.

Tapausta tutkivat etsivät kertovat, että johtolankoja on vähän. Paras niistä lienee Rocklandin vuokra-auto. Auto palautettiin vuokraamoon 27 tuntia sen jälkeen, kun Rockland oli noutanut sen. Vuokraamon antamien tietojen mukaan autolla oli ajettu sinä aikana 328 mailia. Auton palauttanut henkilö ei ollut puhunut Hertzin edustajien kanssa eikä kuitannut palautuspapereita.

”Joku vain ajoi auton paikoitusalueelle, nousi ratista ja häipyi paikalta”, Ritz toteaa. ”Kukaan ei muista mitään. Vuokraamon läpi kulkee jopa tuhat

autoa vuorokaudessa. Alueella ei ole valvontaka-
meroita eikä vuokraamossa pidetä kirjaa kuin
vuokraajan tiedoista."

Myös auton matkamittarissa olleet 328 mailia ai-
heuttaa päänvaivaa Ritzille ja hänen kollegoilleen.
"Se on pitkä matka", päivittelee etsivä Peter
Echerd, Ritzin työpari. "Autolla on voinut käydä
melkein missä vain. Se tekee 164 mailia yhteen
suuntaan ja toinen mokoma takaisin, jolloin meille
jää tutkittavaksi pirullisen iso etsintäalue."

Tutkijat yrittävät kuitenkin käydä läpi koko val-
tavan alueen siinä toivossa, että he löytäisivät lisää
johtolankoja, joiden avulla etsintäalue pienenisi ja
kuuden kadonneen miehen kohtalo ratkeaisi.

"Työ on rankkaa", Ritz paljastaa. "He ovat per-
heellisiä miehiä, ja me teemme parhaamme heidän
vuokseen. Tällä hetkellä meillä on kuitenkin vain
joukko avoimia kysymyksiä eikä yhtään selvää vas-
tausta."

Artikkeli oli kirjoitettu *Timesille* omintakeiseen tyyliin,
joka perustui siihen, että tapahtumat pyrittiin aina liittä-
mään johonkin suurempaan kokonaisuuteen. Tällä ker-
taa artikkelissa pohdittiin, oliko miesten katoaminen oire
siitä, että Las Vegas oli viime aikoina muuttunut aikuis-
väestön temmellyskentäksi. Mieleeni juolahti eräs tutki-
mani tapaus, jossa autokorjaamon omistaja oli leikannut
nostolaitteen hydrauliletkut, minkä seurauksena reilun
kolmen tonnin Cadillac oli rojahtanut miehen pitkäaikai-
sen työkumppanin päälle ja murskannut hänet. *Timesin*
toimittaja oli soittanut minulle saadakseen tarkempia tie-
toja ja kysynyt oliko tappo oire taantuvasta talouskehi-
tyksestä, joka sai rahavaikeuksissa kamppailevat ystä-
vykset kääntymään toisiaan vastaan. Minä sanoin, että ei

ole, mutta se saattaa olla oire siitä, että tyyppi ei tykännyt kaveristaan, joka paneskeli hänen vaimoaan. Laajemmat kuviot sikseen, sillä artikkeli oli selvästikin syötti. Olin varma siitä. Olin itsekin antanut jutunaiheita samaiselle toimittajalle. Etsivä Ritz yritti kalastaa tietoja. Koska yli puolet kadonneista miehistä oli joko kotoisin Los Angelesista tai matkalla sinne, oli järkevää soittaa *Timesiin*, tarjota juttua lehden rikostoimittajalle ja katsoa sitten, josko jotain uutta ilmaantuisi.

Ainakin yksi henkilö otti yhteyttä: Terry McCaleb. Hän oli lukenut artikkelin tammikuun seitsemäntenä, päivänä jolloin lehti ilmestyi, sillä ensimmäiset muistiinpanot oli tehty kansioon tuolloin. Merkinnät olivat lyhyitä ja arvoituksellisia. Kansion liepeen ylälaitaan oli kirjoitettu Ritzin nimi ja puhelinnumero, jonka suunta oli 702. Niiden alle McCaleb oli raapustanut:

7.1. –
      keskiarvo 44
      41 – 39 – 40
etsi yhteys
poikkeama syklissä – useampia
auto – 328
kolmioteoria?
      1 piste antaa 3
KK – tarkista autiomaa

9.1. –
soitto – png

2.2.
Hinton – 702 259-4050
artikkeli? ei kommenttia

28.2.
Zzyzx – mahdollista? miten?
mailit

Kansion liepeeseen oli kirjoitettu kaksi muutakin puhe-
linnumeroa, joiden suunta oli 702. Niiden perässä oli
nimi William Bing. Luin Terryn muistiinpanot uudestaan ja vilkaisin lehti-
leikettäkin toistamiseen. Huomasin nyt, että Terry oli
ympyröinyt artikkelista kaksi kohtaa: maininnan siitä,
että vuokra-autolla oli ajettu 328 mailia, ja sanan *etsin-
täalue* Echerdin kommentista, jonka mukaan etsintäalu-
eella oli mittaa 164 mailia suuntaan tai toiseen. En ym-
märtänyt, miksi Terry oli ympyröinyt juuri ne yksityis-
kohdat, mutta osasin tulkita melkein kaikki muut kansi-
oon tehdyt muistiinpanot. Olin lukenut Terryn kokoamia
tietoja reilun seitsemän tunnin ajan. Olin nähnyt luke-
mattomia muistiinpanoja Terryn kansioissa. Hän käytti
kehittämäänsä pikakirjoitusta, mutta muistiinpanoja
pystyi tulkitsemaan, koska silloin tällöin hän oli kirjoit-
tanut pitemmän kaavan mukaan.
    Tajusin heti, mitä Terry tarkoitti lyhenteellä KK. Se
merkitsi *kiistattomasti kuollutta*, mikä oli johtopäätös,
johon hän oli päätynyt suurimmassa osassa tutkimiaan
tapauksia. Myös *png* oli helppo tulkita. Se tarkoitti *per-
sona non grataa*, mikä viittasi siihen, että Las Vegasin et-
sivät eivät olleet halunneet Terryn apua tai häneen oli
suhtauduttu epäluuloisesti.
    Terry oli nähnyt jotain huomionarvoista myös siinä,
minkä ikäisiä kadonneet miehet olivat. Hän oli merkin-
nyt muistiinpanoihinsa ikien keskiarvon ja lisäksi kolmen
miehen iät, jotka osuivat kahden vuoden sisään toisistaan
ja olivat hyvin lähellä keskiarvoa. Merkinnät tuntuivat
viittaavan uhrien profiilin laadintaan, mutta lopullista

profiilia kansiossa ei näkynyt, enkä tiennyt oliko Terry ehtinyt laatia sitä lainkaan.

Myös *etsi yhteys* -merkintä tuntui kuuluvan profiiliin. Sillä Terry tarkoitti, että kadonneet miehet liittyivät jotenkin toisiinsa joko maantieteellisesti tai taustoiltaan. *Timesin* artikkelissa siteeratun etsivän tavoin myös Terry uskoi, että miehillä täytyi olla jokin yhteys toisiinsa. He olivat kotoisin paikkakunnilta, jotka olivat niinkin kaukana toisistaan kuin Ottawa ja Los Angeles, eivätkä he olleet edes tunteneet toisiaan, mutta heidän välillään oli pakko olla jokin yhtymäkohta.

Uskoin, että merkintä *poikkeama syklissä – useampia* viittasi ajanjaksoihin katoamisten välillä. Jos joku sieppasi ja tappoi nämä kuusi miestä niin kuin Terry uskoi että oli tapahtunut, murhat noudattaisivat tiettyä kaavaa. Lähes kaikki sarjamurhaajat toimivat samalla tavalla: heidän väkivaltaisena käytöksenä ilmenevät järjettömät vietit tai seksuaaliset halut kasvavat, kunnes tappaminen laannuttaa ne jälleen hetkellisesti. Ilmeisesti Terry oli saanut laskettua surmatöiden välisen kierron ja havainnut siinä aukkoja, mikä viittasi siihen, että uhreja oli todellisuudessa enemmän. Terry uskoi, että kadonneiden miesten lukumäärä ei jäisi kuuteen.

Muistiinpanoista merkillisin oli maininta *kolmioteoriasta* ja lause *1 piste antaa 3*. En ollut nähnyt vastaavaa merkintää aiemmissa kansioissa enkä tiennyt, mitä Terry tarkoitti sillä. Muistiinpanot oli merkitty samaan kohtaan auton ja sillä ajettujen 328 mailin kanssa. Mitä enemmän yritin pohtia asiaa, sitä enemmän se minua vaivasi. Se oli koodi tai lyhenne jollekin, jota en ymmärtänyt. Tietämättömyyteni häiritsi minua, mutta en voinut auttaa asiaa niillä tiedoilla, jotka minulla oli.

Tammikuun yhdeksäntenä tehty merkintä sen sijaan tarkoitti puhelinsoittoa Ritziltä. Terry oli luultavasti soittanut ja jättänyt viestin, minkä jälkeen etsivä oli soittanut takaisin, kuunnellut Terryn mainospuheen ja ehkä profiilinkin, mutta lopulta kieltäytynyt avusta. Se ei ollut mikään yllätys. Paikalliset viranomaiset eivät yleensä ottaneet FBI:tä vastaan avosylin. FBI:n ja muiden poliisiviranomaisten egojen yhteentörmäykset olivat yleisiä. Eläkkeelle jäänyt agentti sai yhtä tylyn kohtelun. Terry McCaleb oli persona non grata Las Vegasin poliisilaitoksen kirjoissa.

Kansion merkinnät ja Terryn tutkimukset olisivat hyvinkin saattaneet jäädä siihen, mutta kansiossa oli lisäksi merkintä, joka oli päivätty 2. helmikuuta. Nimi ja puhelinnumero. Avasin puhelimen ja soitin numeroon välittämättä siitä, kuinka paljon kello oli. Tai kuinka vähän se oli katsantokannasta riippuen. Kuulin nauhoitteen ja naisen äänen.

"Tämä on Cindy Hinton Las Vegas Sunista. En voi tulla nyt puhelimeen, mutta soittonne on minulle tärkeä. Kertokaa nimenne ja numeronne, niin soitan takaisin mahdollisimman pian. Kiitos."

Kuulin äänimerkin ja emmin hetken, sillä en ollut varma haluaisinko jättää toimittajalle viestiä vielä tässä vaiheessa. Jätin viestin siitä huolimatta.

"Tuota, huomenta... nimeni on Harry Bosch. Olen yksityisetsivä Los Angelesista ja haluaisin keskustella kanssanne Terry McCalebista."

Luettelin kännykkänumeroni nauhalle ja suljin puhelimen mutta en ollut vieläkään varma, olinko tehnyt oikean päätöksen. Ajattelin kuitenkin, että lyhyt ja epämääräinen viesti oli ollut hyvä valinta. Hinton saattaisi jopa soittaa takaisin.

Muistiinpanojen viimeinen merkintä oli kaikkein jännittävin. Terry oli kirjoittanut kansioon *Zzyzx* ja kysynyt itseltään, oliko se mahdollista ja jos oli, niin miten. Merkintä ei voinut tarkoittaa mitään muuta kuin Zzyzx Roadia. Se oli harppaus. Valtava harppaus. Joku oli seurannut ja valokuvannut Terryn perhettä ja lähettänyt kuvat sitten hänelle. Sama henkilö oli ottanut kuvia Zzyzx Roadilla lähellä Kalifornian ja Nevadan rajaa. Terry oli havainnut yhteyden tapahtumien välillä ja kysynyt itseltään, voisivatko nämä kaksi outoa seikkaa liittyä toisiinsa. Oliko hän saanut liikkeelle jonkin tapahtumasarjan soittaessaan Vegasin poliisilaitokselle ja tarjotessaan apua tapauksen selvittämisessä? En voinut tietää vastausta, sillä minulla ei ollut kaikkia tarvittavia tietoja. Tietämättömyyden kuilun yllä ei ollut siltaa, jonka olisin voinut ylittää. Terry oli saanut selville jotain, mitä hän ei ollut merkinnyt kansioon, mutta olin varma, että hän oli vetänyt sen perusteella omat johtopäätöksensä tapausten liittymisestä toisiinsa.

Viimeiset merkinnät, jotka minun piti tarkistaa, olivat kansion liepeeseen William Bingin nimen viereen kirjoitetut kaksi Las Vegasin puhelinnumeroa. Avasin puhelimeni uudestaan ja soitin ensimmäiseen numeroon. Kuulin nauhoitetun viestin, jonka mukaan olin soittanut Mandalay Bayn kasinohotelliin. Suljin puhelimen, kun nauhoite alkoi luetella vaihtoehtoja, joista voisin valita mieleiseni.

William Bingin nimi oli kirjoitettu toisen numeron perään. Valitsin numeron ja valmistauduin herättämään hänet kysymällä, mitä tekemistä hänellä oli Terry McCalebin kanssa. Kesti hetken ennen kuin puheluun vastattiin, ja linjan toisessa päässä olikin nainen, joka sanoi: "Las Vegas Memorial Medical Center. Kuinka voin auttaa?"

Yllätyin perinpohjaisesti. Saadakseni hetken miettimisaikaa kysyin ensin osoitetta, jossa kyseinen sairaala sijaitsi. Kun keskus oli antanut sairaalan tarkan osoitteen Blue Diamond Roadilla, olin keksinyt mielestäni hyvän kysymyksen.

"Onko sairaalan palveluksessa lääkäriä nimeltä William Bing?"

Lyhyen hiljaisuuden jälkeen sain kieltävän vastauksen.

"Onko teillä ketään työntekijää nimeltä William Bing?"

"Ei ole."

"Entä potilasta?"

Odotin hetken, kun nainen tarkisti nimen tietokoneelta.

"Ei juuri tällä hetkellä."

"Onko teillä ollut aiemmin sen nimistä potilasta?"

"Minulla ei ole tietoa sairaalan vanhoista potilaista."

Kiitin keskusta ja suljin puhelimen.

Pohdiskelin pitkään kahta viimeistä numeroa, jotka Terry oli kirjoittanut kansioon. Tulin yksinkertaiseen johtopäätökseen. Terry McCaleb oli sydämensiirtopotilas. Jos hän matkustaisi toiselle paikkakunnalle, hänen pitäisi tietää, mihin mennä ja kenelle soittaa hätätapauksessa tai sairauskohtauksen sattuessa. Arvelin, että hän oli soittanut ensin numerotiedusteluun. Sen jälkeen hän oli tehnyt huonevarauksen Mandalay Bayhin ja soittanut varmuuden vuoksi paikalliseen sairaalaan. Se että Memorial Medical Centerissa ei ollut William Bing -nimistä lääkäriä, ei sulkenut pois sitä vaihtoehtoa, että hän oli kenties sydäntauteihin erikoistunut lääkäri, joka päivysti siellä silloin tällöin.

Otin puhelimen taas esiin, katsoin kelloa ja soitin Gracielalle myöhäisestä ajankohdasta huolimatta. Hän vastasi nopeasti valppaalla äänellä, vaikka olin varma, että hän oli ollut nukkumassa.

"Graciela, anteeksi että soitan näin myöhään. Minulla on muutama kysymys."

"Voinko vastata niihin huomenna?"

"Haluan vain tietää, kävikö Terry Las Vegasissa kuukauden sisällä ennen kuolemaansa."

"Las Vegasissako? En tiedä. Miten niin?"

"Miten niin et tiedä? Hän oli sentään miehesi."

"Minähän kerroin, me olimme... erossa. Terry vietti aikaa veneellä. Tiedän, että hän kävi muutaman kerran mantereella, mutta en tiennyt missä hän kävi, ellei hän kertonut siitä minulle. Eikä hän kertonut minulle mitään."

"Entä luottokorttilaskut, puhelutiedot tai pankkiautomaattinostot, tiedätkö mitään niistä?"

"Olen maksanut laskut mutta en muista mitään sellaista, hotellimaksuja tai muutakaan."

"Oletko säilyttänyt kuitit?"

"Tietenkin. Ne ovat täällä jossain. Olen varmaan jo pakannut ne."

"Etsi ne, niin minä haen ne aamulla."

"Olin jo nukkumassa."

"No sitten aamulla. Heti ensimmäiseksi. Tämä on tärkeää, Graciela."

"Hyvä on, kyllä minä etsin. Sen minä muuten osaan kertoa, että jos Terry viipyi mantereella useamman päivän, hän meni yleensä veneellä, koska se oli hyvä yöpymispaikka. Mutta jos hän kävi jossain muualla kuin Los Angelesissa eikä ollut Cedarsissa testeissä, hän meni tavallisesti lautalla, koska veneen polttoaine maksoi niin paljon."

"Selvä."

"Terry teki ainakin yhden reissun viimeisen kuukauden aikana. Hän taisi viipyä kolmisen päivää. Joo, kolme päivää ja kaksi yötä. Hän meni lautalla eli hän kävi joko sairaalassa tai jossain muualla. Sairaalassa hän tuskin kuitenkaan kävi. Olen varma, että Terry olisi kertonut siitä, ja tunnen sitä paitsi koko Cedarsin sydäntautiosaston henkilökunnan. Joku olisi soittanut, että hän oli käynyt siellä, ja kertonut, mitä hänelle oli tehty. Olisin saanut tietää, jos Terry olisi käynyt sairaalassa."

130

"Hyvä juttu, Graciela. Se auttaa. Muistatko milloin hän teki matkan mantereelle?"

"En tarkkaa päivää. Joskus helmikuun lopussa varmaankin. Ehkä maaliskuun alkupuolella. Muistan, että laskut eräytyivät niihin aikoihin. Soitin Terrylle rahaasioista, ja hän kertoi, että on käymässä mantereella. Hän ei kertonut missä päin. Hän vain sanoi tulevansa takaisin parissa päivässä. Kuulin, että hän ajoi autolla puhelun aikana. Tiedän myös, että hän ei mennyt veneellä, koska minä seisoin verannalla ja näin veneen satamassa."

"Muistatko miksi soitit hänelle?"

"Muistan. Meillä oli kasa laskuja, enkä tiennyt, miten kalareissujen kanssa oli mennyt helmikuussa. Luottokorttilaskut lähetetään suoraan kotiosoitteeseen, mutta Terryllä oli paha tapa säilyttää asiakkailta saatuja sekkejä ja käteistä lompakossa. Kun hän kuoli ja sain hänen lompakkonsa, siellä oli kolme sekkiä, joiden arvo oli yhteensä 900 dollaria. Hän oli kanniskellut niitä mukanaan kaksi viikkoa. Terry ei ollut kovinkaan hyvä raha-asioissa."

Graciela kertoi tarinan, kuin asioiden unohtelu olisi ollut yksi hänen aviomiehensä huvittavista ja hellyttävistä tavoista, mutta olin varma, että se ei ollut antanut Gracielalle syytä iloon silloin, kun Terry oli vielä hengissä.

"Vielä pari juttua", minä sanoin. "Tiedätkö, oliko Terryllä tapana soittaa sairaaloihin niillä paikkakunnilla, jonne hän matkusti? Eli jos hän kävisi esimerkiksi Las Vegasissa, pirauttaisiko hän paikalliseen sairaalaan, jos sattuisi tarvitsemaan jotain?"

Graciela oli hiljaa ennen kuin vastasi.

"En usko. Ei kuulosta yhtään sellaiselta, mitä Terry tekisi. Soittiko hän jonnekin?"

"En tiedä. Löysin yhden puhelinnumeron Terryn kansioista. Ja nimen. Numero on Vegas Memorialiin, ja yritän keksiä, miksi hän olisi soittanut sinne."

"Tiedän, että Vegas Memorialissa tehdään elintensiirtoja, mutta en tiedä, miksi Terry soittaisi sinne."

"Entä William Bing, sanooko nimi sinulle mitään? Voisiko hän olla lääkäri, jota on suositeltu Terrylle?"

"En ole varma... nimi kuulostaa oudon tutulta, mutta en osaa yhdistää sitä kehenkään. Hän voi olla lääkäri. Ehkä olen kuullut nimen joskus sitä kautta."

Odotin hetken, jos Graciela muistaisi, mutta hän pysyi hiljaa. Päätin jatkaa.

"Selvä, vielä yksi juttu. Missä Terryn auto on?"

"Sen pitäisi olla Cabrillon venesatamassa. Vanha Jeep Cherokee. Avain on siinä nipussa, jonka annoin sinulle. Buddyllakin on avain, koska hän lainaa autoa silloin tällöin. Hän pitää siitä huolta meidän puolestamme. Tai siis minun puolestani nykyään."

"Minä käyn vilkaisemassa autoa aamulla, joten tarvitsen avainta vielä vähän aikaa. Muistatko mihin aikaan ensimmäinen lautta lähtee mantereelle?"

"Ei ennen puoli kymmentä."

"Voinko tulla käymään puoli kahdeksalta tai kahdeksan hujakoilla? Haluaisin saada ne kuitit ja näyttää sinulle jotain. Siinä ei kestä kuin hetki, ja voin sitten hypätä aamun ensimmäiseen lauttaan."

"Kahdeksalta käy paremmin. Ehdin varmaan siihen mennessä takaisin. Saatan yleensä Raymondin kouluun ja vien samalla CiCin päivähoitoon."

"Se sopii mainiosti. Nähdään kahdeksalta."

Päätimme keskustelun siihen, ja soitin saman tien Buddy Lockridgelle. Herätin hänet taas unesta.

"Buddy, minä täällä."

Lockridge nurisi.

"Kävikö Terry Las Vegasissa kuukauden sisällä ennen kuolemaansa? Siinä maaliskuun ensimmäisen päivän tienoilla?"

"En minä tiedä", hän tuhahti väsyneesti. "Mistä minä voisin tietää? En muista, mitä itsekään tein silloin."

"Yritä muistaa, Buddy. Hän viipyi muutaman päivän eikä mennyt mantereelle veneellä. Missä hän kävi? Kertoiko Terry sinulle matkasta?"

"Ei sanan sanaa. Muistan kyllä nyt sen, koska jeeppi tuli takaisin ihan helvetin likaisena. Kori oli suolan tai jonkun muun paskan peitossa. Pesuhommat jäivät tietenkin minun vastuulle."

"Kysyitkö häneltä autosta?"

"Joo, kysyin että ojan pohjallako kävit kurvailemassa. Terry vastasi että jotain sen suuntaista."

"Eikö muuta?"

"Ei hän muuta sanonut. Sitten pesin sen."

"Entä auton sisäpuoli? Siivositko senkin?"

"En, puunasin vain ulkopuolen. Ajoin kärryn pesulaan San Pedrossa ja sillä siisti."

Nyökkäsin itsekseni, kun olin saanut tietää kaiken, mitä Lockridge osaisi sanoa. Sillä hetkellä.

"Oletko maisemissa huomenna?"

"Ainahan minä olen. Ei minulla ole nykyään muutakaan tekemistä."

"Hyvä. Nähdään huomenna."

Sen jälkeen soitin vielä yhden puhelun. Soitin numeroon, jonka McCaleb oli kirjoittanut kansion ylälaitaan *Timesin* artikkelissa siteeratun etsivä Ritzin nimen perään.

Kuulin linjan toisessa päässä nauhoitteen, joka kertoi, että Las Vegasin poliisilaitoksen katoamistapauksia ratkova yksikkö on avoinna maanantaista perjantaihin kahdeksasta neljään. Lopuksi nauhoitteella sanottiin, että hätätapauksissa pitää soittaa yleiseen hätänumeroon.

Suljin puhelimen. Kello oli todella paljon, ja minulla oli aamulla aikainen herätys, mutta tiesin etten saisi unta

133

vielä pitkään aikaan. Elimistöni kävi ylikierroksilla, ja tiesin kokemuksesta etten voisi nukkua. En ainakaan ihan vielä. Olin yksin veneessä vain kaksi lamppua valonlähteenäni, mutta töitä oli vielä paljon. Avasin muistikirjani ja aloin hahmotella aikajanaa, johon merkitsin päivämäärät ja tapahtumat muutamaa viikkoa ja kuukautta ennen Terry McCalebin kuolemaa. Kirjoitin muistiin kaiken mitä tiesin, tärkeät ja merkityksettömät asiat, aidot yhteydet ja kuvitellut. Kokemuksen perusteella osasin sanoa, että voisin valvoa pitkään ummistamatta silmiäni ja että yksityiskohdat olivat kaikki kaikessa. Vastaukset löytyvät aina yksityiskohdista. Aluksi turhanpäiväisiltä tuntuvat seikat saattavat myöhemmin paljastua äärimmäisen tärkeiksi. Ja seikat, jotka tuntuvat aluksi hämäriltä ja epämääräisiltä, voivat myöhemmin tarkentua ja ratketa.

14

Saarelaiset tunnistaa aina. He istuvat sisällä ja ratkovat ristikoita puolitoista tuntia kestävän lauttamatkan aikana. Turistit sen sijaan tungeskelevat kameroineen lautan kannella joko keulan tai perän tuntumassa ja yrittävät nähdä Catalinan viimeiseen hetkeen asti ennen kuin se kutistuu horisonttiin ja häviää sumuun. Se oli aamun ensimmäinen lautta, ja minä istuin sisällä paikallisten asukkien kanssa. Mutta minulla oli ristisanatehtävää mutkikkaampi pulma. Pidin sylissäni avointa kansiota, johon Terry McCaleb oli merkinnyt muistiinpanoja. Tutkin samalla aikajanaa, jonka olin tehnyt edellisenä yönä. Tutkin sitä ja yritin painaa mahdollisimman suuren osan yksityiskohdista mieleeni. Tutkimuksen ratkaiseminen riippuu yksityiskohtien hallitsemisesta ja muistamisesta ulkoa.

7. tammikuuta – McC lukee artikkelin kadonneista miehistä, soittaa Vegasin poliisille

9. tammikuuta – Poliisilaitosta ei kiinnosta
2. helmikuuta – Hinton, Vegas Sunin toimittaja.
Kuka soitti kenelle?
13. helmikuuta – Puolenpäivän kalareissu
Jordan Shandyn kanssa
19. helmikuuta – Kalareissu Finderin kanssa
22. helmikuuta – GPS varastettu /
rikosilmoitus seriffille
27. helmikuuta – Valokuvat McC:n koneelle
1. maaliskuuta? – McC mantereelle
kolmeksi päiväksi
28. maaliskuuta – Viimeinen kalareissu.
McC Following Sealla, lääkkeet mukana
31. maaliskuuta – McC kuolee

Lisäsin listaan tiedot, jotka olin saanut Gracielalta tuntia aiemmin. Pyytämäni luottokorttitiedot, joiden avulla pystyin seuraamaan hänen aviomiehensä liikkeitä, sisälsivät myös Gracielan tekemät ostokset. Helmikuun 21. päivänä Visalla oli maksettu Nordstromin tavaratalossa tehtyjä ostoksia. Kun kysyin siitä tarkemmin, Graciela kertoi käyneensä silloin Promenaden ostoskeskuksessa. Kysyin, oliko hän käynyt siellä sen jälkeen, ja hän vastasi kieltävästi.

Lisätessäni päivämäärää muistiinpanoihin huomasin, että se oli vain päivää ennen kuin GPS-paikantimen varkaudesta oli tehty rikosilmoitus. Laite oli siis luultavasti viety samana päivänä. Valokuvia napsinut hiippari oli tullut saarelle samalla lautalla Gracielan kanssa. Voisiko hän olla sama henkilö, joka oli tunkeutunut Following Sealle sinä samaisena yönä ja pihistänyt GPS:n? Jos oli, niin miksi? Ja jos oli, niin oliko mahdollista, että hän oli peukaloinut Terryn lääkkeitä silloin? Vaihtoiko hän lääkkeet samalla kertaa?

Ympyröin GPS-paikantimen muistikirjastani. Mitä laite ja sen varastaminen merkitsivät? Arvelin, että mietin paikanninta luultavasti liiankin paljon. Ehkä Buddy Lockridgen teoria piti paikkansa, ehkä Finder, heidän kilpailijansa, oli varastanut sen. Kyse ei ollut kenties mistään muusta, mutta koska Gracielaa väijyttiin ostoskeskuksessa ja laite varastettiin samana päivänä, tunsin että kysymys oli jostain muusta. Vaistoni kertoi, että tapahtumat liittyivät toisiinsa. En vain tiennyt millä tavalla. Avoimista kysymyksistä huolimatta tunsin kuitenkin edistyväni. Aikajanan luominen auttoi näkemään yhtäläisyyksiä ja hahmottamaan tapahtumien kulkua paremmin. Lisättävää toki riitti paljon, ja sitten mieleeni juolahti, että minun oli ollut tarkoitus soittaa Las Vegasiin heti aamusta. Avasin puhelimen ja tarkistin oliko akussa virtaa. En ollut saanut ladattua sitä veneellä. Virta oli vähissä. Ehtisin soittaa ehkä yhden puhelun ennen akun tyhjenemistä. Soitin Vegasin poliisilaitoksen kadonneiden yksikköön. Puhelimeen vastattiin, ja pyysin etsivä Ritziä puhelimeen. Odotin lähes kolme minuuttia, ja puhelin piippasi minuutin välein varoittaen virran hupenemisesta.

"Etsivä Ritz, kuinka voin auttaa?"

"Huomenta. Nimeni on Bosch. Olen jäänyt eläkkeelle LAPD:n henkirikosyksiköstä ja teen pientä palvelusta ystävälleni. Hänen aviomiehensä kuoli kuukausi sitten, ja minä yritän saada miehen paperitöitä järjestykseen. Satuin näkemään yhdessä tutkintakansiossa teidän nimenne ja numeronne sekä lehtileikkeen tapauksesta, jota tutkitte."

"Mitä tutkimusta tarkoitat?"

"Kuutta kadonnutta miestä."

"Ja mikä oli ystävänne aviomiehen nimi?"

"Terry McCaleb. Hän työskenteli aikoinaan FBI:ssä. Hän oli –"

"Ai, hän."

"Tunsitte siis hänet?"

"Puhuin puhelimessa kerran. Sitä voi tuskin sanoa tuntemiseksi."

"Puhuitteko näistä katoamistapauksista?"

"Mikäs se sinun nimesi taas olikaan?"

"Harry Bosch."

"Kuulehan, Harry Bosch, en tiedä kuka olet tai mitä teet, mutta minä en tavallisesti keskustele puhelimessa keskeneräisistä tutkimuksista ventovieraiden kanssa."

"Voisin tulla tapaamaan teitä."

"Se ei muuta mitään."

"Kai tiedätte, että hän kuoli?"

"Ai, McCalebko? Kuulin, että hän sai sydänkohtauksen veneellä eikä saanut apua ajoissa. Kuulostaa tyhmältä. Mitä helvettiä sydämensiirtopotilas tekee keskellä merta?"

"Yritti tienata elantonsa. Tapauksessa on ilmennyt jotain uutta, ja minä selvitän, mitä Terry tutki kuollessaan. Hän saattoi herättää huomiota toimillaan, jos ymmärrätte mitä tarkoitan. Haluan vain –"

"En itse asiassa tiedä lainkaan, mitä tarkoitat. Voodoota, vai? Langettiko joku kirouksen, joka tappoi hänet sydänkohtaukseen? Minulla on muutakin tekemistä, Bosch. Tärkeämpää tekemistä kuin kuunnella sinun paskanjauhantaa. Kaikki eläkkeelle jääneet poliisit luulevat aina, että meillä kovan päivätyön raatajilla on aikaa kuunnella teidän höynähtäneitä juttujanne. Arvaa mitä, Bosch? Minulta ei heru aikaa moiseen."

"Saiko Terry kuulla saman saarnan, kun hän soitti? Ettekö halunneet kuunnella hänen teoriaansa tai profiilia? Sanoitteko sitäkin paskanjauhannaksi?"

"Mitä helvettiä minä teen psykologisilla profiileilla tässä tutkimuksessa? Ne eivät auta rajaamaan syyllisten

138

määrää. Ne ovat ajanhukkaa, ja sen minä myös kerroin, ja muuta sanottavaa minulla ei –"

Puhelimen merkkiääni katkaisi Ritzin lauseen.

"Mikä se oli?" hän ihmetteli. "Nauhoitatko tämän keskustelun?"

"Ei, akku vain loppuu kohta. Kävikö Terry puhumassa jutusta?"

"Paskat. Hän otti yhteyttä toimittajiin. Tyypillistä FBI-agentin toimintaa."

"Kirjoittiko *Sun* artikkelin siitä, mitä hän uskoi miehille tapahtuneen?"

"Ei sentään. Heidänkin mielestään hänen juttunsa oli pelkkää sontaa."

Ritz ei puhunut totta. Jos hän kerran uskoi, että Terry McCalebin teoria oli tuulesta temmattu, hänen oli täytynyt kuunnella koko tarina alusta loppuun tehdäkseen sellaisen johtopäätöksen. Uskoin, että Ritz oli tosiasiassa keskustellut katoamistapauksista Terryn kanssa pitkään.

"Minulla on vielä yksi kysymys ja jätän teidät sitten rauhaan. Mainitsiko Terry McCaleb jotain kolmioteoriaa? Että yksi piste antaisi kolme? Sanooko se mitään teille?"

Linjan toisesta päästä kuului epämiellyttävää naurun räkätystä. Siinä ei ollut mitään hyvänsuopaa.

"Siinä oli jo kolme kysymystä, Bosch. Kolme kysymystä ja kolmion kolme sivua. Kolme hutia ja olet poissa pelistä –"

Akku tyhjeni ja puhelin pimeni.

Kirosin. Ritzin pöyhkeä käytös ärsytti minua.

En saisi häneltä vastauksia kysymyksiini. Suljin puhelimen ja sujautin sen takaisin taskuun. Laturi oli autossani. Voisin jatkaa soittelua heti, kun lautta saapuisi laituriin Santa Monica Bayn vastarannalle. En uskonut, että vaihtaisin enää sanaakaan Ritzin kanssa, mutta minun pitäisi saada *Sunin* toimittaja langan päähän.

139

Nousin ylös, kävelin takakannelle ja yritin tuulettaa ajatuksiani viileässä aamusäässä. Catalinan saari näkyi usvan peittämässä horisontissa pienenä, teräväreunaisena ja harmaana kivenä. Lautta oli ohittanut salmen puolivälin. Kuulin pienen tytön hihkaisevan äidilleen: "Tuolla!" Katsoin mihin hänen sormensa osoitti ja näin pyöriäisparven viistävän vedenpintaa lautan perässä. Niitä oli ainakin kaksikymmentä, ja pian lautan peräkansi parveili ihmisiä kameroineen. Osa saaren asukkaistakin taisi tulla katsomaan. Pyöriäiset olivat kauniita, ja aamuauringon säteissä niiden harmaat kyljet kiilsivät kuin muovipinnoite. Mietin, teutaroivatko ne vedessä koska ne halusivat pitää hauskaa vai luulivatko ne matkustajalauttaa kalastusalukseksi, jolta voisi saada makupaloja aamun kalansaaliista.

Osa matkustajista kadotti mielenkiintonsa nopeasti ja palasi takaisin paikoilleen. Pikkutyttö, joka oli huomannut näytöksen ensimmäisenä, jäi kaiteen ääreen katselemaan, ja niin jäin minäkin, kunnes pyöriäiset lopulta jättäytyivät kauemmaksi lautan perästä ja katosivat sinimustan meren syvyyksiin.

Palasin sisälle ja otin Terry McCalebin kansion jälleen syliini. Luin uudestaan kaikki muistiinpanot, joita olimme molemmat kirjoittaneet. En saanut yhtään uutta ideaa. Sitten katselin valokuvia, jotka olin edellisiltana tulostanut Terryn koneelta. Olin näyttänyt Gracielalle Jordan Shandysta otettuja kuvia, mutta hän ei ollut tunnistanut miestä vaan oli pommittanut minua vastausten sijaan kysymyksillä, joihin en ollut vielä osannut enkä halunnut vastata.

Seuraavaksi tutkin luottokortti- ja puhelutiedot. Olin tarkastellut niitä kertaalleen Gracielan kanssa mutta halusin tutkia niitä nyt lähemmin. Kiinnitin erityistä huomiota helmi- ja maaliskuun vaihteeseen, ajankohtaan jolloin Graciela uskoi aviomiehensä käyneen mantereella. Terry ei ollut kuitenkaan käyttänyt Visaa eikä puhelinta, joten laskuista ei löytynyt merkkiäkään siitä, missä hän oli käynyt puhumattakaan siitä että olisin löytänyt suoran viittauksen Los Angelesiin tai Las Vegasiin. Aivan kuin Terry ei olisi halunnut jättää jälkiä.

Puoli tuntia myöhemmin lautta saapui Los Angeles Harboriin ja lipui laituriin risteilyalus *Queen Maryn* viereen, joka nökötti nykyään pysyvästi laiturissa hotelli- ja konferenssikeskukseksi muutettuna. Kävellessäni pysäköintialueen poikki autolleni kuulin kirkaisun ja käännyin katsomaan, kuinka *Queen Maryn* peräkannen yläpuolelle nostetusta häkkyrästä hypännyt nainen kimmahteli ja heilui pää alaspäin benji-köyden varassa. Hän piteli käsivarsiaan kylkiä vasten, ja huomasin, ettei hän ollut kirkaissut pelon, adrenaliiniryöpyn tai vapaapudotuksen vuoksi, vaan siksi, että hänen T-paitansa oli uhannut valahtaa olkapäiden ja pään yli risteilyaluksen kaiteelle kokoontuneen yleisön silmien alla.

Käänsin katseeni ja jatkoin matkaa autolleni. Minulla on Mercedes-Benzin iso kaupunkimaasturi, jonka polttoaineenkulutus on monien mielestä syy siihen, että terrorismi on nykyään niin yleistä. Minä en jaksa ryhtyä moisiin väittelyihin, mutta tiedän että samaisia huomautuksia viljelevät julkkikset saapuvat televisiostudioille puheohjelmiin pidennetyissä limusiineissa. Heti kun olin istahtanut etupenkille ja kääntänyt avainta virtalukossa, kytkin puhelimen laturiin ja odottelin, että se heräisi henkiin. Ensimmäisten elonmerkkien ilmestyttyä näin, että olin saanut kaksi viestiä niiden kolmen vartin aikana, jolloin puhelimeni oli ollut poissa pelistä.

Ensimmäinen viesti oli vanhalta työpariltani Kizmin Riderilta, joka työskenteli nykyään poliisipäällikön virastossa ja vastasi hallinto- ja suunnittelutehtävistä. Hän oli jättänyt vain soittopyynnön. Oudoksuin sitä, sillä emme olleet puhuneet lähes vuoteen ja viimeinen keskustelumme oli ollut kaikkea muuta kuin miellyttävä. Kizminin lähettämässä jokavuotisessa joulukortissakin oli lukenut vain hänen nimensä, eikä lainkaan mitään ystävällistä toivotusta tai toivetta siitä, että näkisimme taas piakkoin. Kirjoitin muistiin hänen suoran numeronsa – oli hän antanut sentään sen – ja tallensin viestin puhelimeni muistiin.

Toinen viesti oli Cindy Hintonilta, *Las Vegas Sunin* toimittajalta. Hän vastasi jättämääni soittopyyntöön. Kytkin vaihteen päälle ja lähdin ajamaan moottoritielle, jota pitkin pääsisin mukavasti San Pedroon ja voisin poiketa Cabrillon huvivenesatamassa, jonne Terry McCalebin auto oli jätetty. Soitin Hintonille ajaessani, ja hän vastasi puheluun heti.

"Kyllä, minä soitin Terry McCalebin takia", vastasin Hintonin kysymykseen. "Yritän saada selkoa hänen viimeisten elinkuukausiensa tapahtumista. Kuulitte varmaan hänen kuolemastaan. *Sun* julkaisi muistaakseni muistokirjoituksen."

"Kuulinhan minä. Sanoitte eilisessä viestissänne, että olette tutkija. Minkä viraston palveluksessa?"

"Minulla on itse asiassa osavaltion myöntämä yksityisetsivän lupakirja. Toimin ennen yksityisetsiväksi ryhtymistä poliisina melkein kolmekymmentä vuotta."

"Liittyykö asianne jotenkin niihin katoamistapauksiin?"

"Millä tavalla?"

"En tiedä. Te soititte minulle. En ymmärrä, mitä ajatte takaa."

"Minulla olisi kysymys. Ensinnäkin sain kuulla etsivä Ritziltä Vegasin poliisista, että Terry McCaleb oli kiinnostunut katoamisista. Hän tutki tapausta, soitti Ritzille ja tarjosi apuaan, taitojaan tai mahdollisesti joitakin teorioitaan tapauksen selvittämiseksi. Pysyttekö vielä perässä?"

"Kyllä, tiedän mitä hän teki."

"Hyvä. Ritz ja Vegasin poliisilaitos eivät kuitenkaan tarttuneet Terryn tarjoukseen. Haluaisin kysyä teiltä, mitä sitten tapahtui. Soittiko Terry McCaleb teille? Vai soititteko te hänelle? Kirjoititteko artikkelin, jossa mainitsitte, että hän tutkii katoamisia?"

"Minkä vuoksi haluatte vastaukset näihin kysymyksiin?"

"Anteeksi, odottakaa pieni hetki."

Minun ei olisi pitänyt soittaa Hintonille samalla kun ajoin autoa. Minun olisi pitänyt osata ennakoida, että hän suhtautuisi minuun varautuneesti ja että keskustelu vaatisi kaiken huomioni. Vilkaisin peiliin ja ajoin kahden kaistan poikki päästäkseni liittymästä alas. En ehtinyt nähdä tienviittaa enkä tiennyt, mihin suuntaan olin menossa. Päädyin teollisuusalueelle, jonka katuja reunustivat kuljetusliikkeiden toimitilat ja varastorakennukset. Pysäytin auton puoliperävaunun taakse, joka oli pysäköity erään varastorakennuksen avoimien tallinovien eteen.

"No niin, nyt voin taas puhua. Kysyitte, miksi haluan vastauksia. Siksi että Terry McCaleb oli ystäväni. Tutkin tapausta, jota hän oli tutkinut ennen kuolemaansa. Haluan saattaa hänen työnsä loppuun."

"Kuulostaa siltä, että tässä on jotain, mitä ette kerro minulle."

Mietin hetken, miten etenisin. Oli riski paljastaa tietoja toimittajalle, etenkin sellaiselle toimittajalle, jota en tuntenut. Kirves voisi kalahtaa omaan nilkkaani. Minun piti keksiä keino antaa reportterille tietoja joita hän halusi kuulla, mutta tavalla joka saisi hänet sulkemaan korvansa.

143

"Haloo? Onko siellä ketään?"

"Täällähän minä. Tuota, voinko puhua tästä epävirallisesti?"

"Epävirallisestiko? Hyvä että olemme puhuneet mitään."

"Niinpä. Kerron teille, jos voin puhua epävirallisesti. Eli ette saa panna sitä lehteen."

"Okei, ihan sama, epävirallisesti sitten. Voisitteko mennä asiaan ja kertoa tärkeät tietonne tai mitä ikinä teillä on, sillä minulla on artikkeli kesken ja sen pitää valmistua ennen puoltapäivää?"

"Terry McCaleb murhattiin."

"Ei sinne päinkään. Luin lehdet. Hän sai sydänkohtauksen. Hänelle oli tehty sydämensiirto joskus kuusi vuotta sitten. Hän –"

"Tiedän, mitä lehdissä luki, ja sanon että se ei pidä paikkaansa. Ja se tulee ilmi ennen pitkää. Yritän selvittää, kuka hänet tappoi. Voitteko nyt kertoa, oliko lehdessänne juttua, jossa mainittiin hänen nimensä?"

Kuulosti siltä, että Hintonin pasmat menivät hetkeksi sekaisin.

"Olihan siinä. Kirjoitin artikkelin, jossa vilahti hänen nimensä. Mutta korkeintaan kappaleessa tai kahdessa."

"Siis pelkkä lyhyt maininta? Mitä siinä sanottiin?"

"Se oli jatkoa artikkelille kadonneista miehistä. Kirjoitin tutkinnan uusista käänteistä. Kyllähän te tiedätte, uusia johtolankoja ja sen sellaista. Jutussa mainittiin McCalebin nimi, ei muuta. Kirjoitin, että hän oli ottanut yhteyttä Vegasin poliisiin ja tarjonnut apuaan mutta siitä oli kieltäydytty. Se kannatti lisätä artikkeliin, koska katoamisista ei ollut mitään uutta kerrottavaa ja McCaleb oli kaiken lisäksi kuuluisa sen elokuvan ja Clint Eastwoodin ja muiden syiden vuoksi. Saitteko haluamanne vastauksen?"

144

"Mutta hän ei ottanut teihin yhteyttä?"

"Otti tietyllä tavalla. Sain Ritziltä McCalebin numeron ja soitin siihen. Jätin viestin, ja hän soitti takaisin. Eli käytännössä hän otti minuun yhteyttä, jos sitä tarkoitatte. Mitä luulette, että hänelle tapahtui?"

"Kertoiko Terry teoriansa? Sen jota Ritz ei vaivautunut kuuntelemaan?"

"Ei, hän ei halunnut kommentoida asiaa lainkaan vaan pyysi, että en laittaisi hänen nimeään lehteen. Puhuin päätoimittajan kanssa, ja päätimme jättää nimen artikkeliin. Oli miten oli, hän oli julkkis."

"Tiesikö Terry, että hänet mainittiin nimeltä?"

"En tiedä. En puhunut hänen kanssaan enää sen koommin."

"Sanoiko hän keskustelun aikana mitään kolmioteoriasta?"

"Kolmioteoriastako? Ei sanallakaan. Minä olen vastannut teidän kysymyksiinne, ja nyt on minun vuoroni. Kuka väittää, että hänet murhattiin? Onko tieto tullut virallisesta lähteestä?"

Oli tullut aika vetäytyä. Keskustelu oli saatava loppumaan, mutta minun oli päästävä varmuuteen, että Hinton ei vain löisi luuria korvaani ja ryhtyisi heti sen jälkeen kyselemään minusta ja McCalebista joltakulta muulta.

"Ei oikeastaan."

"Ei oikeastaan? Mitä – miksi uskotte, että hänet murhattiin?"

"Hän oli hyvässä kunnossa ja hänellä oli nuoren luovuttajan sydän."

"Entä hylkimisreaktiot tai tulehdukset? Siihen voi olla tuhat eri syytä – onko kuolinsyy vahvistettu tai onko teillä mitään virallista tietoa? Tehdäänkö tapauksesta virallinen tutkinta?"

"Ei tietenkään. Sehän olisi sama kuin pyytäisi CIA:ta

145

tutkimaan Kennedyn salamurhaa. Sitä kolmatta. Tutkimus lakaistaisiin maton alle."

"Mistä te puhutte? Kolmas mikä?"

"Kolmas Kennedyjen murha. Se poika. John-John. Luuletteko todella, että kone syöksyi sattumalta mereen? New Jerseyssä asui kolme todistajaa, jotka näkivät, kuinka ruumiit kannettiin lentokoneeseen *ennen* kuin se nousi ilmaan. Kaikki kolme todistajaa ovat sittemmin kadonneet. Kolmioteorian mukaan –"

"Selvä homma, kiitos kun soititte. Minulla on muitakin töitä ja minun täytyy –"

Hinton sulki puhelimen sanomatta edes lausettaan loppuun. Oli pakko hymyillä. Olin ylpeä luovuudestani ja uskoin, että olin turvannut selustani. Kurotin apukuljettajan istuimelle ja poimin kansion käsiini. Avasin sen ja tarkastelin aikajanaa. Terryn muistiinpanojen mukaan hän oli puhunut Hintonin kanssa 2. helmikuuta. Artikkeli julkaistiin luultavasti seuraavana tai sitä seuraavana päivänä. Kunhan ehtisin käydä kirjastossa, voisin katsoa tietokoneelta tarkan päivämäärän ja lukea, mitä Hinton oli kirjoittanut McCalebista.

Päätin tässä vaiheessa merkitä muistiinpanoihini artikkelin ilmestymispäiväksi helmikuun kolmannen. Tutkin tietoja kotvasen ja ryhdyin hahmottelemaan omaa versiotani tapahtumien kulusta:

Terry McCaleb näkee 7. tammikuuta ilmestyneessä *Los Angeles Timesissa* artikkelin kadonneista miehistä. Hän kiinnostuu tapauksesta. Hän aavistaa, että etsivät ovat erehtyneet tai jättäneet jotain huomioimatta. McCaleb kehittää oman teoriansa ja soittaa Ritzille Las Vegasiin kaksi päivää myöhemmin. Ritz ei ota McCalebia tosissaan mutta kertoo hänestä Hintonille, kun toimittaja soittaa saadakseen lisätietoja. Ehkä Ritz uskoo, että lehtien kirjoittelu ja kuuluisan profiloijan nimen mainitseminen saattaisivat auttaa tutkimuksissa.

Hintonin jatkoartikkeli, jossa McCalebin nimi mainitaan, julkaistaan *Las Vegas Sunissa* helmikuun ensimmäisellä viikolla. Alle kaksi viikkoa myöhemmin – 13. helmikuuta – McCaleb on yksin veneellään, kun Jordan Shandy ilmestyy paikalle vesitaksilla ja pyytää päästä puoleksi päiväksi kalaan. McCaleb ounastelee, että asiakkaassa on jotain epäilyttävää, ja ottaa tästä salaa muutaman valokuvan. Viikkoa myöhemmin Shandy seuraa McCalebin vaimoa ja lapsia Promenaden ostoskeskuksessa ja ottaa heistä salaa valokuvia – aivan kuten McCaleb hänestä. Sinä yönä joku vie *Following Sealta* GPS-paikantimen ja oletettavasti peukaloi samalla McCalebin sydänlääkkeitä.

27. helmikuuta McCaleb saa perheestään ostoskeskuksessa otetut valokuvat. Valokuvien toimitustapa ei ole tiedossa, mutta päivämäärä selviää tietokoneelle luodusta kuvatiedostosta. Kaksi päivää sen jälkeen kun McCaleb on tallentanut kuvat koneelleen, hän lähtee Catalinan saarelta ja käy mantereella. Päämäärä ei ole tiedossa, mutta auto on peittynyt pölyyn aivan kuin hän olisi ajellut muitakin kuin valtateitä pitkin. McCalebilla on myös lasvegasilaisen sairaalan ja Mandalay Bayn kasinohotellin puhelinnumerot. Hotellin, jossa yksi kadonneista miehistä viimeksi nähtiin.

Vaihtoehtoja ja tulkintamahdollisuuksia oli rajattomasti. Oman arvioni mukaan kaikki liittyi jotenkin valokuviin. Uskoin, että kuvien näkeminen oli saanut McCalebin lähtemään mantereen puolelle. Uskoin, että auton pölyisyys kolmen päivän matkan jälkeen johtui siitä, että hän oli käynyt autiomaassa Zzyzx Roadilla. McCaleb oli tarttunut syöttiin, kenties tiedostanutkin sen, ja lähtenyt autiomaahan.

Tutkin päivämääriä vielä kerran ja olin varma, että McCalebin nimen mainitseminen *Sunissa* oli herättänyt

147

huomiota. Jordan Shandy liittyi katoamisiin tavalla tai toisella. Jos hän oli syyllinen miesten katoamisiin, hän varmasti seuraisi tarkasti poliisitutkinnan etenemistä tiedotusvälineistä. Kun hän näki McCalebin nimen lehtiartikkelissa, hän kävi Catalinalla katsomassa, millaisesta miehestä oli kysymys. Sinä aamuna neljän tunnin kalareissun aikana hän olisi voinut nähdä McCalebin lääkkeet ja ratkaista, miten saisi eliminoitua uhkan.

Se ei kuitenkaan vastannut kysymykseen, miksi veneelle oli murtauduttu 21. helmikuuta ja miksi GPS-paikannin oli viety. Arvelin, että sen varastaminen oli hämäystä. Shandy ei voinut olla varma, että murtautuminen ja lääkkeiden vaihtaminen kävisi huomaamattomasti. Hän vei laitteen, jotta McCaleb ei epäilisi varkaan motiivia, jos sattuisi huomaamaan murron.

Suurempi kysymys oli kuitenkin, miksi Shandy piti McCalebia uhkana, jos artikkelissa ei ollut kerrottu mitään McCalebin teoriasta. En osannut vastata siihen. Oli toki mahdollista, että Shandy oli surmannut McCalebin, koska oli innostunut ajatuksesta, että voisi päihittää ja tappaa maineikkaan rikostutkijan. Mutta se oli epätodennäköistä.

Siinä piili myös ristiriita. Tosiasiassa teoriani oli täynnä ristiriitoja. Jos ensimmäiset kuusi miestä olivat kadonneet jäljettömiin, miksi McCaleb sai surmansa niin, että tapahtumalla oli silminnäkijöitä ja ruumiinavaus voisi lopulta paljastaa totuuden kuolemasta? Se ei sopinut suunnitelmaan. Ainoa vastaus, jonka keksin, oli se, että McCalebin katoaminen olisi voinut johtaa mittaviin etsintöihin, jolloin tutkijat olisivat saattaneet kiinnostua enemmän myös hänen teoriastaan kadonneista miehistä. Sitä Shandy ei olisi voinut sallia, joten hän poisti McCalebin yhtälöstä tavalla, joka näyttäisi toivottavasti luonnolliselta kuolemalta tai onnettomuudelta tai ei ainakaan herättäisi epäilyksiä.

148

Teoriani perustui arvauksiin, enkä pitänyt siitä yhtään. Kun kannoin vielä etsivän virkamerkkiä, arvailuihin luottaminen oli yhtä viisasta kuin hiekan tunkeminen auton polttoainetankkiin. Toivottoman typeriä tekoja kumpainenkin. En pitänyt siitä, kuinka huolettomasti olin rakentanut teoriaani tulkintojen ja arvailuiden varaan sen sijaan, että olisin pystyttänyt sen tosiasioiden vankalle peruskalliolle. Päätin hylätä pohdinnat ja keskittyä pelkkiin faktoihin. Tiesin, että Zzyzx Road ja sitä ympäröivä autiomaa olivat olemassa. Sen tueksi minulla oli iso nippu valokuviakin. En osannut sanoa, mitä Terry McCaleb oli mahtanut autiomaasta löytää, enkä tiennyt, oliko hän edes käynyt siellä. Mutta yhdestä asiasta olin täysin varma. Kävisin katsomassa paikkaa omin silmin. Eikä se ollut mikään arvaus.

15

Buddy Lockridge odotti minua Cabrillo Marinan pysä-
köintialueella, kun pääsin perille. Olin soittanut hänelle
autosta ja kertonut olevani jo matkalla ja kovassa kii-
reessä, enkä ehtisi keskustella hänen kanssaan pitkään.
Sanoin, että haluan vilkaista nopeasti McCalebin Chero-
keeta ja jatkaa matkaani saman tien. Tiesin mihin meni-
sin, löytyi autosta jotain Zzyzx Roadiin ja Las Vegasiin
liittyvää tai ei.
   "Mihin sinulla on niin kova hoppu?" Buddy kysyi
noustessani autosta.
   "Nopeus ratkaisee", minä vastasin. "Kaikkein tär-
kein seikka rikostutkinnassa on nopeus. Jos hidastaa
vauhtia, hidastuu ajatuksenjuoksukin. Haluan pysyä
valppaana."
   Olin irrottanut Cherokeen avaimen Gracielan anta-
masta avainnipusta ennen kuin olin palauttanut veneen
avaimet. Avasin sillä kuljettajanpuoleisen etuoven. Kur-

kistin sisään ja vilkaisin paikkoja ennen kuin astuin kokonaan sisään.

"Mihin meinasit mennä?" Lockridge kysyi selkäni takaa.

"San Franciscoon", minä valehtelin, koska halusin kuulla, miten Buddy reagoisi.

"San Franciscoonko? Mitä siellä on?"

"En tiedä. Mutta luulen, että Terry kävi siellä vähän ennen kuolemaansa."

"Pölyistä hiekkatietä San Franciscoon, vai?"

"Ehkäpä."

Cherokeessa ei ollut mitään, mikä olisi antanut aihetta epäilyksiin. Auto oli puhdas. Sisäilma haisi lievästi happamalle ikään kuin ikkunat olisivat jääneet joskus auki ukkosmyrskyn ajaksi. Avasin etupenkkien välissä olevan lokeron ja löysin sieltä kahdet aurinkolasit, paketin hengitystä raikastavia purukumeja ja toimintasankarin pienen figuurin. Ojensin sen oviaukosta Lockridgelle, joka seisoi yhä takanani.

"Voi, olet unohtanut supersankarisi autoon."

Hän ei ottanut lelua kädestäni.

"Oletpa vitsikäs. Se on McDonald'sista. Saarella ei ole pikaruokapaikkoja, joten aina kun he kävivät täällä, pennut piti viedä heti ensimmäiseksi hampurilaiselle. Roskaruoka on saatana kuin huumetta. Lapset tulevat riippuvaiseksi ranskanperunoista pienestä pitäen ja jäävät koukkuun loppuelämäkseen."

"On niitä pahempiakin asioita."

Viskasin lelun takaisin lokeroon ja suljin kannen. Kurotin pidemmälle saadakseni hansikaslokeron auki.

"Hei, haluatko että minä tulen mukaan? Voisin ehkä auttaa."

"Ei tarvitse, Buddy. Lähden sitä paitsi suoraan täältä."

"Hitto, minä olen valmis viidessä minuutissa. Heitän vain vähän vaihtovaatteita kassiin."

Hansikaslokerossa oli toinenkin muovilelu auton käyttöohjekirjojen lisäksi. Siellä oli myös paketti, josta löysin *Merkkimiehet*-nimisen äänikirjan. Tämä etappi alkoi tuntua ajan haaskaukselta. Pysähdys oli turha, ja kaiken lisäksi jouduin kuuntelemaan Buddya, joka yritti taas tuppautua kumppanikseni. Nousin autosta ja suoristin selkäni. Katsoin häntä.

"Ei kiitos, Buddy. Minä työskentelen yksin."

"Minä autoin joskus Terryäkin. En minä ole mikään nahjus niin kuin siinä elokuvassa. Siinä –"

"Joo joo, minä tiedän, Buddy. Kerroit jo. Ei tämä siitä johdu. Minä vain työskentelen yksin. Poliisinakin. Tein työni parhaiten yksin ja yksin aion toimia jatkossakin."

Mieleeni juolahti jotain, ja nojauduin uudestaan autoon tarkistaakseni, oliko tuulilasin oikeassa alakulmassa tarra, jonka olin nähnyt Zzyzx Roadin kyltistä otetussa valokuvassa Terryn tietokoneella. Tuulilasin kulmassa ei ollut tarraa eikä mitään muutakaan. Tunsin entistä varmemmin, ettei McCaleb ollut ottanut valokuvia itse.

Nousin taas seisomaan, kävelin auton perään ja avasin tavaratilan. Siellä ei ollut muuta kuin Paavo Pesusienen muotoinen tyyny. Tunsin animaatiohahmon nimeltä, koska Maddie oli hänen suuri ihailijansa ja katselin itsekin mielelläni televisiosarjaa tyttöni kanssa. Paavo taisi olla myös McCalebin ruokakunnan suosikki.

Menin sitten toisen takaoven luokse ja vilkaisin takapenkille. Se oli tyhjä, mutta huomasin, että oikean etuistuimen takana sijaitsevassa taskussa oli karttakirja, johon myös kuljettaja ylettäisi vaivattomasti ojentamalla vähän kättään. Otin kartaston taskusta ja selailin sitä vaivihkaa, jotta Buddy ei näkisi, mitä katselin.

Nevadan eteläosaa esittävälle aukeamalle mahtui myös osa naapuriosavaltioista. Joku oli piirtänyt ympyrän Mojaven luonnonsuojelualueelle Kalifornian puolelle rajaa, lähelle Nevadan lounaiskulmaa. Kartan oikeaan marginaaliin oli kirjoitettu kuulakärkikynällä numerosarja ja luvut oli lopuksi laskettu yhteen. Laskutoimituksen tulos oli 86. Sen alle oli kirjoitettu *Oikeasti – 92*.

"Löysitkö jotain?" Buddy kysyi ja katsoi minua oviaukosta penkin toiselta puolelta. Suljin karttakirjan ja heitin sen takapenkille.

"En mitään. Terry oli vain kirjoittanut muistiin ohjeita jotain automatkaa varten."

Kumarruin sisemmälle ja alaspäin nähdäkseni etuistuimen alle. Näin lisää McDonald'sista saatuja leluja, vanhoja eväskääreitä ja sekalaista roinaa. Ei mitään tärkeää. Nousin ja kävelin auton toiselle puolelle ja pyysin Buddya väistymään, jotta voisin vilkaista myös kuljettajan istuimen alle.

Siellä oli lisää roskia, mutta huomasin niiden joukossa myös monta rutistettua paperitolloa. Sujautin käteni istuimen alle ja lakaisin roskat esiin, jotta voisin tutkia niitä tarkemmin. Avasin ja oikaisin yhden ryppyisistä lappusista ja näin että se oli luottokorttikuitti Long Beachissa sijaitsevalta huoltoasemalta. Kuitti oli päivätty lähes vuosi sitten.

"Et taida tarkistaa penkinalusia, kun siivoat auton?"

"Ei ole kukaan pyytänyt", Buddy puolustautui. "Minun tehtäviin kuuluu oikeastaan vain auton peseminen."

"Ymmärrän."

Avasin loputkin paperitollot. En odottanut löytäväni mitään hyödyllistä. Olin jo tarkistanut luottokorttitiedot ja tiesin, että niissä ei ollut mitään, minkä perusteella voisin saada selville, missä Terry oli käynyt kolme päivää kestäneellä matkallaan. Aina kannattaa kuitenkin olla säntillinen.

Kuljettajan istuimen alta löytyi monta kuittia lähialueiden kaupoista. Niiden joukossa oli Safewayssä tehtyjä ruokaostoksia sekä kalastusvälinehankintoja San Pedros-

153

sa sijaitsevasta urheiluvälinekaupasta. Yhden kuitin mukaan joku oli ostanut ginseng-uutetta BetterFit-nimisestä luontaistuotekaupasta ja *Looking for Chet Baker* -äänikirjan Westwoodissa sijaitsevasta kirjakaupasta. En ollut koskaan kuullut siitä, vaikka tunsin Chet Bakerin erittäin hyvin. Päätin ottaa siitä selvää myöhemmin, kun saisin aikaa lukea tai kuunnella kirjoja.

Säntillisyys tosiaan kannatti, sillä löysin viidennen paperilappusen. Oikaisin rutistetun kuitin, joka oli peräisin Travel American huoltamosta Las Vegasista. Huoltoasema sijaitsi Blue Diamond Roadilla, samalla tiellä kuin Vegas Memorial. Kuittiin merkitty päivämäärä oli 2. maaliskuuta. Ostoksiin sisältyi 64 litraa polttoainetta, puolen litran pullo Gatoradea ja *Merkkimiehet*-äänikirja.

Kuitin perusteella selvisi, että Terry McCalebin matka oli suuntautunut Las Vegasiin. Sain varmistuksen asiasta, jota olin jo ounastellut. Silti vereeni ryöpsähti lisää adrenaliinia. Halusin päästä taas tien päälle, pysyä vauhdissa tutkimuksen edetessä.

"Löysitkö jotain?" Buddy kysyi.

Rutistin kuitin ja heitin sen auton lattialle muiden roskien joukkoon.

"Enpä juuri", minä vastasin. "Terry tuntui pitävän äänikirjoista. En tiennyt sitä."

"Joo, Terror kuunteli niitä paljon. Veneelläkin aina silloin kun oli ruorissa. Hän oli melkein koko ajan kuulokkeet korvilla."

Kurotin uudestaan auton sisään ja otin karttakirjan takapenkiltä.

"Minä lainaan karttaa", sanoin. "En usko, että Graciela tarvitsee tätä."

En jäänyt odottamaan Buddyn hyväksyntää. Suljin takaoven ja toivoin, että hän uskoisi sepustukseni. Suljin sitten myös etuoven ja lukitsin auton.

"Eipä tässä muuta, Buddy. Minä jatkan matkaa. Pidätkö puhelimesi lähettyvillä, jos mieleeni juolahtaa vielä jotain ja tarvitsen apua?"

"Tietty. Minullahan on kännykkä."

"Hyvä on, pärjäile."

Puristin Buddyn kättä ja kävelin autolleni odottaen, että hän lähtisi seuraamaan. Mutta hän antoi minun mennä. Kun ajoin ulos pysäköintialueelta, vilkaisin taustapeiliin ja näin, että Buddy seisoi vielä Cherokeen vieressä katselemassa perääni.

Ajoin 170:tä aina 10:n liittymään asti, jolta käännyin valtatie 15:lle, jota voisin ajaa yhtä soittoa tukahduttavasta savusumusta aina Mojaveen ja Las Vegasiin. Olin tehnyt saman reissun kaksi tai kolme kertaa kuukaudessa viimeisen vuoden ajan. Nautin ajomatkasta joka kerta. Pidin autiomaan karuista maisemista. Ehkä sillä oli sama vaikutus minuun kuin Catalinan saarella Terry McCalebiin, tunne etäisyydestä kaikkeen ympäröivään pahuuteen. Tunsin ajaessani, että lihaksiani vaivannut kireys helpottui aivan kuin kehoni molekyylit laajenisivat ja saisivat lisää liikkumatilaa. Niiden väliset etäisyydet kasvoivat korkeintaan nanometrin verran, mutta minulle riitti sekin pieni muutos.

Tällä kertaa vaistosin kuitenkin muutakin. Tunsin, kuinka jokin pahuus kulki samaa reittiä edelläni ja odotti minua autiomaan hiekkaan kaivautuneena.

Ehdin lähes tottua ajomatkan rutiineihin antaessani tutkimuksen yksityiskohtien myllertää vapaasti mielessäni, kun matkapuhelimeni alkoi yhtäkkiä piristä. Arvelin, että soittaja olisi Buddy Lockridge, joka yrittäisi vielä tunkeutua seuraani, mutta linjan toisessa päässä olikin Kizmin Rider. Olin unohtanut soittaa.

"Mitä meinaat, Harry, etkö enää edes vastaa soittopyyntöihini?"

"Anteeksi, Kiz, minun piti soittaa. Oli niin kiireinen aamu, että unohdin tyystin."

"Kiireinen, vai? Etkös sinä ole eläkkeellä. Et kai säntäile ympäriinsä taas jonkun uuden tutkimuksen parissa?"

"Olen matkalla Las Vegasiin. Kenttä saattaa hävitä kohta, kun joudun katveeseen. Mitäs siihen suuntaan kuuluu?"

"Näin Tim Marcian, kun hain aamukahvia. Hän kertoi, että olitte puhuneet äskettäin."

"Se oli eilen. Soititko sen kolmen vuoden tarjouksen vuoksi, josta hän kertoi?"

"Sen vuoksi hyvinkin. Oletko ehtinyt jo harkita?"

"Sain kuulla siitä vasta eilen. Minulla ei ole ollut aikaa miettiä."

"Kannattaa harkita ihan tosissaan. Tarvitsemme apuasi täällä."

"Hauska kuulla, etenkin kun kuulen sen sinun suustasi. En siis ole png sinun kirjoissasi."

"Mitä ihmettä se tarkoittaa?"

"Persona non grata."

"Älä viitsi. Mitään niin vakavaa ei ole tapahtunut, etten minä voisi leppyä. Ihan oikeasti, sinä olisit suureksi avuksi. Voisit varmaan päästä Timin yksikköön, jos haluaisit."

"Jos vain haluaisin? Saat sen kuulostamaan siltä, että minun ei tarvitse muuta kuin marssia asemalle ja raapustaa puumerkkini sopimukseen. Kuvitteletko, että koko laitoksen väki ottaisi minut avosylin vastaan? Muodostettaisiinko kuudennen kerroksen käytävälle kunniakuja, jota pitkin minä kulkisin päällikön toimistoon ja minun päälleni ripoteltaisiin ruusun terälehtiä?"

"Irvingistäkö puhut? Irving saneerattiin. Hän johtaa nykyään suunnitteluosastoa. Harry, soitin sinulle sanoakseni, että jos haluat palata takaisin, niin senkus tulet. Ei se ole sen monimutkaisempaa. Kun olin nähnyt Timin, kävin aamupalaverissa päällikön toimistossa. Hän tietää kuka sinä olet. Hän tuntee työsi."

"Aika kumma, että tietää, sillä minä olin häipynyt ennen kuin hän sai siirron meidän laitoksellemme New Yorkista, Bostonista vai mistä ikinä hän tulikaan."

"Hän tietää, koska minä kerroin. Ei kinastella enempää, Harry. Mitä sanot? Kaikki on hyvin. Tahdon vain sanoa, että sinun pitäisi harkita palaamista. Kello käy ja sinun on tehtävä päätös pian. Voisit auttaa meitä, koko kaupunkia ja ehkä itseäsikin – riippuen tietenkin siitä, mitä mieltä olet."

Kizin kommentti herätti hyvän kysymyksen. Mitä mieltä minä oikeastaan olin? Mietin vastausta pitkään ennen kuin sanoin mitään.

"Kiz, kiva kun soitit. Ja kiitos, että puhuit päällikön kanssa. Kerro vielä, milloin Irving sai lähtöpassit? En ole kuullut siitä."

"Muutama kuukausi sitten. Päällikkö taisi uumoilla, että Irvingillä on näppinsä pelissä turhan monessa asiassa. Hänet siirrettiin vähemmän tärkeisiin tehtäviin."

En voinut kuin virnistää. En siksi, että apulaispäällikkö Irvin Irving oli aina kohdellut minua kuin paskaa, vaan siksi, että Irvingin tapainen mies ei koskaan sulattaisi siirtoa vähemmän tärkeisiin tehtäviin Kizin sanoja lainatakseni.

"Hänellä on varmaan asiasta paljon sanottavaa", minä epäilin.

"Aivan varmasti. Odotamme, mitä hän keksii seuraavaksi. Olemme asemissa."

"On lienee syytä toivottaa onnea."

"Kiitos. No, Harry, mitä aiot tehdä?"

"Mitä, haluatko vastaukseni heti? Etkö juuri äsken sanonut, että minun pitää harkita asiaa?"

"Sellainen mies kuin sinä on jo tehnyt päätöksensä."
Hymy kareili jälleen huulillani, mutta en vastannut Kizin kysymykseen. Hän haaskasi aikaansa hallintotehtävissä. Hän kuului henkirikosyksikköön. Kizmin Rider osasi lukea ihmisluontoa paremmin kuin kukaan muu, jonka kanssa olen työskennellyt.

"Hei, Harry, muistatko mitä sanoit, kun meistä tehtiin työpari?"

"Pureskele ruokasi huolellisesti ja harjaa hampaasi kahdesti päivässä."

"Oikeasti."

"En muista. Mitä minä sanoin?"

"Joko jokaisella on väliä tai kenelläkään ei ole väliä."

Hymähdin ja olin hetken hiljaa.

"Muistatko?"

"Kyllä. Muistanhan minä."

"Siitä ei ohjenuora parane."

"Eipä kai."

"Pidä ne sanat mielessäsi, kun mietit tuletko takaisin."

"Tarvitsen parin, jos tulen takaisin."

"Mitä sanoit? Yhteys katkeilee."

"Tarvitsen työparin."

Nyt oli Kizin vuoro olla hiljaa, ja luulen että hänkin hymyili.

"Kaikki on mahdollista. Sinä –"

Yhteys pätki. Uskoin tietäväni, mitä hän sanoi.

"Lyön vetoa, että ikävöit sitä yhtä paljon kuin minäkin.

"Harry, kenttä loppuu. Soita sitten, kun tiedät... mutta älä venytä päätöksentekoa."

"Selvä on, Kiz. Kerron sitten, kun tiedän."

Olin hyvällä tuulella pitkän aikaa keskustelumme jälkeen. Ei ole mitään niin mairittelevaa kuin olla haluttu tai tervetullut. Arvostettu.

Myös virkamerkin saaminen takaisin merkitsisi minulle paljon tehtäväni kannalta. Ajattelin etsivä Ritziä ja sitä miten hän oli kohdellut minua. Jouduin taistelemaan saadakseni huomiota ja apua. Jos ryhtyisin jälleen poliisiksi, minun ei tarvitsisi murehtia siitä. Viimeisen kahden vuoden aikana olin huomannut, että virkamerkki ei tehnyt minusta miestä, mutta se teki työstäni huomattavasti helpompaa. Eikä kyse ollut tietenkään pelkästä työstä. Oli minulla virkamerkki tai ei, en voinut kuvitella mitä muuta olisin voinut tai tahtonut tehdä. Kuten Terry McCalebille, myös minulle oli annettu tehtävä. Olin ymmärtänyt, mikä maailmassa on tärkeää ja mitä minun tulisi tehdä tutkiessani Terryn kelluvaa kauhukauppaa, selaillessani tutkimuskansioita ja nähdessäni, miten Terry oli omistautunut kutsumukselleen. Äänetön työparini oli saattanut pelastaa minut kuolemansa kautta.

Kun olin pohtinut neljänkymmenen minuutin ajan tulevaisuutta ja valintoja, joita joutuisin piakkoin tekemään, havaitsin tien varressa kyltin, jonka olin nähnyt valokuvassa Terryn tietokoneella.

ZZYZX ROAD
1 MAILI

Tienviitta ei ollut täsmälleen sama. Huomasin sen, koska kyltin takana oleva maisema oli erilainen. Valokuva oli otettu vastakkaisesta suunnasta matkalla Las Vegasista Los Angelesiin. Tunsin silti kouraisun sydänalassani. Kaikki mitä olin nähnyt, lukenut ja kuullut sen jälkeen, kun Graciela McCaleb oli ottanut minuun yhteyttä, oli johtanut minut tänne. Näytin suuntamerkkiä ja ajoin valtatieltä Zzyzx Roadin liittymään.

16

Vuorokausi sen jälkeen kun Rachel Walling oli saapunut rikospaikalle, "Zzyzx Roadin tapaukseksi" ristittyyn tutkintaan nimitetyt agentit kokoontuivat aamupäivällä Las Vegasissa sijaitsevan John Lawrence Buildingin kolmannen kerroksen kokoussaliin. Salissa ei ollut ikkunoita ja ilmastointi toimi huonosti. Tilaisuutta valvoi agentti Bailey, joka oli kuollut pankkiryöstön yhteydessä kaksikymmentä vuotta aiemmin ja jonka valokuva roikkui salin seinällä.

Paikalle saapuneet agentit istuivat riviin asetettujen pöytien ääressä ja katsoivat salin etuosaa. Heidän edessään seisoi Randal Alpert sekä televisio, jossa oli videoneuvotteluyhteys Quanticoon Virginiaan. Kuvaruudulla näkyi agentti Brasilia Doran valmiina antamaan raporttinsa. Rachel oli valinnut paikan toiselta riviltä kauempana muista. Hän tiesi asemansa ja halusi osoittaa ulkopuolisuutensa myös fyysisesti.

Alpert aloitti palaverin esittelemällä agentit hyväntahtoisesti toisilleen. Rachel luuli, että esittely tehtiin hänen takiaan, mutta tajusi pian, että kaikki salissa istuvat tai videoneuvotteluun osallistuvat agentit eivät todellakaan tunteneet toisiaan.

Ensimmäiseksi Alpert esitteli agentti Doranin, jota sanottiin yleensä Brassiksi ja joka vastasi Quanticossa tiedonkeruusta ja hoiti yhteyksiä valtakunnalliseen tutkimuslaboratorioon. Sen jälkeen Alpert pyysi kaikkia kertomaan oman nimensä ja erikoisalansa tai asemansa tutkinnassa. Ensimmäisenä puhui Cherie Dei, joka kertoi, että hän on tutkimuksen vastaava. Cherie Dein vieressä istui hänen työparinsa Tom Zigo. Seuraavaksi tuli vuoroon John Cates, Las Vegasin paikallistoimiston edustaja ja ainoa salissa, joka ei ollut valkoihoinen.

Seuraavat neljä agenttia työskentelivät tekniikan puolella, ja Rachel oli nähnyt ja tavannut heistä kaksi edellisenä päivänä rikospaikalla. Tutkijat olivat oikeuslääketieteen antropologi Greta Coxe, joka johti ruumiiden nostoa, kaksi oikeuslääkäriä nimeltä Harvey Richards ja Douglas Sundeen sekä rikospaikkatutkija Mary Pond. Ennen Rachelia itsensä esitteli Ed Gunning, joka oli hänkin tullut käyttäytymistieteiden yksiköstä Quanticosta. Rachel oli esittelyvuorossa viimeisenä.

"Minä olen agentti Rachel Walling", hän sanoi lopulta. "Rapid Cityn paikallistoimistosta. Aiemmin Quanticosta. Minulla on... kokemusta vastaavista tapauksista."

"Selvä, ja kiitos Rachel", Alpert tokaisi nopeasti aivan kuin olisi pelännyt, että Rachel lörpöttelisi vielä Robert Backusista kaikkien kuullen.

Alpertin pikainen väliintulo kertoi, että kaikki kokoussalin agentit eivät tienneet koko tutkimuksen tärkeintä seikkaa. Rachel oletti, että ainakin agentti Cates, paikallistoimiston pakollinen edustaja, oli täysin tietämätön.

Pimennossa pidettiin kenties myös koko teknisen tutkinnan henkilöstöä.

"Annetaan tekniikan aloittaa", Alpert sanoi. "Brass? Onko Quanticosta mitään uutta?"

"Ei siltä saralta. Luulen, että teidän rikospaikkatutkijanne osaavat kertoa enemmän. Hei, Rachel. Pitkästä aikaa."

"Hei, Brass", Rachel lähes kuiskasi. "Liian pitkästä."

Rachel katsoi kuvaruutua, ja heidän katseensa kohtasivat. Hän tajusi, että oli nähnyt Brass Doranin edellisen kerran ehkä kahdeksan vuotta sitten. Brass näytti väsyneeltä, suupielet ja silmäkulmat kaareutuivat alaspäin, ja lyhyt tukka viittasi siihen, että hän ei käyttänyt hiusten laittoon suuremmin aikaa. Brass oli empaatti, sen Rachel tiesi, ja työvuodet painoivat raskaasti hänen harteitaan.

"Näytät hyvältä", Doran jatkoi. "Raitis ilma ja jylhät maisemat taitavat sopia sinulle."

Alpert puuttui keskusteluun ja pelasti samalla Rachelin tilanteesta, jossa hän olisi joutunut lausumaan teennäisiä kohteliaisuuksia Doranille.

"Greta, Harvey, kumpi haluaa aloittaa?" Alpert kysyi ja pilasi entisten työtovereiden jännittävän jälleennäkemisen.

"Kai minä voisin aloittaa, koska kaivutyöstä tutkimus lähtee liikkeelle", Greta Coxe sanoi. "Eilisiltana seitsemään mennessä olimme nostaneet kahdeksan ruumista, jotka on kaikki siirretty Nellisiin. Kun iltapäivällä pääsemme takaisin, aloitamme yhdeksännen noston. Kaikki löydökset ovat samanlaisia kuin ensimmäisessä haudassa. Löytämämme muovipussit –"

"Greta, tilaisuus nauhoitetaan", Alpert keskeytti. "Kuvaile tarkemmin. Aivan kuin me emme tuntisi tapausta. Älä hyppää yksityiskohtien yli."

Kunhan et puhu Robert Backusista, Rachel ajatteli.

"Tarkemmin siis...", Coxe empi. "Tuota, kaikkien kahdeksan hiekasta kaivetun ja nostetun ruumiin yllä on täysi vaatekerta. Hajoaminen on edennyt pitkälle. Ranteet ja nilkat on sidottu teipillä. Uhrien pään yli on vedetty muovipussi, joka on teipattu kaulan ympäri. Menetelmä on kaikissa tapauksissa sama, eroa ei ole edes ensimmäisen ja toisen ruumiin välillä, mikä on todella erikoista." Rachel oli nähnyt valokuvat myöhään edellisiltana. Hän oli palannut komentoautoon ja tutkinut seinälle ripustettuja kuvia. Kaikki uhrit oli ilmeisesti tukehdutettu. Muovipussit eivät olleet läpinäkyviä, mutta Rachel oli nähnyt niiden himmeän kalvon läpi uhrien vääristyneet kasvot ja sen, kuinka heidän suunsa retkottivat auki kuin yrittäen haukkoa ilmaa, jota he eivät olleet saaneet. Uhrit näyttivät samalta kuin Jugoslavian tai Irakin joukkohaudoista kaivetut vainajat.

"Miksi se on erikoista?" Alpert kysyi.

"Koska yleensä tappaja kehittyy. Osuvamman ilmauksen puutteessa voisi sanoa, että taidot kasvavat. Kohde oppii uhri uhrilta tekemään työnsä paremmin. Kaikki aiempi tieto viittaa siihen."

Rachelin huomio kiinnittyi Coxen käyttämään sanaan *kohde*. Se tarkoitti tuntematonta tekijää ja merkitsi, että Coxe ei tiennyt murhaajan henkilöllisyyttä, vaikka siitä ei ollut mitään epäselvyyttä.

"Eli tappomenetelmä ei ole muuttunut ensimmäisen uhrin jälkeen", Alpert varmisti. "Onko siinä kaikki, Greta?"

"Ei muuta kuin että saamme työn valmiiksi ehkä ylihuomenna. Paitsi jos anturit paljastavat vielä uusia ruumiita."

"Käytämmekö vielä niitä?"

"Tutkimme maastoa aina kun ehdimme. Olemme edenneet parikymmentä metriä viimeisen haudan ohi em-

163

mekä ole havainneet mitään uutta. Nellisistä tehtiin uusi ylilento viime yönä. Lämpökuvassa ei näkynyt muita hautoja. Olemme melko varmoja, että kaikki on jo paikannettu."

"Luojan kiitos edes siitä. Harvey, mitä sinulla on?" Harvey Richards yskäisi ja nojautui eteenpäin, jotta hän puhuisi mikrofoneihin, missä ikinä ne sitten sijaitsivatkaan.

"Kuten Greta sanoi, meillä on tähän mennessä kahdeksan ruumista Nellisin ruumishuoneella. Kukaan ei ole ainakaan vielä saanut tietää, mitä teemme. Moni varmaan kuvittelee, että raahaamme ruumishuoneelle muukalaisia autiomaahan iskeytyneestä avaruusaluksesta. Nyt tiedätte, miten urbaanit legendat saavat alkunsa." Vain Alpert hymähti letkautukselle. Richards jatkoi.

"Neljän uhrin ruumiinavaukset on suoritettu loppuun, ja loput on tutkittu alustavasti. Gretan teoria pitää paikkansa, sillä emme ole löytäneet eroavaisuuksia uhrien välillä. Ei pienintäkään muutosta. Tekijä toimii kuin robotti. Aivan kuin itse tappamisella ei olisi merkitystä. Hän tuntuu kiihottuvan vain jahdista. Tai ehkä tapot ovat osa monimutkaisempaa suunnitelmaa, jota emme vielä ymmärrä."

Rachelin katse porautui Alpertiin. Häntä inhotti se, etteivät kaikki tutkijat tienneet tapauksesta riittävästi. Rachel oli kuitenkin varma, että jos hän puhuisi suunsa puhtaaksi, hän lentäisi ulos kokoussalista. Se oli vielä huonompi vaihtoehto.

"Haluatko kysyä jotain, Rachel?"

Alpert yllätti hänet. Rachel empi.

"Miksi ruumiit viedään Nellisiin eikä tänne tai Los Angelesiin?"

Rachel tiesi vastauksen, mutta hänen oli pakko kysyä jotain pelastaakseen nahkansa.

"Voimme pitää tutkimuksen paremmin omana tietonamme. Ilmavoimat pystyy pitämään salaisuuden." Alpertin äänensävy kätki Rachelille osoitetun kysymyksen: *Osaatko sinä pitää salaisuuden?* Hän kääntyi jälleen Richardsin puoleen.

"Jatkakaa vain, tohtori."

Rachel huomasi, mitä Alpert teki. Hän puhutteli Richardsia tohtoriksi mutta Greta Coxesta hän oli käyttänyt vain etunimeä. Se kertoi paljon Alpertista. Joko hän ei kunnioittanut naisia, joilla oli valtaa ja asiantuntemusta, tai sitten hän ei pitänyt antropologiaa varteenotettavana tieteenalana. Rachel pani rahansa likoon ensimmäisen vaihtoehdon puolesta.

"Uskomme, että kuolinsyy on tukehtuminen", Richards sanoi. "Se on melko selvä juttu. Jotkut ruumiit ovat pahasti maatuneet, mutta emme ole havainneet muita vammoja. Kohde taltuttaa uhrit tavalla tai toisella, sitoo ranteet ja nilkat teipillä ja panee pussin pään yli. Uskomme, että kaulan ympärille kääräistyllä teipillä on suurempi merkitys. Se tuntuu viittaavan tapon pitkittämiseen. Toisin sanoen kohde ei pidä muovipussista kiinni. Hän ei kiirehdi vaan laittaa pussin huolellisesti paikoilleen, teippaa sen ja katselee, kun uhrit tukehtuvat hitaasti."

"Tohtori?" Rachel kysyi. "Seisooko tekijä uhrin edessä vai takana, kun hän kiristää muovipussin kiinni?"

"Teipin päät ovat niskassa, mikä viittaa mielestäni siihen, että uhrit olivat istuma-asennossa, kun pussi vedettiin takaa päin pään yli, minkä jälkeen pussin suu teipattiin."

"Eli hän – tämä kohde siis – tuntee häpeää tai pelkää olla kasvotusten uhrinsa kanssa, kun hän surmaa tämän?"

"Luultavasti."

"Miten tunnistus etenee?" Alpert kysyi.

Richards katsoi Sundeenia, joka jatkoi siitä, mihin hän oli jäänyt.

"Olemme tunnistaneet viisi uhria. He kuuluvat niihin kadonneisiin, joita Las Vegasin poliisi etsii. Kuudes kadonnut mies on varmastikin jompikumpi niistä kahdesta ruumiista, joita emme ole vielä kaivaneet esiin. Muista ei ole tietoa. Emme saa käyttökelpoisia sormenjälkiä. Olemme lähettäneet uhrien vaatteet Quanticoon – ne mitä niistä on jäljellä – ja ehkä Brassilla on jotain kerrottavaa. Samaan aikaan me –"

"Uutta tietoa ei ole", Brass sanoi ruudulla.

"Selvä", Sundeen jatkoi. "Viemme hammastunnistetiedot koneelle myöhemmin tänään. Ehkä tietokannasta saadaan osuma. Mutta muuten vain odotamme, että jotain uutta ilmenisi."

Sundeen nyökkäsi päästyään raporttinsa loppuun. Alpert jakoi taas puheenvuoroja.

"Tahdon, että Brass antaa raporttinsa viimeisenä, joten puhutaan nyt maanäytteistä."

Oli Mary Pondin vuoro.

"Olemme seuloneet hiekkaa ja teimme ensimmäisen löydön vasta eilen, mutta se vaikuttaa sitäkin jännittävämmältä. Löysimme seitsemännestä haudasta vanhan purukumin ja käärepaperin. Juicy Fruitia kääreen mukaan. Purukumi oli hiukan alle metrin syvyisessä haudassa noin 60–75 senttimetrin syvyydessä, minkä vuoksi uskomme, että se liittyy tapaukseen ja voimme saada jotain ratkaisevaa selville."

"Saimmeko purukumista hampaanjäljen?" Alpert kysyi.

"Saimme. En osaa sanoa tarkemmin, mutta ehkä kolmesta hampaasta. Pistin purkan pakettiin ja lähetin sen Brassille."

166

"Se tuli perille tänä aamuna", Doran tarkensi. "Tutkimme sitä, mutta minulla ei ole vielä tuloksia. Kenties myöhemmin tänään. Olen kuitenkin samaa mieltä. Uskon, että saamme tiedot ainakin kolmesta hampaasta. Ehkä jopa DNA:n."

"Emme ehkä muuta tarvitsekaan", Alpert innostui.

Vaikka Rachel muisti hyvin, että Bob Backus oli aina jauhanut Juicy Fruitia, hän ei ollut silti kiihdyksissään. Haudasta löytynyt purukumi oli liian hyvä uutinen ollakseen totta. Rachel tiesi, ettei Backus koskaan jättäisi jälkeensä niin tärkeää todistusaineistoa. Backus oli liian taitava tappaja ja agentti tehdäkseen mitään niin typerää. Rachel ei kuitenkaan voinut kertoa mielipidettään, sillä hän oli luvannut Alpertille, ettei puhuisi Backusista muiden agenttien kanssa.

"Purukumi on jätetty sinne tarkoituksella", hän sanoi.

Alpert vilkaisi häntä ja mietti hetken, kannattaako ottaa riski ja kysyä miksi.

"Tarkoituksella. Miksi luulet niin, Rachel?"

"Koska en ymmärrä, miksi autiomaahan keskellä yötä ruumista hautaava murhaaja tuhlaisi aikaa ja laskisi lapion kädestään, ottaisi purukumin suustaan, käärisi sen taskustaan kaivamaansa paperiin ja tiputtaisi sen sitten hautaan. Jos hän olisi jauhanut purukumia, hänen olisi tarvinnut vain sylkäistä se suustaan. En kyllä usko edes siihen, että hän jauhoi mitään purukumia. Luulen, että hän poimi purkan jostain matkan varrelta, toi sen rikospaikalle ja heitti sen tarkoituksella hiekkaan, jotta me ryhtyisimme selvittämään innoissamme sen alkuperää sen jälkeen, kun hän on ensin kertonut meille GPS-paikantimen avulla, missä ruumiit ylipäänsä ovat."

Rachel katsoi muita agentteja. Kaikki tuijottivat häntä, mutta Rachel tiesi, että se johtui enemmän uteliaisuudesta kuin kunnioituksesta kollegaa kohtaan. Televisioruudulta kuuluva ääni rikkoi hiljaisuuden.

"Rachel on mitä varmimmin oikeassa", Doran sanoi. "Meitä on juoksutettu ensimmäisestä päivästä lähtien ja nyt meitä manipuloidaan taas. Tuntuu uskomattomalta, että tappaja tekisi moisen virheen, kun kaikki muu on suunniteltu niin täydellisesti."

Rachel näki, kuinka Doran iski hänelle silmää.

"Yksi purukumi, yksi virhe ja kahdeksan hautaa", totesi Gunning, Quanticon agentti. "Ei se ole niin mahdoton ajatus. Tiedämme kaikki, ettei kukaan ole koskaan tehnyt täydellistä rikosta. Jotkut saattavat selvitä ilman rangaistusta, mutta kaikki tekevät silti virheitä."

"No", Alpert myöntyi, "katsotaan, mitä saamme selville ennen kuin vedämme johtopäätöksiä suuntaan tai toiseen. Onko muuta, Mary?"

"Ei juuri nyt."

"Annetaan sitten vuoro agentti Catesille. Hän kertoo, miten paikalliset viranomaiset ovat edistyneet tutkinnassaan."

Cates avasi nahkakantisen kansionsa pöydälle eteensä. Kansiossa oli ruutulehtiö, johon hän oli kirjoittanut muistiinpanonsa. Cates oli pannut tuiki tavallisen lehtiönsä niin hienoon ja arvokkaaseen kansioon, että Rachel arveli, että Cates piti työtään tärkeänä ja oli siitä ylpeä. Tai sitten henkilö, joka oli antanut kansion Catesille lahjaksi, tunsi sillä tavoin. Joka tapauksessa Rachel tykästyi mieheen heti. Hän myös huomasi, ettei itse tuntenut samoin. Hän ei enää arvostanut FBI:tä tai työtään.

"Pyrimme saamaan selville, mitä Vegasin poliisi tekee kadonneiden miesten suhteen. Salassapitopakko vaikeuttaa tiedusteluja, ja asia pitää hoitaa vaivihkaa. Olemme ottaneet yhteyttä poliisiin ja kertoneet, että FBI on kiinnostunut tapauksesta, koska uhrit ovat kotoisin eri osavaltioista ja joukossa on jopa yksi ulkomaalainen. Pääsemme verukkeen turvin tutustumaan poliisin aineistoon, mutta koska emme halua paljastaa kaikkea, joudumme etenemään varovasti. Meillä onkin asiasta tapaaminen poliisilaitoksella myöhemmin tänään. Kun saamme täsmällisempää tietoa kadonneista, ryhdymme selvittämään, mitä heille tapahtui ennen päätymistä autiomaahan ja yhdistääkö jokin seikka heidät toisiinsa. Kannattaa pitää mielessä, että Vegasin poliisi on tutkinut tapausta jo monta viikkoa, mutta meidän tietojemme mukaan se ei tiedä asiasta paskan vertaa."

"Cates", Alpert torui. "Muista nauhoitus."

"Ai, pyydän anteeksi. Tarkoitin, että heillä ei ole asiasta harmainta aavistustakaan."

"Oikein hyvä, Cates. Pidä minut ajan tasalla."

Sen jälkeen kukaan ei sanonut mitään. Alpert hymyili lämpimästi Catesille, kunnes Vegasin paikallistoimiston agentti ymmärsi vihjeen.

"Minuako ei enää tarvita täällä?"

"Haluan, että pääset mahdollisimman pian takaisin kentälle", Alpert vastasi. "Sinun ei tarvitse tuhlata aikaasi täällä, kun me käsittelemme samoja asioita yhä uudestaan ja uudestaan."

"Hyvä on."

Cates nousi. Jos hän olisi ollut valkoihoinen, häpeän aiheuttama punastus olisi näkynyt hänen kasvoillaan selvemmin.

"Kiitos paljon, agentti Cates", Alpert sanoi hyvästiksi, kun Cates sulki oven perässään.

Alpert kääntyi taas salia kohti.

"Luulen että Mary, Greta, Harvey ja Doug voivat myös lähteä. Tarvitsen teitä kipeämmin rikospaikalla kuin täällä kokoustamassa, joten tekin voitte poistua."

Kommenttia seurasi mairea byrokraatin hymy.

"Oikeastaan", Mary Pond aloitti, "haluaisin kuulla, mitä Brass on saanut selville. Tiedot voisivat olla hyödyksi kentällä."

Haaste karkotti Alpertin teennäisen hymyn.

"Ei", hän vakuutti, "teidän ei todellakaan tarvitse jäädä."

Kokoussaliin laskeutui epämiellyttävä hiljaisuus, kunnes tuolit alkoivat pikkuhiljaa kolista tekniikan väen tehdessä lähtöään. Kaikki neljä tutkijaa nousivat ylös ja poistuivat salista äänettömästi. Rachel kesti tuskin katsoa. Johtavien agenttien ylimielisyys ei tuntenut rajoja, ja tauti oli levittänyt etäispesäkkeensä kaikkialle FBI:hin. Toimintatavoissa ei tapahtuisi ikinä muutosta parempaan.

"Mihin jäimmekään?" Alpert kysyi ja unohti saman tien, miten törkeästi hän oli kohdellut viittä erinomaista tutkijaa. "Brass, sinun vuorosi. Tietääkseni sinulla on tietoa veneestä, teipeistä ja muovipusseista, vaatteista, GPS-paikantimesta ja lopuksi myös purukumista, josta ei tietenkään ole mitään hyötyä, kiitos agentti Wallingin selvänäkijän lahjojen."

Alpert sanoi sanan *agentti* niin kuin se tarkoittaisi idioottia. Rachel nosti kätensä antautumisen merkiksi.

"Olen kovin pahoillani, mutta en arvannut, että puolet porukasta ei tiedä, kuka on syyllinen tähän. Emme todellakaan toimineet näin, kun minä olin käyttäytymistieteissä. Me jaoimme tietoja ja asiantuntemusta, emme pitäneet niitä salassa."

"Tarkoitatko aikaa, jolloin työskentelit miehen kanssa, jota yritämme nyt saada kiinni?"

"Alpert, jos yrität tahrata samalla minunkin maineeni, voit –"

"Tutkimus on pidettävä salassa, Walling. Tahdon, että ymmärrät sen. Kuten kerroin jo aiemmin, kaikkien ei tarvitse tietää koko totuutta."

170

"Eipä tietenkään."

Alpert käänsi selkänsä, katsoi televisioruutua ja sulki Rachelin mielestään.

"Brass, pääsemmekö asiaan?"

Alpert piti visusti huolta siitä, että seisoi kuvaruudun ja Rachelin välissä niin ettei Rachel näkisi mitään vaan tuntisi olonsa entistäkin ulkopuolisemmaksi.

"Aloitetaan vain", Doran sanoi, "minulla on heti aluksi jotain tärkeää ja... aika outoa. Puhuimme veneestä hieman jo eilen. Alustava sormenjälkitutkimus ei johtanut tuloksiin. Vene on ollut aavikon armoilla ties kuinka kauan. Menimme siksi astetta pidemmälle. Alpert hyväksyi suunnitelmamme purkaa vene, mikä tehtiin eilisiltana eräässä Nellisin tukikohdan lentokenttähallissa. Veneessä on tartunta-aukkoja – kädensijoja joiden avulla veneen liikuttelu käy kätevästi. Kyseessä on alkujaan laivaston käyttämä pelastusvene, joka on rakennettu joskus 1930-luvun loppupuolella ja luultavasti myyty ylijäämänä toisen maailmansodan jälkeen."

Doranin jatkaessa esitelmäänsä Cherie Dei avasi kansion, josta hän vetäisi venettä esittävän valokuvan. Hän näytti sitä Rachelille, sillä tämä ei ollut vielä nähnyt venettä. Se oli siirretty Nellisiin ennen kuin Rachel pääsi rikospaikalle. Hänen mielestään oli uskomatonta ja niin kovin tyypillistä, että FBI oli onnistunut keräämään runsaasti tietoa autiomaan hiekassa seilaavasta veneestä mutta tuskin mitään itse rikoksesta, johon vene liittyi.

"Emme pystyneet analysoimaan aukkojen sisäpintaa ensi yrittämällä mutta onnistuimme, kun ryhdyimme purkutöihin. Meillä kävi tuuri, sillä luonnonvoimat eivät olleet tuhonneet kaikkia jälkiä."

"Ja", Alpert sanoi kärsimättömästi. Juonenkäänteet eivät selvästikään kiinnostaneet häntä. Hän halusi kuulla vain tuloksia.

171

"Saimme kaksi jälkeä keulan paapuurin puoleisesta kädensijasta. Syötimme tiedot koneelle aamulla ja saimme osuman melkein heti. Tiedän, että tämä voi tuntua kummalliselta, mutta sormenjäljet kuuluvat Terry McCalebille."

"Miten se voi olla mahdollista?" Dei järkyttyi. Alpert oli vaiti. Hän vain tuijotti pöytää edessään. Myös Rachel istui paikallaan sanomatta mitään mutta yritti vimmatusti tulkita, mitä Brass Doranin kertomat tiedot merkitsivät.

"McCaleb on jossain vaiheessa tarttunut kädellään veneeseen, muuta vaihtoehtoa ei ole", Doran vastasi.

"Mutta hänhän on kuollut", Alpert sanoi.

"Mitä?" Rachel huudahti.

Kaikki kääntyivät katsomaan häntä. Dei nyökytteli päätään hitaasti.

"Terry kuoli noin kuukausi sitten. Se oli sydänkohtaus. Uutinen ei tainnut kantautua Etelä-Dakotaan asti."

Rachel kuuli Doranin äänen kaiuttimista.

"Rachel, olen pahoillani. Minun olisi pitänyt kertoa sinulle. Mutta menin itsekin niin sekaisin ja lähdin heti Kaliforniaan. Anteeksi. Minun olisi pitänyt kertoa."

Rachel tuijotti käsiään. Terry McCaleb oli ollut ystävä ja kollega. Hänkin oli ollut empaatti. Rachel tunsi, kuinka odottamattoman voimakas menetyksen aalto velloi hänen sisimmässään, vaikka hän ei ollut puhunut Terryn kanssa vuosikausiin. Heidän menneisyytensä oli sitonut heidät yhteen koko loppuelämäksi. Mutta nyt Terry oli kuollut, poissa.

"No niin, eiköhän pidetä pieni tauko", Alpert sanoi. "Tavataan täällä viidentoista minuutin kuluttua. Brass, voitko soittaa takaisin?"

"Toki. Minulla on muutakin raportoitavaa."

"Jatketaan siitä sitten."

172

Kaikki muut marssivat jonossa hakemaan kahvia tai pistäytymään vessassa. He antoivat Rachelin jäädä yksin.

"Oletko kunnossa, Walling?" Alpert kysyi.

Rachel nosti katseensa ja tuijotti Alpertia. Hän ei ikinä suostuisi ottamaan vastaan myötätunnon osoituksia tuolta mieheltä.

"Täysin", hän vastasi ja katsoi tyhjää televisioruutua.

17

Rachel jäi yksin kokoussaliin. Äkillinen järkytys vaihtui syyllisyydentunteeksi, joka kuohui hänen ylitseen kuin salakavalasti nouseva maininki. Terry McCaleb oli koettanut pitää yhteyttä vuosien varrella. Rachel oli saanut Terryn viestit mutta ei ollut koskaan vastannut niihin. Hän oli lähettänyt Terrylle kortin ja lyhyen viestin, kun tämä toipui sairaalassa sydämensiirrosta. Siitä oli kulunut jo viisi tai kuusi vuotta. Rachel ei muistanut tarkasti. Sen hän kuitenkin muisti, että oli tarkoituksella päättänyt olla kertomatta omaa osoitettaan. Vielä tuolloin hän uskotteli syyksi sen, ettei joutuisi jäämään Pohjois-Dakotaan kovin pitkäksi aikaa. Oikea syy, jonka Rachel tiesi todeksi tuolloin yhtä hyvin kuin nytkin, oli se, ettei hän halunnut olla yhteydessä Terryyn. Hän ei halunnut kuulla kiusallisia kysymyksiä valinnoista, joita oli elämässään tehnyt. Hän ei halunnut muistella menneitä.

Nyt hänen ei tarvinnut enää murehtia. Yhteys oli katkennut lopullisesti.

Ovi raottui ja Cherie Dei kurkisti kokoussaliin.

"Rachel, tahdotko pullon vettä?"

"Se maistuisi. Kiitos."

"Entä nenäliinan?"

"Ei, anna olla, ei minua itketä."

"Tulen kohta takaisin."

Dei sulki oven.

"Minä en itke", Rachel kertoi tyhjälle salille.

Rachel nojasi pöytää vasten ja hautasi kasvot käsiinsä. Pimeydessä karehti muisto: Hän ja Terry olivat töissä. He eivät yleensä työskennelleet yhdessä, mutta tällä kertaa Backus oli tehnyt heistä työparin. He analysoivat inhottavaa rikospaikkaa. Äiti ja tytär oli sidottu käsistään ja viskattu veteen, ja tyttö oli puristanut kaulassaan roikkuvaa krusifiksia niin tiukasti, että hänen kämmeneensä oli jäänyt ristiinnaulitun hahmon painauma. Jälki näkyi yhä kämmenessä, kun ruumiit löydettiin. Terryn tutkiessa rikospaikkakuvia Rachel lähti hakemaan kahvia ruokalasta. Kun hän tuli takaisin, hän huomasi Terryn itkeneen. Silloin hän tajusi, että Terry oli empaatti ja että he olivat samasta puusta.

Dei palasi kokoussaliin ja antoi Rachelille lähdevesipullon ja muovisen juomamukin.

"Oletko kunnossa?"

"Olen. Kiitos vedestä."

"Uutinen järkytti minuakin. En oikeastaan edes tuntenut häntä, mutta lamaannuin, kun sain kuulla."

Rachel vain nyökytteli päätään. Hän ei halunnut puhua asiasta. Kaiutinpuhelin pärähti, ja Rachel ehti vastata ennen Deitä. Hän nosti luurin sen sijaan, että olisi painanut kaiutinpainiketta. Siten hän voisi puhua ensin kahden kesken Doranin kanssa – tai ainakaan kukaan ei voisi kuulla, mitä Doran sanoisi.

"Brass?"

"Hei, Rachel, olen pahoillani etten kertonut –"

"Ei se mitään. Ei sinun tarvitse minulle kaikesta ilmoittaa."

"Kyllä minä sen tiedän, mutta tästä minun olisi pitänyt."

"Siitä on varmasti kirjoitettu FBI:n tiedotuslehdessä, mutta se on jäänyt minulta näkemättä. On vain outoa saada tietää näin yhtäkkiä."

"Tiedän, mitä tarkoitat. Olen pahoillani."

"Kai sinä olit Terryn hautajaisissa?"

"Kävin muistotilaisuudessa. Se pidettiin Terryn kotisaarella. Catalinalla. Tilaisuus oli tosi kaunis ja surullinen."

"Oliko siellä paljon työtovereita?"

"Ei kovinkaan monta. Saarelle on aika vaikea päästä. Pitää matkustaa lautalla. Oli meitä agentteja kuitenkin muutama. Meidän lisäksi oli poliiseja, perheenjäseniä ja ystäviä. Myös Clint Eastwood saapui. Hän taisi kyllä matkustaa omalla helikopterillaan."

Ovi avautui ja Alpert astui sisään. Hän vaikutti virkistyneeltä aivan kuin olisi kiskonut tauolla pelkkää puhdasta happea. Loput kaksi agenttia, Zigo ja Gunning, seurasivat häntä ja istuutuivat.

"Olemme valmiit jatkamaan", Rachel sanoi Doranille. "Minun on pistettävä sinut nyt ruudulle."

"Hyvä on, Rachel. Puhutaan myöhemmin lisää."

Rachel antoi puhelimen Alpertille, joka otti uuden videoneuvotteluyhteyden Quanticoon. Doran ilmestyi televisioruudulle entistä uupuneemman näköisenä.

"No niin", Alpert sanoi. "Voimmeko jatkaa?"

Kun kukaan ei sanonut mitään, hän jatkoi kysymysten esittämistä.

"Mitä McCalebin sormenjäljet veneessä siis merkitsevät?"

"Sitä että meidän täytyy selvittää, miksi McCaleb kävi autiomaassa ennen kuolemaansa ja milloin se tapahtui", Dei vastasi.

"Ja sitä että meidän täytyy mennä Los Angelesiin ja tutkia kuolinsyy tarkemmin", Gunning totesi. "Jotta voimme saada varmuuden, että sydänkohtaus oli oikeasti sydänkohtaus."

"Olen samaa mieltä, mutta meillä on pikku ongelma", Doran totesi. "Hänet tuhkattiin."

"Paskempi juttu", Gunning tokaisi.

"Tehtiinkö hänelle ruumiinavaus?" Alpert kysyi. "Otettiinko veri- ja kudosnäytteet?"

"En osaa sanoa", Doran vastasi. "Tiedän vain sen, että hänet tuhkattiin. Lensin hänen muistotilaisuuteensa. Perhe sirotteli tuhkan mereen Terryn veneestä."

Alpert katsoi kaikkien kokoussalissa istuvien kasvoja, kunnes pysähtyi katsomaan Gunningia.

"Ed, sinä saat hoitaa tämän. Mene Los Angelesiin ja katso mitä on tehtävissä. Pidä kiirettä. Soitan L.A:n paikallistoimistoon ja käsken antamaan tarvitsemasi apujoukot. Ja pidä luojan tähden huolta siitä, ettei juttu leviä lehtiin. McCaleb oli jonkin sortin julkkis sen elokuvan takia. Jos lehdistö saa vihiä, he takertuvat meihin kuin takiaiset."

"Perille meni."

"Onko muita ideoita? Ehdotuksia?"

Aluksi kukaan ei sanonut mitään. Sitten Rachel yskäisi ja puhui vaitonaisesti.

"Kai muistatte että Backus oli myös Terryn ohjaaja."

Doran rikkoi hiljaisuuden ja sanoi: "Se on aivan totta."

"Kun koulutusohjelma alkoi, Backus valitsi Terryn ensimmäiseksi oppilaakseen. Minä tulin vasta Terryn jälkeen."

177

"Mitä tekemistä sillä on tutkimuksemme kanssa?" Alpert kysyi.

Rachel kohautti olkapäitään.

"Saa nähdä. Mutta Backus houkutteli minut autiomaahan sen GPS:n avulla. Kenties hän houkutteli Terryn paikalle ennen minua."

Kaikki vaikenivat hetkeksi ja puntaroivat ajatusta. "Tahdon vain tietää, miksi olen täällä. Miksi hän lähetti paketin minun nimelläni, vaikka hän tietää, etten työskentele enää käyttäytymistieteiden yksikössä? Siihen täytyy olla jokin syy. Backusilla on suunnitelma. Ehkä Terry oli suunnitelman ensimmäinen osa."

Alpert nyökytteli hitaasti.

"Meidän on mahdollisesti otettava tämä näkökulma huomioon."

"Hän saattaa tarkkailla Rachelia", Doran sanoi.

"Ei ryhdytä vielä vetämään hätiköityjä johtopäätöksiä", Alpert tokaisi. "Arvailut eivät auta. Ole varuillasi, Walling. Mutta katsotaan ensin, mitä McCalebin tapauksesta selviää. Päätetään sitten, mitä tehdään. Brass, mitä muuta sinulla on?"

Muut odottivat, kun Doran laski katseensa kamerasta papereihinsa. Hän vaihtoi puheenaiheen McCalebista takaisin todistusaineistoon.

"Meillä saattaa olla jotakin, mikä liittyy McCalebiin, mutta voisin käydä listaani läpi ja käsitellä muut asiat ennen sitä. Tuota noin... ensinnäkin alamme juuri tutkia uhrien pään ja raajojen ympäri kietaistuja muovipusseja ja teippejä. Tarvitsemme vielä vuorokauden, mutta raportoin tuloksista huomenna. Katsotaanpa sitten – uhrien vaatteet – niiden on syytä kuivua vielä viikon ajan ennen kuin aloitamme analysoinnin. Eli ei niistä sen enempää. Purukumista puhuimmekin jo. Syötämme hampaanjäljet tietokantaan iltaan mennessä. Jäljelle jää vain GPS-paikannin."

Rachel huomasi, että kaikki tuijottivat kuvaruutua jännittyneinä. Aivan kuin Doran olisi samassa huoneessa heidän kanssaan.

"Edistymme nopeasti. Jäljitimme sarjanumeron Long Beachiin Kaliforniaan, Big Five Sporting Goods -urheiluvälineliikkeeseen. Agentit Los Angelesin paikallistoimistosta kävivät siellä eilen ja saivat haltuunsa liikkeen myyntitiedot, joista selvisi, että kyseisen Gulliver 100 -mallin osti mies nimeltä Aubrey Snow. Kävi ilmi, että Snow on kalaretkiopas ja että hän oli eilen merellä. Kun Snow illan tultua saapui vihdoin satamaan, häntä kuulusteltiin pitkään. Hän kertoi, että noin yksitoista kuukautta sitten hän oli hävinnyt laitteen pokeripelissä, johon oli osallistunut monia retkioppaita. Laite oli sangen arvokas, koska sille oli tallennettu useiden reittipisteiden koordinaatteja, jotka vastasivat hänen suosikkiapajiaan Etelä-Kalifornian ja Meksikon rannikon tuntumassa."

"Kertoiko hän, kuka laitteen voitti?" Alpert kysyi äkkiä.

"Ei kertonut, ikävä kyllä. Pelistä ei ollut sovittu etukäteen. Sää oli ollut surkea eikä asiakkaita ollut näkynyt. Veneet olivat ankkurissa, joten oppaita kerääntyi lyömään korttia melkein joka ilta. Eri oppaat eri iltoina, mutta juomat eivät koskaan loppuneet kesken. Hän ei muistanut GPS:n voittaneen miehen nimeä saati mitään muutakaan. Snow kuitenkin arveli, ettei mies pidä venettään samassa satamassa, koska hän ei ole nähnyt tätä sen koommin. Paikallistoimiston väen pitäisi tavata Snow tänään poliisin piirtäjän kanssa, jotta saisimme miehen ulkonäöstä edes jonkin käsityksen. Mutta vaikka piirros olisi hyväkin, tienoo on täynnä venesatamia ja kalastusretkiä järjestävien veneiden omistajia. Minulle kerrottiin jo, että paikallistoimistolta heltiää avuksemme vain kaksi agenttia."

179

"Yksi puhelinsoitto minulta, niin saamme enemmän", Alpert lupasi. "Kun kerron, että Ed tulee ottamaan selvää McCalebista, pyydän heiltä samalla lisäapua. Kysyn suoraan Rusty Havershawilta."

Rachel tunnisti miehen nimen. Havershaw oli Los Angelesin paikallistoimiston johtava agentti.

"Se auttaisi kovasti", Doran sanoi.

"Kerroit, että McCaleb ehkä liittyy tähän. Mitä tarkoitit?"

"Kai näit sen elokuvan?"

"Enpä saanut aikaiseksi käydä katsomassa."

"No, McCaleb veti veneellään kalareissuja Catalinalla. En tiedä, kuinka tiiviisti hän piti yhteyttä muihin oppaisiin, mutta voi olla, että hän tunsi jonkun, joka osallistui pokeripeleihin."

"Ymmärrän. Vaikuttaa melko kaukaa haetulta, mutta pidä se silti mielessäsi, Ed."

"Perille meni."

Kokoussalin ovelta kuului koputusta, mutta Alpert ei huomioinut sitä. Cherie Dei nousi ja avasi oven. Rachel näki agentti Catesin kuiskaavan jotain Deille.

"Oliko vielä muuta, Brass?" Alpert kysyi.

"Ei juuri nyt. Luulen, että meidän täytyy keskittää tutkimuksemme Los Angelesiin ja löytää –"

"Anteeksi", Dei huikkasi ja viittoi Catesin takaisin kokoussaliin. "Tämä teidän täytyy kuulla."

Cates nosti kätensä ylös kuin osoittaakseen, että kyse oli vain pikkujutusta.

"Tuota, sain juuri puhelinsoiton vartiopaikalta. Heillä on siellä joku mies, joka ajoi hetki sitten autiomaahan. Hän on yksityisetsivä Los Angelesista. Nimi on Huhromibus Bosch. Hän on –"

"Tarkoitatko Hieronymus Bosch?" Rachel kysyi. "Niin kuin se taidemaalari?"

180

"Sehän se oli. En minä mistään taiteilijasta tiedä, mutta se nimi minulle kerrottiin. Oli miten oli, kaverit ottivat Boschin talteen ja tutkivat hänen autonsa hänen tietämättään. Etupenkillä oli kansio, jossa oli muistiinpanoja, sekalaista roinaa ja valokuvia. Yhdessä valokuvassa on meidän veneemme."

"Tarkoitatko venettä rikospaikalla?" Alpert hämmästeli.

"Joo, sitä joka lojui ensimmäisen haudan päällä. Kansiossa oli myös lehtileike niistä kuudesta kadonneesta miehestä."

Alpert katsoi muita hetken ennen kuin avasi jälleen suunsa.

"Cherie ja Tom, soittakaa Nellisin tukikohtaan ja käskekää laittamaan helikopteri lähtövalmiiksi", hän sanoi lopulta. "Pistäkää menoksi ja pitäkää vauhtia. Ja ottakaa Walling mukaan."

18

He sulloivat minut matkailuautoon ja käskivät minun olla kuin kotonani. Ajoneuvossa oli keittiö, pöytä ja istuintilat. Ikkunasta näkyi ainoastaan toisen matkailuauton kylki. Ilmastointilaite oli päällä, ja se onnistui hälventämään valtaosan hajusta. Kun esitin heille kysymyksiä, en saanut lainkaan vastauksia. He kertoivat vain, että muita agentteja tulisi piakkoin jututtamaan minua.

Seuraavan tunnin aikana sain tilaisuuden miettiä, millaiseen juttuun olin sekaantunut. En epäillyt hetkeäkään, etteikö alueelta löytyisi ruumiita. Niiden levittämä löyhkä leijui ilmassa, eikä sitä hajua voinut sotkea mihinkään muuhun. Olin lisäksi nähnyt kaksi tunnuksetonta pakettiautoa, joiden takaovissa ja kyljissä ei ollut ainuttakaan ikkunaa. Vastaus oli ilmiselvä. Autot olivat ruumiiden rahtaamista varten. Ja tästä paikasta rahdattaisiin useampi kuin yksi ruumis.

Odotettuani puolitoista tuntia istuin sohvalla ja lueskelin kuukauden vanhaa FBI:n tiedotuslehteä, jonka olin napannut sohvapöydältä. Kuulin helikopterin lentävän matkailuauton ylitse. Roottorin melu hiljeni ja lopulta lakkasi, kun kopteri laskeutui. Viisi minuuttia myöhemmin ovi avattiin ja odottamani agentit astuivat sisään. Mies ja kaksi naista. Tunnistin oitis toisen naisista, mutta en saanut päähäni, mistä tiesin hänet. Hän oli hiukan alle 40-vuotias, pitkä, viehättävä ja tummatukkainen. Naisen katse oli totinen kuin hauta, mikä sekin vaikutti tutulta. Koska hän oli FBI-agentti, polkumme olivat voineet risteytyä monissa tutkimuksissa.

"Herra Bosch", tokaisi naisista se, joka näemmä johti kuulustelua. "Olen erikoisagentti Cherie Dei. Tässä on työparini Tom Zigo ja hän on agentti Walling. Kiitos, että jaksoitte odottaa."

"Ai, oliko minulla vaihtoehtoja? En tainnut tajuta."

"Tietenkin. Toivottavasti teille ei sanottu, että teidän on pakko jäädä."

Hän hymyili vilpillisesti. En halunnut silti ryhtyä väittämään vastaan ja kärhämöimään saman tien.

"Voisimmeko siirtyä keittiöön ja istahtaa pöydän ääreen?" Dei ehdotti. "On kenties parempi, että puhumme siellä."

Kohautin harteitani kuin en muka välittäisi, vaikka tiesin, että istumapaikalla oli suuri merkitys. He halusivat saartaa minut keskelleen: yksi istuisi minua vastapäätä ja muut viereeni. Nousin ja valitsin paikan, jolle tiesin agenttien haluavan minun istuvan, paikan jossa olisin selkä seinää vasten.

"No", Dei virkkoi istuuduttuaan eteeni pöydän vastakkaiselle puolelle. "Mikä tuo teidät keskelle autiomaata?"

Sama harteiden kohautus uudestaan. Sain hyvää harjoitusta.

183

"Olin matkalla Vegasiin. Pysähdyin tien sivuun, kun etsin paikkaa, jossa voisin hoitaa asiani."

"Mitkä asiat?"

Myhäilin.

"Etsin kusipaikkaa, agentti Dei."

Nyt häntäkin hymyilytti.

"Ja hupsista, yhtäkkiä tupsahditte tälle pikku leirillemme."

"Jotain sen suuntaista."

"Jotain sen suuntaista."

"Se ei ollut kovinkaan vaikeaa. Kuinka monta ruumista olette löytäneet?"

"Miksi kysytte tuollaisia? Kuka puhui mitään ruumiista?"

Hymyilin ja pudistin päätäni. Hän olisi omapäinen loppuun asti.

"Voimmeko tutkia autonne?" hän kysyi.

"Olette tainneet jo tutkia."

"Miksi niin luulette?"

"Olin aikoinani etsivänä Los Angelesissa. Olen ollut tekemisissä FBI:n kanssa ennenkin."

"Ilmankos tunnutte tietävän kaikenlaista."

"Sanotaan sitten niin, että tiedän, miltä avattu hauta haisee ja että olette jo tutkineet autoni. Haluatte saada luvan vain siksi, että voisitte turvata oman selustanne. Pyyntö evätty. Pysykää loitolla autostani."

Vilkaisin Zigoa ja sitten Wallingia, joka istui toisella puolellani. Muistin silloin, mistä tunsin hänet, ja mieleeni nousi heti hurjasti kysymyksiä.

"Muistan sinut nyt", sanoin. "Olet Rachel, etkö olekin?"

"Anteeksi mitä?" agentti Walling sopersi.

"Olemme tavanneet kerran. Kauan sitten Los Angelesissa. Hollywoodin piirissä. Tulit Quanticosta. Jahtasit

184

Runoilijaa ja oletit, että hänen seuraava uhrinsa olisi meidän porukastamme. Mutta Runoilija olikin koko ajan seurassasi."

"Työskentelitte siis henkirikosyksikössä?"

"Siinäpä juuri."

"Mitä Ed Thomasille kuuluu?"

"Hän jäi eläkkeelle niin kuin minäkin. Mutta Ed meni ja perusti kirjakaupan Orangeen. Hän myy dekkareita, usko tai älä."

"Uskonhan minä."

"Sinä ammuit Backusia, vai kuinka? Talossa kukkuloilla."

Vastaamisen sijaan hän kääntyi katsomaan agentti Deitä. En ymmärtänyt asetelmaa. Walling näytti omaksuvan alaisen roolin, vaikka hänen virka-asemansa olisi eittämättä pitänyt olla korkeampi kuin Deillä ja tämän parilla Zigolla. Silloin minulle valkeni. Hänet oli ilmeisesti alennettu pykälällä tai parilla Runoilijan tutkimusta seuranneen skandaalin myötä.

Ajatuksenjuoksu johti minut toiseen päätelmään. Heitin arvauksen umpimähkään.

"Se sattui kauan sitten", sanoin. "Kauan ennen Amsterdamia."

Wallingin silmissä leimahti, ja tiesin vetäneeni oikeasta narusta.

"Kuinka voitte tietää, mitä Amsterdamissa tapahtui?" Dei kysyi salamannopeasti.

Käännyin häntä kohti. Esitin jälleen välinpitämätöntä, mihin harteiden kohautus sopi paremmin kuin hyvin.

"Kai vain tiesin. Siitäkö tämä sotku johtuu? Ovatko ruumiit Runoilijan kätten työtä? Onko hän taas astunut kuvaan?"

Dei katsahti Zigoon ja viittoi ovea. Zigo nousi ja poistui ajoneuvosta, minkä jälkeen Dei nojautui eteenpäin, jotta en mitenkään voisi käsittää väärin tilanteen vaka-vuutta tai hänen sanojaan.

"Haluamme tietää, mitä teette täällä, ja te ette lähde minnekään ennen kuin me saamme, mitä haluamme."

Matkin hänen asentoaan ja nojauduin eteenpäin. Kasvomme olivat reilun puolen metrin päässä toisistaan. "Ajokorttini otettiin vartiopaikalla. Olen varma, että tarkastitte paperini ja tiedätte mitä teen ammatikseni. Teen parhaillaan tutkimusta. Tiedot ovat luottamuksellisia."

Zigo palasi. Hän oli lyhyt ja tanakka, täytti luultavasti hädin tuskin FBI:n asettamat pituusvaatimukset. Tukka oli kynitty kuin kapiaisella. Hän toi mukanaan Terry McCalebin kokoaman kansion kadonneista miehistä. Muistin, että myös Terryn tietokoneelta tulostamani valokuvat olivat siinä. Kun Zigo oli pannut kansion Dein eteen, tämä aukaisi sen. Kuva veneenrotiskosta oli pinon päällimmäisenä. Dei otti kuvan ja työnsi sen pöytää pitkin eteeni.

"Mistä saitte tämän valokuvan?"

"Se on luottamuksellista tietoa."

"Kenen palveluksessa työskentelette?"

"Se on luottamuksellista tietoa."

Dei selasi valokuvia ja päätyi Shandya esittävään otokseen, jonka Terry oli napsaissut vaivihkaa. Hän näytti kuvaa minulle.

"Kuka hän on?"

"En ole ihan varma, mutta luulen, että siinä seisoo katoamistempun tehnyt Robert Backus."

"Mitä?" Walling huudahti.

Hän riuhtaisi valokuvan Dein kädestä. Näin kuinka hänen silmänsä liikkuivat edestakaisin hänen tarkastellessaan kuvaa.

"Hyvä luoja", Rachel kuiskasi.

186

Hän nousi ja käveli keittiön työtason viereen. Hän laski valokuvan käsistään ja tuijotti sitä edelleen.

"Rachel", Dei varoitti. "Älä sano enää mitään."

Dei jatkoi kansion tutkimista. Hän levitti pöydälle loputkin Shandysta otetut kuvat. Sitten hän katsoi taas minua. Nyt hänen silmänsä iskivät tulta.

"Missä otitte nämä valokuvat?"

"En missään."

"Kuka sitten? Älkääkä sanoko, että se on luottamuksellista tietoa, Bosch, tai päädytte syvän ja synkän montun pohjalle ja suorastaan hingutte kertoa. Tämä on viimeinen mahdollisuus."

Olin ollut FBI:n kaivamassa syvässä ja synkässä montussa aiemminkin. Tiesin, että pakon edessä voisin antaa heidän tehdä mielensä mukaan. Totta puhuen halusin kuitenkin auttaa heitä. Tiesin, että minun pitäisi auttaa. Minun piti tasapainoilla omien mielitekojeni ja Graciela McCalebin etujen välillä ja harkita, mikä siirto koituisi hänen parhaakseen. Minulla oli asiakas, ja velvollisuuteni oli suojella häntä.

"Kuunnelkaa sitten", sanoin. "Haluan auttaa. Ja haluan, että te autatte minua. Antakaa kun soitan yhden puhelun. Ehkä asiakkaani suostuu siihen, että luovun vaitiolovelvollisuudestani. Miltä kuulostaa?"

"Tarvitsetteko puhelinta?"

"On minulla omakin. En vain ole varma, toimiiko se täällä."

"Pystytimme toistimen, joten kenttää riittää."

"Onpa ystävällistä. Hyvä palvelu teillä."

"Pitäkää vauhtia."

"Puhun mieluummin yksin."

"Voimme poistua siksi aikaa. Viisi minuuttia, herra Bosch."

Dei herroitteli minua taas. Hyvä niin.

187

"On itse asiassa parempi, jos te odotatte täällä sillä aikaa, kun minä menen ulos. Luottamus säilyy paremmin."

"Samantekevää. Kunhan panette töpinäksi."

Astuessani ulos matkailuautosta Rachel seisoi yhä työtason ääressä ja tuijotti Shandyn kuvaa; Dei oli jäänyt keittiön pöydän ääreen penkomaan kansiota. Minut saatettiin ajoneuvosta helikopteria varten kyhätyn laskeutumisalustan luo. Zigo pysähtyi ja antoi minun kävellä yksikseni jonkin matkaa autiomaahan. Hän sytytti savukkeen ja piti katseensa minussa. Otin puhelimen taskustani ja tarkistin viimeiset kymmenen numeroa, joihin olin soittanut. Valitsin Buddy Lockridgen numeron ja painoin soittonäppäintä. Tiesin, että minulla oli kaikki mahdollisuudet saada Buddy langan päähän, koska hänelläkin oli matkapuhelin.

"Niin?"

Ääni ei kuulostanut tutulta.

"Buddy?"

"Niin, kuka siellä?"

"Bosch. Mitä teet?"

"Nukuin. Nukun aina kun soitat minulle."

Katsoin kelloa. Se oli yli kaksitoista.

"Saat luvan nousta. Minulla on sinulle hommia."

Hänen äänensä terävöityi siltä seisomalta.

"Nousin jo. Mitä haluat, että minä teen?"

Yritin keksiä nopeasti suunnitelman. Olin toisaalta harmissani sen takia, etten ollut ottanut McCalebin kannettavaa mukaani, mutta toisaalta tiesin, että FBI olisi korjannut tietokoneen parempaan talteen eikä siitä olisi ollut minulle enää mitään hyötyä.

"Sinun pitää mennä Following Sealle niin pian kuin suinkin pystyt. Mene vaikka helikopterilla, minä kyllä maksan. Kunhan pidät kiirettä."

"Helppo juttu. Entä sitten?"

"Avaa kuvatiedostot Terryn tietokoneelta. Tulosta Shandyn kasvo- ja profiilikuvat. Pystytkö siihen?"

"Joo, mutta luulin että olit jo tulostanut –"

"Siitä huolimatta, Buddy. Sinun täytyy tehdä se uudestaan. Tulosta kuvat ja katso sitten ylävuoteella olevia kansioita. En muista, mikä niistä on oikea, mutta yksi niistä on miehestä nimeltä Robert Backus. Kansio on –"

"Runoilija – tiedän mitä kansiota tarkoitat." Kuinkas muuten, olin vähällä sanoa.

"Hyvä. Ota tiedot ja valokuvat mukaasi ja tuo ne Las Vegasiin."

"Vegasiinko? Luulin, että olet San Franciscossa." Hämmennyin hetkeksi, kunnes muistin, kuinka olin valehdellut Buddylle päästäkseni hänestä eroon.

"Muutin mieltäni. Tule Las Vegasiin, mene hotelliin ja odota soittoani. Pidä huolta, että puhelimen akku on täynnä. Älä kuitenkaan soita minulle, minä soitan sinulle."

"Miksen voi soittaa heti, kun pääsen perille?"

"Koska saatan kohta menettää puhelimeni. Vipinää kinttuihin, Buddy."

"Kai sinä sitten maksat koko lystin?"

"Maksan tietenkin. Maksan myös ajastasi. Kello käy, Buddy. Ala liikkua."

"Selvä on, homma hoituu. Parinkymmenen minuutin päästä saarelle lähtee kyllä lauttakin. Voisin mennä sillä ja säästää ison nipun rahojasi."

"Mene helikopterilla. Lauttamatka kestää tunnin pidempään. Tunti on pitkä aika."

"Okei, olen jo ulkona."

"Kuuntele vielä, Buddy. Älä kerro kenellekään, mihin olet menossa tai mitä aiot tehdä."

"En tietenkään."

Buddy lopetti puhelun, mutta minä vilkaisin Zigoa ennen kuin suljin oman puhelimeni. Vaikka agentilla oli tummat aurinkolasit, vaikutti siltä, että hän tarkkaili puuhiani. Teeskentelin kadottavani kentän ja huusin muutaman kerran *haloo*. Vasta sitten napsautin puhelimeni kiinni. Avasin sen uudestaan ja soitin Gracielalle. Minulla oli onni yhä myötä. Hän oli kotona ja vastasi soittooni.

"Graciela, Harry tässä. On sattunut kaikenlaista, ja haluan, että annat minulle luvan puhua FBI:lle Terryn kuolemasta ja tutkimuksestani."

"FBI:lle? Harry, minähän sanoin, etten voinut mennä heidän puheilleen. En ennen kuin –"

"En mennyt heidän puheilleen. He löysivät minut. Olen keskellä autiomaata, Graciela. Löysin Terryn työhuoneesta tietoja, jotka johtivat minut tänne, ja FBI oli jo paikan päällä. Uskon, että voin huoletta puhua heidän kanssaan. Luulen, että henkilö jota he etsivät, on sama joka vahingoitti Terryä. En usko, että sinulle koituu ongelmia. Minun pitäisi puhua heidän kanssaan, kertoa heille mitä tiedän. Tiedot voivat auttaa saamaan hänet kiinni."

"Kuka hän on?"

"Robert Backus. Tunnistatko nimen? Puhuiko Terry hänestä?"

Linjan toisessa päässä tuli hiljaista.

"En usko. Kuka hän on?"

"Terryn kollega."

"Toinen agenttiko?"

"Niin. Häntä sanottiin Runoilijaksi. Kuulitko Terryn koskaan mainitsevan ketään sen nimistä?"

"Kuulin, kauan aikaa sitten. Siitä on vierähtänyt ainakin kolme tai neljä vuotta. Muistan, että Terry oli poissa tolaltaan, koska Runoilijan piti olla kuollut, mutta näytti siltä, ettei hän ollutkaan. Jotain sen suuntaista."

Sen täytyi olla samoihin aikoihin, kun Backus oli putkahtanut esiin Amsterdamissa. Terry oli arvatenkin saanut tietoja FBI:n tutkimuksista.

"Entä sen jälkeen?"

"Ei, en muista muuta."

"Hyvä on, Graciela. Mitä mieltä olet? En voi puhua heidän kanssaan, ellet anna suostumustasi. Uskon, että se kannattaisi."

"Puhu sitten, jos luulet, että siitä on hyötyä."

"Siinä tapauksessa FBI:n agentit tulevat käymään siellä. Luultavasti he vievät veneen mantereelle tutkimuksia varten."

"Minkä vuoksi?"

"Etsiäkseen todisteita. Backus kävi veneellä. Ensin hän esiintyi asiakkaana mutta palasi myöhemmin takaisin. Hän livahti sisään ja vaihtoi lääkkeet."

"Ai."

"He tulevat myös talolle. He haluavat puhua kanssasi. Ole rehellinen, Graciela. Kerro kaikki, mitä tiedät. Älä pimitä tietoja, niin kaikki menee hyvin."

"Oletko varma, Harry?"

"Kyllä, aivan varma. Sopiihan tämä sinulle?"

"Sopii."

Hyvästelimme toisemme ja lopetimme puhelun. Kävellessäni takaisin Zigoa kohti avasin puhelimen jälleen ja soitin kotinumerooni. Suljin puhelimen ja toistin toimenpiteen yhdeksän kertaa poistaakseni Buddy Lockridgen ja Graciela McCalebin numerot puhelutiedoista. Jos kaikki kääntyisi matkailuautossa uudestaan huonompaan suuntaan ja Dei utelisi, kenelle olin soittanut, se ei onnistuisi noin vain. Ainakaan hän ei saisi tietoja puhelimestani. Hänen olisi pakko hankkia oikeuden määräys saadakseen tiedot puhelinyhtiöltä.

Kun tulin lähemmäs, Zigo näki mitä puuhailin. Hän pudisti päätään huvittuneena.

"Kuule, Bosch. Jos olisimme halunneet puhelinnumerot, olisimme napanneet ne suoraan ilmasta."

191

"Ihanko totta?"

"Ihan totta. Jos olisimme halunneet."

"Vau, tuota osaamisen määrää ei voi kuin hämmästellä."

Zigo katsoi minua aurinkolasiensa yli.

"Älä käyttäydy kuin pallinaama. Siihen kyllästyy nopeasti."

"Sinähän sen parhaiten tiedät."

19

Zigo ei virkkonut enää sanaakaan saattaessaan minut takaisin matkailuautolle. Agentti Dei odotti pöydän ääressä. Rachel Walling seisoi yhä keittiön työtason vieressä. Istuin kaikessa rauhassa alas ja katsoin Deitä.

"Onnistuiko?" hän liversi.

"Oikein mainiosti. Asiakkaani sanoi, että voin puhua kanssanne. Minä en kuitenkaan harrasta monologeja. Me vaihdamme tietoja. Minä vastaan teidän kysymyksiinne ja päinvastoin."

Dei pudisti päätään.

"Ehei, tämä ei toimi niin. Olette sekaantuneet FBI:n tutkimukseen. Emme vaihda tietoja amatöörien kanssa."

"Näytänkö minä amatööriltä? Tuon teille kuvan Robert Backusista, ja kehtaatte väittää, että olen jokin harrastelija?"

Näin liikettä silmäkulmassani ja katsoin Rachelia. Hän oli nostanut käden suunsa eteen peittääkseen hymynsä.

Kun hän huomasi katseeni, hän kääntyi poispäin ja tees-kenteli keskittyvänsä Backusin valokuvaan.

"Emme edes tiedä, että valokuvassa *on* Robert Backus", Dei intti. Näen siinä vain parrakkaan miehen, jolla on hat-tu ja tummat lasit. Hän voi olla kuka tahansa."

"Mutta hän voi olla myös mies, jonka pitäisi olla kuol-lut, mutta joka siitä huolimatta tappoi viisi ihmistä Ams-terdamissa muutama vuosi sitten ja nyt kuusi täällä. Vai onko uhreja enemmän kuin mitä sanomalehdessä kerrot-tiin?"

Dei vastasi kysymykseen epämiellyttävällä ja tiukalla hymyllä.

"Saatatte olla hyvinkin ylpeä itsestänne, mutta ette ole vielä vakuuttanut meitä. Tilanteeseen on hyvin yksinker-tainen ratkaisu: jos haluatte päästä pois, on aika ryhtyä puhumaan. Saitte asiakkaanne suostumuksen. Ehdotan, että aloitatte kertomalla, kuka hän on."

Nojauduin taaksepäin. Dei oli linnoitus, jonka muure-ja minun oli turha yrittää murtaa. Mutta olin saanut Rachel Wallingin hymyilemään. Päättelin, että voisin myöhemmin kavuta hänen kanssaan FBI:n barrikadien ylitse.

"Asiakkaani on Graciela McCaleb. Terry McCalebin vaimo. Siis leski nykyään."

Dei räpäytti silmiään mutta toipui yllätyksestä nopeas-ti. Tai ehkä uutinen ei tullut täytenä yllätyksenä. Ehkä se vain vahvisti hänen aiemmat olettamuksensa.

"Miksi hän palkkasi teidät?"

"Koska joku vaihtoi hänen aviomiehensä sydänlääk-keet ja tappoi tämän."

Autoon laskeutui hetkeksi hiljaisuus. Rachel käveli hi-taasti työtason äärestä takaisin tuolilleen. Dein ei tarvin-nut johdatella tai esittää kysymyksiä, sillä kerroin heille yksityiskohtia säästelemättä koko tarinan siitä, kuinka

Graciela oli ottanut minuun yhteyttä, kuinka Terryn lääkkeitä oli peukaloitu ja kuinka tutkimukseni oli edennyt siihen saakka, kun olin päätynyt autiomaahan. Aloin uskoa, että agentit eivät yllättyneet missään vaiheessa. Pikemminkin tuntui, että vahvistin heidän käsityksensä tapahtumista tai kerroin seikkoja, joista he olivat ainakin osittain tietoisia. Lopetettuani Dei kysyi muutaman tarkentavan kysymyksen edellisten päivien liikkeistäni. Zigo ja Walling eivät kysyneet mitään.

"No niin", Dei sanoi lopuksi. "Siinäpä vasta mielenkiintoinen tarina. Paljon sulateltavaa. Entä kokonaiskuva? Voisitteko vielä kertoa, mitä koko juttu merkitsee teidän mielestänne."

"Miksi te sitä minulta kysytte? Luulin, että se on Quanticon hommia. Tehän tungette sekavat yksityiskohdat myllyyn, jonka toisesta päästä putkahtaa ulos valmiita vastauksia ja psykologisia profiileja."

"Sen aika koittaa kyllä. Haluan ensin kuulla teidän versionne."

"Eli…", minä mutisin mutta en jatkanut. Koetin liittää palaset yhteen, juoksuttaa tiedot oman prosessorini läpi lisäten Robert Backusin tuoreimpana ainesosana mukaan.

"Eli mitä?"

"Yritän vasta itsekin ymmärtää."

"Kertokaa vain, mitä mieleenne juolahtaa."

"Tunsiko teistä kukaan Terry McCalebia?"

"Jokainen tietenkin. Mitä tekemistä sillä on –"

"Tunsiko kukaan häntä erityisen hyvin?"

"Minä tunsin", Rachel vastasi. "Teimme töitä yhdessä mutta emme pitäneet viime aikoina yhteyttä. En edes tiennyt hänen kuolemastaan ennen kuin tänään."

"Siinä tapauksessa sinun pitäisi tietää, tai tiedät ainakin sitten kun Terryn talo ja vene ja kaikki muu tutkitaan, että hän ei lopettanut. Hän ei kyennyt luopumaan työstään. Terry ei tutkinut vain vanhoja, ratkaisemattomia tapauksiaan vaan hän tutki myös uusia. Hän luki sanomalehtiä ja katsoi uutisia. Nähdessään kiintoisan tapauksen hän soitti etsiville ja kertoi haluavansa auttaa." "Ja senkö vuoksi hänet tapettiin?" Dei kysyi. Nyökkäsin. "Loppujen lopuksi. Ainakin luulen niin. Tammikuussa *Los Angeles Times* julkaisi artikkelin, joka löytyy tuostakin kansiosta. Terry luki jutun ja innostui. Hän soitti Las Vegasin poliisilaitokselle ja tarjosi apuaan. Tarjous hylättiin, eikä laitos halunnut kuulla hänestä. Siitä huolimatta he kertoivat hänestä paikalliselle sanomalehdelle, kun kadonneista miehistä kirjoitettiin jatkojuttu." "Milloin se tapahtui?" "Helmikuun alussa. Voitte tarkistaa päivämäärän. Joka tapauksessa luulen, että artikkeli ja siinä mainittu Terryn nimi houkutteli Runoilijan paikalle." "Emme voi vahvistaa, liittyykö hän tähän. Ymmärrättekö?" "Ihan sama, tehkää niin kuin haluatte. Minun puolestani voitte pitää koko juttua pelkkänä olettamuksena, jos se sopii teille paremmin." "Jatkakaa vain." "Joku sieppasi nämä miehet – ja nyt tiedämme, että hän hautasi heidät tänne. Kuten kaikki hyvät sarjamurhaajat, hän seurasi tiedotusvälineitä tarkasti, jotta näkisi, osaisiko joku yhdistää asiat ja voisiko tämä jopa ratkaista tapauksen. Sitten hän näki artikkelin ja McCalebin, vanhan kollegansa, nimen. Olen aika varma, että he tunsivat toisensa. He olivat luultavasti yhtä aikaa Quanticossa ennen kuin Terry tuli Los Angelesiin ja perusti käyttäytymistieteiden sivutoimiston. Ennen kuin Terryn sydän petti."

"Itse asiassa Terry oli yksikön ensimmäinen agentti, jota Backus opetti", Rachel täsmensi.

Dei katsoi Rachelia kuin petturia, mutta Rachel ei kiinnittänyt Deihin mitään huomiota, minkä vuoksi pidin hänestä entistä enemmän. "Siinäs näette", minä sanoin. "Heillä oli yhteys. Backus näki McCalebin nimen lehdessä, eikä hän voinut reagoida kuin kahdella tavalla. Joko hän piti sitä haasteena tai sitten hän tiesi, että McCaleb ei antaisi koskaan periksi vaan jatkaisi tutkimusta loputtomiin, vaikka Vegasin poliisi ei osoittanutkaan kiinnostusta."

"Joten hän hoiti McCalebin pois päiväjärjestyksestä", Dei totesi.

"Juuri niin."

"Mutta hänet piti eliminoida tavalla, joka ei herättäisi epäilyksiä", Rachel jatkoi.

"Täsmälleen."

Katsoin Zigoa. Oli hänen vuoronsa osallistua keskusteluun mutta hän ei pukahtanutkaan.

"Hän etsi Terryn käsiinsä ja tarkkaili tätä", minä sanoin. "Hänellä oli parta, lippalakki, aurinkolasit ja ehkä hänelle oli tehty kasvoleikkauskin. Hän palkkasi Terryn kalareissulle oppaakseen."

"Eikä Terry tiennyt, kuka hänen asiakkaansa oli", Rachel pohti.

"Terry alkoi epäillä jotakin, en vain tiedä mitä. Valokuvia oli enemmänkin. Terry aavisti, että asiakkaassa oli jotain arveluttavaa, ja otti siksi useita kuvia. Luulen, että jos Terry olisi tajunnut asiakkaan olevan Backus, hän olisi tehnyt jotakin. Koska Terry ei kuitenkaan tehnyt mitään, en usko, että hän tiesi varmuudella, mitä epäilyttävää hänen asiakkaassaan oli tai keksi tämän oikeaa henkilöllisyyttä."

Katsoin Rachelia.

197

"Tutkit kuvaa tarkasti. Osaatko sanoa, onko se hän? Ihan vain oletuksena."

"En osaa sanoa, en edes arvata. Kuvassa ei näy hänen silmiään eikä tarpeeksi kasvoja. Jos se on Backus, häntä on leikelty. Nenä on erilainen ja niin ovat poskipäätkin." "Ne on helppo muuttaa", sanoin. "Sinun pitää tulla joskus käymään Los Angelesissa. Esittelen sinut kirurgituttavalleni Hollywoodissa. Hän leikkaa seuralaispalveluiden tyttöjä ja poikia ja voi näyttää valokuvia, jotka on otettu ennen ja jälkeen leikkauksen. Kuvat saavat hämmästelemään, mihin nykyplastiikkakirurgia pystyy." "Ihan varmasti", Dei tokaisi, vaikka olinkin puhunut Rachelille. "Mitä sitten tapahtui? Milloin hän vaihtoi McCalebin lääkkeet?"

Mieleni teki tarkistaa päivämäärä, ja muistikirja oli taskussani. He eivät olleet kuitenkaan tutkineet taskujani, joten halusin pitää muistikirjan piilossa ja päästä pois sen kanssa.

"Tuota, noin pari viikkoa myöhemmin Terryn veneelle murtauduttiin. Varas vei GPS-paikantimen, mutta se oli vain tekosyy, jos Terry sattuisi huomaamaan murron – mitä nyt?"

Näin heidän reaktionsa. GPS merkitsi jotain suurta.

"Millainen se oli?" Rachel kysyi.

"Rachel", Dei keskeytti. "Kai muistat, että olet vain tarkkailija?"

"Merkki oli Gulliver", minä vastasin. "En muista mallia juuri nyt. Seriffille tehty rikosilmoitus on veneellä. Mutta laite ei ollut Terryn. Se oli hänen liikekumppaninsa."

"Tiedättekö hänen nimensä?" Dei kysyi.

"Toki, se on Buddy Lockridge. Ettekö muista häntä siitä elokuvasta?"

"En käynyt katsomassa sitä. Tiedättekö muuta tästä varastetusta GPS-paikantimesta?"

"Buddy kertoi, että hän oli voittanut sen pokerissa. Sen muistissa oli monta hyvää kalapaikkaa. Buddy oli helvetin vihainen varkauden vuoksi, mutta laitteen vei toinen kalaretkien järjestäjä."

Vaistosin agenteista, että olin osunut napakymppiin jokaisessa asiassa. Paikannin oli äärimmäisen tärkeä. Sitä ei ollut viety verukkeena. Siinä olin ollut aiemmin väärässä. Kesti kotvasen, mutta sitten minulle välähti.

"Nyt tajuan", minä sanoin. "Siten te löysitte tämän hautuumaan. Backus lähetti teille GPS-paikantimen, johon hän oli merkinnyt paikan koordinaatit. Hän johdatti teidät tänne niin kuin oli tehnyt Terryllekin."

"Emme puhu nyt meistä", Dei varoitti. "Kyse on teistä."

Dein sanoista huolimatta vilkaisin Rachelia ja näin totuuden hänen silmissään. Tein seuraavan päätelmäni: Backus oli lähettänyt GPS:n juuri hänelle. Siksi hän oli tutkimuksessa vain tarkkailija. Backus kutsui häntä luokseen, kuten oli aiemmin kutsunut Terryä.

"Sanoit, että Terry oli Backusin ensimmäinen oppilas. Kuka tuli hänen jälkeensä?"

"Eiköhän tämä jo riitä", Dei yritti vaihtaa puheenaihetta.

Rachel ei vastannut mutta hymyili minulle varovasti, mikä näytti pohjattoman surulliselta hänen murheellisilla kasvoillaan. Kaino hymy kertoi, että olin oikeassa. Rachel Walling oli ollut Backusin oppilas Terryn jälkeen.

"Toivottavasti osaat pitää varasi", lähes kuiskasin.

Dei avasi tutkintakansion.

"Se ei kuulu teille millään muotoa", hän sanoi. "Mutta muistiinpanoissanne on joitain seikkoja, joihin haluan tarkennusta. Ensinnäkin kuka on William Bing?"

Tuijotin Deitä. Hän luuli, että kansio ja muistiinpanot olivat minun.

"En tiedä. Satuin vain törmäämään nimeen."

"Missä yhteydessä?"

"Terry oli tainnut kirjoittaa sen muistiin. En vielä tiedä, kuka hän on."

"Entä tämä viittaus kolmioteoriaan, mitä se tarkoittaa?"

"Mitä se teidän mielestänne tarkoittaa?"

"Älkää ärsyttäkö minua, Bosch. Käytte suotta leikkisäksi."

"Cherie", Rachel sanoi.

"Mitä?"

"Nuo ovat varmaan Terryn muistiinpanoja."

Dei katsoi papereita ja tajusi, että Rachel oli oikeassa. Katsoin Rachelia kuin olisin pahastikin harmistunut siitä, että hän oli kertonut totuuden. Dei läimäytti kansion kiinni.

"Niinpä. Niinpä tietenkin."

Dei nosti katseensa minuun.

"Tiedättekö, mitä se merkitsee?"

"En, mutta uskon, että saan melko pian tietää."

"Sitä, että me jatkamme tästä eteenpäin. Te voitte suunnata takaisin Los Angelesiin."

"En ole menossa sinne. Menen Las Vegasiin. Minulla on asunto siellä."

"Voitte mennä minne ikinä haluatte, kunhan pysytte kaukana täältä. FBI ottaa tutkimuksenne virallisesti haltuunsa."

"Tiedätte varsin hyvin, etten ole poliisi, agentti Dei. Ette voi viedä tutkimustani ilman minun suostumustani. Olen yksityisetsivä."

Hän nyökkäili ikään kuin olisi ymmärtänyt tilanteeni.

"Sekin käy, etsivä Bosch, puhumme asiakkaanne kanssa myöhemmin tänään, ja te olette työtön etsivä iltaan mennessä."

"Yritän vain ansaita elantoni."

"Ja minä yritän saada sarjamurhaajan kiinni. Koettakaa siis ymmärtää, että teidän panostanne ei tarvita. Pysykää poissa. Olette ulkona. Hus. Voiko sitä enää sen selvemmin sanoa."

"Voinko saada sen myös kirjoitettuna?"

"Minusta tuntuu, että teidän on parempi lähteä ja mennä kotiin, kun vielä voitte. Tom, antaisitko Boschille hänen ajokorttinsa ja avaimensa ja saattaisit hänet takaisin autolleen?"

"Mielihyvin", Zigo murahti. Se oli ensimmäinen sana, jonka hän autossa sanoi.

Yritin ottaa kansion, mutta Dei ehti nappaamaan sen ensin.

"Me pidämme tästä hyvää huolta."

"Niin tietenkin. Onnekasta jahtia."

"Kiitos paljon."

Seurasin Zigoa ovelle. Vilkaisin taakseni ja nyökkäsin Rachelille, joka vuorostaan nyökkäsi minulle. Uskoin näkeväni, että hänen katseessaan pilkahti pieni elonmerkki.

20

Kaikki kolme agenttia puhuivat yhä Boschista, kun helikopteri nousi autiomaan ylle ja aloitti 40 minuuttia kestävän lentomatkan Las Vegasiin. Heillä oli kuulokkeet, joiden avulla he pystyivät keskustelemaan roottorin jylystä huolimatta. Dei oli edelleen pahasti tuohtunut Boschin tapaamisesta, ja Rachel arveli, että Dei luuli hävinneensä jonkinlaisessa kaksintaistelussa yksityisetsivän kanssa. Rachelia lähinnä huvitti. Hän tiesi, että Bosch antaisi vielä kuulua itsestään. Hän oli uskomattoman kokenut etsivä, ja nyökkäys ovensuussa oli kertonut, että hän ei noin vain pakkaisi kimpsujaan ja luikkisi kotiin.

"Entä se kolmioteoria?" Dei kysyi.

Rachel tahtoi, että Zigo aloittaisi, mutta tämä ei sanonut taaskaan mitään.

"Luulen, että Terry oli oikeilla jäljillä", Rachel vastasi. "Jonkun pitää ryhtyä tutkimaan sitä."

"En ole varma, onko meillä tällä hetkellä tarpeeksi miehistöä. Kysyn Brassilta, voiko joku hänen ryhmästään hoitaa sen. Ja tämä William Bing – hänen nimensä ei ole tullut esiin aiemmin."

"Hän saattaa olla lääkäri. Terry matkusti tänne asti ja otti ehkä selvää lääkäreistä siltä varalta, että hänelle tapahtuisi jotain."

"Rachel, voitko sinä selvittää, kuka hän on, kun pääsemme perille? Tiedän mitä Alpert sanoi, että olet vain tarkkailija. Mutta vaikka Bing saattaa johtaa umpikujaan, niin olemme ainakin ottaneet hänestä selvää."

"Tietenkin. Voin tehdä töitä hotellihuoneessani, jos et halua, että Alpert näkee mitä teen."

"Ei, parempi että pysyt toimistolla. Jos Alpert ei näe sinua, hän alkaa ihmetellä, mitä mahdat puuhastella."

Dei istui helikopterin etummaisella istuimella, mutta nyt hän kääntyi ja katsoi Rachelia, joka istui pilotin takana.

"Mitä te muuten äsken mahdoitte puuhastella?"

"Miten niin?"

"Tiedät kyllä. Sinä ja Bosch. Vaihdoitte katseita, hymyilitte jatkuvasti. 'Toivottavasti osaat pitää varasi'. Mitä se tarkoitti?"

"Bosch oli vain pahasti alakynnessä. Tietenkin hän valitsi meistä jonkun, johon vedota kuulustelun aikana. Se on suoraan kuulustelutaktiikan ja -käyttäytymisen käsikirjasta. Kannattaa vilkaista opusta joskus."

"Entä sinä? Vetoatko sinä häneen? Puhutaanko käsikirjassa siitä mitään?"

Rachel pudisti päätään kertoakseen että koko keskustelu oli joutavaa ajanhukkaa.

"Pidän tavallaan hänen tyylistään. Hän käyttäytyi aivan kuin hän kantaisi yhä virkamerkkiä. Hän ei madellut meidän edessämme, ja siinä on jotain siistiä."

203

"Olet viettänyt liian kauan susirajan takana, Rachel, sillä et sanoisi muutoin noin. Me emme pidä ihmisistä, jotka eivät matele edessämme."

"Ehkä olenkin."

"Tarkoittaako se mielestäsi sitä, että hän aiheuttaa ongelmia?"

"Ihan varmasti", Zigo heitti väliin.

"Luultavasti", Rachel lisäsi.

Dei puisteli päätään. "Minulla ei ole tarpeeksi väkeä. En voi tuhlata aikaani jonkun yksityisetsivän vahtimiseen."

"Haluatko, että minä pidän häntä silmällä?" Rachel kysyi.

"Ilmoittaudutko vapaaehtoiseksi?"

"En halua vain pyöritellä peukaloitani, joten kyllä, teen sen vapaaehtoisesti."

"Tiedätkö, ennen syyskuun 11:nnen terrori-iskuja ja sisäisen turvallisuuden viraston perustamista me saimme kaiken, mitä ikinä halusimme. Sarjamurhaajien jahtaaminen oli parasta mahdollista mainosta FBI:lle. Nyt kaikki vauhkoavat vain terroristeista, eikä meidän edes anneta tehdä ylitöitä."

Rachel huomasi, kuinka Dei oli tarkoituksella jättänyt vastaamatta kysymykseen, pitäisikö hänen ryhtyä Boschin lapsenlikaksi. Se oli oiva tapa kieltää vastuu, jos jotain menisi pieleen. Rachel päätti, että kun he pääsisivät takaisin Las Vegasiin, hän pyytäisi kahden kesken Deitä ottamaan selvää, oliko Boschilla oikeasti asunto kaupungissa. Hän selvittäisi Boschin suunnitelmat tarkkailemalla tätä mutta menemättä kuitenkaan liian lähelle.

Rachel katsoi ikkunasta näkyvää mustaa asvalttinauhaa, joka kulki halki autiomaan. He lensivät Las Vegasiin tien suuntaisesti. Juuri silloin hän näki mustan

Mercedes-Benzin ajavan samaan suuntaan. Se oli yltä päältä autiomaan hiekassa. Hän tiesi, että se oli Bosch. Sitten hän huomasi auton katolle töherretyn kuvan. Bosch oli käyttänyt rättiä tai jotain ja piirtänyt katon valkoiseen pölyyn suuren virnuilevan hymiön. Myös Rachelin suupielet kääntyivät ylöspäin.

Hän kuuli Dein äänen kuulokkeistaan.

"Mitä nyt? Mikä on noin hauskaa?"

"Ei mitään erityistä. Tuli vain huvittava juttu mieleen."

"Kunpa minäkin voisin hymyillä, vaikka tietäisin, että kannoillani on psykoagentti, joka haluaa kääräistä pääni muovipussiin."

Rachel katsoi Deitä ärsyyntyneesti häijyn ja ilkeämielisen huomautuksen vuoksi. Dei ilmeisesti tajusi, että Rachel loukkaantui.

"Anteeksi. Sinun on kuitenkin parempi suhtautua tähän vakavasti."

Rachel tuijotti Deitä, kunnes tämä joutui kääntämään katseensa pois.

"Et kai tosissasi luule, etten ota tätä vakavasti?"

"Tiedänhän minä, että otat. Minun ei olisi pitänyt sanoa mitään."

Rachel vilkaisi taas alas valtatielle. He olivat ohittaneet Mercedeksen jo aikoja sitten. Bosch oli poissa, kaukana heidän takanaan.

Rachel tutkaili maastoa hetken aikaa. Se oli outo ja vieras mutta silti niin tuttu. Kuin kuun pintaa peittävä hiekan ja kivenlohkareiden kokolattiamatto. Rachel tiesi, että maankamara kuhisi elämää, mutta sitä ei voinut nähdä silmin. Maan alla piileksi petoja, jotka nousivat esiin vasta yön tultua.

"Saanko hetkeksi huomionne", Rachel kuuli pilotin sanovan. "Vaihtakaa kanavalle kolme. Teille on puhelu."

205

Rachel joutui ottamaan kuulokkeet korviltaan yrittäessään vaihtaa kanavaa. Ne oli suunniteltu typerästi, hän manasi. Kun Rachel sai kuulokkeet vihdoin toimimaan, hän kuuli Brass Doranin äänen. Brass puhui sata sanaa sekunnissa niin kuin oli aina tehnyt, kun jotain merkittävää tapahtui.

"– ehdottomasti. Se on hänen."

"Mitä?" Rachel huudahti. "En kuullut sanaakaan."

"Brass", Dei sanoi, "ota uudestaan alusta."

"Sanoin, että saimme osuman hammastunnistetiedoista. Se purukumi. Meillä on 95-prosentin varmuus, mikä on täsmällisimpiä tietoja, joita olemme koskaan saaneet."

"Kenen hammastiedot ne ovat?" Rachel kysyi.

"Rach, menet sekaisin, kun kerron. Ted Bundyn. Ted Bundy jauhoi purukumia, jonka löysimme."

"Mahdotonta", Dei intti. "Ensinnäkin hän kuoli vuosia sitten, kauan ennen kuin yksikään näistä miehistä katosi. Lisäksi hän ei ole koskaan käynyt Kaliforniassa tai Nevadassa eikä hän sitä paitsi tappanut miehiä. Tieto ei voi pitää paikkaansa, Brass. Tietokannassa on jokin virhe tai –"

"Teimme analyysin kahdesti. Tulos oli sama molemmilla kerroilla."

"Brass ei ole väärässä", Rachel sanoi. "Purukumi on Bundyn."

Dei kääntyi ja katsoi Rachelia. Rachel ajatteli Bundya. Sarjamurhaajien aatelistoa. Komea, älykäs, läpeensä paha. Lisäksi hän oli purija. Bundy oli ainut, joka sai Rachelin selkäpiin karmimaan. Kaikki muut saivat hänet tuntemaan vain inhoa tai kuvotusta.

"Miten voit olla varma, Rachel?"

"Tiedän vain. Kaksikymmentäviisi vuotta sitten Backus oli perustamassa VICAP-tietokantaa. Brass kyllä muistaa. Tietoja kerättiin seuraavien kahdeksan vuoden ajan. Käyttäytymistieteiden agentit lähetettiin haastattelemaan maan jokaista vangittua sarjamurhaajaa ja seksuaalirikollista. Päätyö saatiin tehtyä ennen kuin minä aloitin FBI:ssä, mutta teimme vielä myöhemminkin yksittäisiä haastatteluja ja lisäsimme arkistoon uusia tietoja. Bundya kuulusteltiin monta kertaa, ja yleensä Bob kävi hänen luonaan. Juuri ennen teloitusta Bundy kutsui Bobin Raifordiin, ja Bob otti minut mukaan. Haastattelimme häntä kolme vuorokautta. Muistan, että Bundy pyysi Bobilta monesti purkkaa. Se oli Juicy Fruitia. Robert Backusin lempimerkkiä."

"Mitä, sylkäisikö Bundy muka purukuminsa Backusin kouraan?" Zigo kysyi epäuskoisesti.

"Tuskin, mutta ehkä roskakoriin. Puhuimme aina kuolemanselliosaston johtajan toimistossa. Siellä oli tietenkin myös roskakori. Aina päivän päätteeksi Bundy saatettiin takaisin selliinsä, ja Backus jäi usein yksin toimistoon. Hän on voinut noukkia purukumin roskakorista."

"Väität siis, että Bob Backus tonki Ted Bundyn jauhaman purukumin roskiksesta ja piti sitä sitten tallessa, jotta saisi viskattua sen vuosia myöhemmin johonkin hautaan."

"Ei, ehkä hän vain vei vankilasta purukumin, jota hän tiesi Bundyn jauhaneen. Ehkä se oli pelkkä muistoesine, joka muuttui myöhemmin joksikin muuksi. Joksikin jonka avulla kiusata meitä."

"Missä hän säilytti sitä, pakastimessako?"

"Varmaankin. Niin minä tekisin."

Dei kääntyi katsomaan menosuuntaan.

"Mitä mieltä olet, Brass?" hän kysyi.

"Minun olisi itse pitänyt tajuta sama asia. Luulen, että Rachel on oikeilla jäljillä. Muistaakseni Bob ja Ted tulivat hyvin juttuun. Robert kävi tapaamassa Bundya todella monta kertaa. Joskus yksinkin. Hän on voinut saada purukumin milloin tahansa."

Rachel näki Dein nyökyttelevän päätään hyväksyvästi. Zigo tuhahti ja puhui.

"Eli tämä on vain yksi Backusin keinoista kertoa itsestään ja julistaa, kuinka fiksu hän on. Vain härnätäkseen meitä. Ensin sormenjäljet GPS-paikantimessa ja nyt purukumi."

"Ei sitä sen paremmin voi sanoa", Doran sanoi.

Rachelin mielestä vastaus olisi monimutkaisempi. Hän pudisti päätään vaistomaisesti, minkä vieressä istuva Zigo huomasi.

"Oletko eri mieltä, Walling?"

Zigo kohteli työtovereitaan yhtä hienotunteisesti kuin Randal Alpert.

"En usko, että se on niin yksinkertaista. Katsotte asiaa väärästä näkökulmasta. Kannattaa muistaa, että saimme GPS:n ja sormenjäljet ensiksi, mutta hautaan viskattu purukumi on vanhempaa perua. Ehkä hän halusi, että löytäisimme purukumin aiemmin. Ennen kuin meillä olisi suoraa kytköstä häneen."

"Mitä hän siinä tapauksessa suunnittelee?" Dei kysyi.

"En tiedä. Ei minulla ole kaikkia vastauksia. Yritän vain sanoa, että meidän on turha arvailla näin aikaisessa vaiheessa, mitä hän suunnittelee tai missä järjestyksessä hän haluaa, että me löydämme todisteet."

"Rachel, tiedät kyllä, että me suhtaudumme uuteen tutkintaan aina avoimin mielin. Emme koskaan oleta mitään vaan tarkastelemme tutkimusta jokaiselta kantilta."

Dein sanat kuulostivat litanialta, joka voisi hyvin lukea Quanticon tiedotuskeskuksen seinällä, josta agentit voisivat katsoa, millaisia näpsäköitä toiminta- ja menettelytapalausuntoja lehdistölle voisi antaa. Hän päätti olla haastamatta riitaa Dein kanssa niin mitättömästä asiasta. Hä-

208

nen piti varoa, ettei koettelisi suotta muiden hermoja ja lentäisi tutkimuksesta, mutta hän vaistosi, että oli ollut jo vähällä suututtaa entisen oppilaansa.

"Tiedän kyllä", Rachel sanoi.

"Hyvä. Brass, onko sinulla muuta?" Dei kysyi.

"Ei muuta. Kai tässäkin riittää tarpeeksi sulateltavaa."

"Hyvä on, ensi kerralla taas lisää."

Eli seuraavassa palaverissa. Doran sanoi hyvästit ja sulki puhelinyhteyden, eikä matkustamossa enää keskusteltu, kun helikopteri ylitti linjan, joka erotti toisistaan lohduttoman paljaan aavikkomaiseman ja Las Vegasin laitamille levittäytyvät rakennusryppäät. Kun Rachel katsoi alas, hän tiesi että yhdenlainen autiomaa oli vain vaihtunut toiseen. Myös kaupungin pyörötiili- ja sorakattojen alla väijyi petoja, jotka tulivat esiin yön turvin, uusien uhrien toivossa.

21

Executive Extended Stay Motel sijaitsi Las Vegas Boulevardin eli Stripin eteläpäässä. Rakennuksen julkisivussa ei säihkynyt neonvaloja. Motellissa ei ollut kasinoa eikä siellä järjestetty huimia lavaesityksiä. Prameileva nimikin oli silkkaa lumetta. Isokenkäisten sijasta siellä majaili Vegasin laitapuolen kulkijoita: peliriippuvaisia, pikkurikollisia ja prostituoituja, ressukoita jotka eivät osanneet lähteä pois eivätkä juurtua pysyvästi paikoilleen. Muita minunkaltaisia ihmisiä siis. Pitkään motellissa asuneet sanovat paikkaa Double X:ksi, ja naapureita tavatessaan he kyselevät, kuinka kauan sitten olet tullut ja kuinka kauan aiot viipyä aivan kuin motellissa asuminen muistuttaisi vankilatuomiota. Luulen, että monet asukkaista ovat viettäneet aikaa vankiloissa, mutta minä olin valinnut paikan kahdesta hyvästä syystä. Ensinnäkin minulla on reippaasti lainaa Los Angelesin asunnosta, eikä minulla ole varaa vuokrata huonetta huippuhotellista, kuten Bellagiosta tai Mandalay Baysta tai edes Rivierasta. Toinen syy on se, etten halua tottua Vegasiin. En halua tuntea oloani kotoisaksi täällä. Kun koittaisi lähdön aika, haluaisin, että voisin vain palauttaa avaimen respaan ja häipyä.

Pääsin perille kolmen aikoihin ja tiesin, että tyttäreni oli jo päässyt tarhasta ja voisin käydä katsomassa häntä entisen vaimoni luona. Kaipasin Maddieta mutta päätin odottaa vielä hetken. Buddy Lockridge oli matkalla Las Vegasiin, ja minulla riitti tekemistä. Olin päässyt FBI:n kynsistä muistikirja taskussani ja Terry McCalebin karttakirja autossani. Halusin tutkia kumpaakin ennen kuin agentti Dei tajuaisi tehneensä virheen ja pistäisi minut lukkojen taakse. Paloin halusta tietää, pystyisinkö seuraavaan läpimurtoon ennen häntä.

Ajoin Double X:n pysäköintialueelle ja jätin autoni tutulle paikalle lähelle verkkoaitaa, joka erotti toisistaan motellirakennuksen ja McCarranin lentokentän sen osan, jolle yksityiskoneet pysäköitiin. Huomasin, että sama Gulfstream 9, jonka olin nähnyt lähtiessäni Vegasista kolme päivää aiemmin, oli yhä kentän laidalla. Koneen vieressä oli pienempi ja sulavalinjaisempi musta suihkukone. En tiennyt sen merkkiä, mutta se näytti markkinoiden kalleimmalta yksilöltä. Nousin autosta ja kävelin portaat toisen kerroksen pikkuyksiööni. Huone oli siisti ja kätevä, ja minä yritin viettää siellä niin vähän aikaa kuin mahdollista. Parasta siinä oli pieni parveke, jolle pääsi olohuoneesta. Autovuokraamosta nappaamassani esitteessä sitä mainostettiin tupakointiparvekkeena. Oikeasti parvekkeelle ei mahtunut edes tuolia. Minusta oli kuitenkin mukava nojailla karsinan korkeaan kaiteeseen ja katsella, miten miljardöörien suihkukoneet lipuivat lentokentän laitamille. Olin viime aikoina katsellut niitä paljon. Päädyin huomaamattani parvek-

211

keelle kerta toisensa jälkeen ja välillä jopa toivoin, että tupakoisin yhä. Naapurihuoneistojen vuokralaiset nojailivat usein omien parvekkeidensa kaiteeseen savukkeet suupielessä. Toinen seinänaapurini laski kortteja ammatikseen – hän kutsui itseään "lahjakkaaksi" pelaajaksi – ja toinen oli nainen, jonka tulonlähteistä minulla ei ollut aavistustakaan. Juttelin joskus heidän kanssaan, mutta keskustelut loppuivat aina lyhyeen. Yksikään motellin asukas ei halunnut kysellä muilta liikaa saati vastailla tungetteleviin kysymyksiin.

Kahden edellispäivän sanomalehdet lojuivat kuluneella muovimatolla oveni edessä. En ollut keskeyttänyt tilausta, koska naapurissa asusteleva nainen hiippaili mielellään ovelleni selailemaan lehdet, minkä jälkeen hän aina taitteli ne siististi takaisin muovipussiin, jossa ne oli alun perin kynnykselleni viskattu. Hän ei tiennyt jääneensä kiinni.

Päästyäni sisään heitin lehdet huoneen lattialle ja laskin McCalebin karttakirjan pienelle ruokapöydälleni. Otin muistikirjan taskustani ja panin myös sen pöydälle. Kävelin sitten parvekkeen liukuovelle ja avasi sen tuulettaakseni tunkkaista huonetta. Edellinen asukas ei ollut vaivautunut menemään parvekkeelle, ja koko huone haisi edelleen pinttyneeltä tupakansavulta.

Kun olin kytkenyt puhelimen laturin pöydän alla olevaan pistorasiaan, soitin Buddy Lockridgen numeroon, mutta sain yhteyden vain hänen vastaajaansa. Suljin puhelimen jättämättä viestiä. Soitin seuraavaksi Gracielalle ja kysyin, olivatko FBI:n agentit jo käyneet tapaamassa häntä.

"He lähtivät juuri äsken", Graciela vastasi. "He tutkivat talon joka sopen ja lähtivät nyt katsomaan venettä. Olit oikeassa, he aikovat viedä sen mantereelle. En tiedä, milloin se palautetaan."

"Oletko nähnyt Buddya tänään?"

"Buddyako? En, pitäisikö hänen tulla käymään?"

"Ei, ajattelin vain."

"Oletko vielä agenttien kanssa?"

"En enää, he päästivät minut lähtemään pari tuntia sitten. Olen Vegasin asunnollani. Aion jatkaa tutkimuksiani, Graciela."

"Miksi? Se tuntuu... He sanoivat minulle, että Terryn tapauksen tutkinta asetetaan nyt etusijalle. He uskovat, että se agentti vaihtoi Terryn lääkkeet. Backus."

Toisin sanoen Graciela halusi tietää, miten minä voisin suoriutua tehtävästä paremmin kuin suuri ja mahtava liittovaltion poliisi. Totuudenmukainen vastaus oli tietenkin: en mitenkään. Muistin kuitenkin, mitä Terry oli kertonut Gracielalle minusta. Että hän haluaisi minun tutkivan tapausta, jos jotain pahaa sattuisi. Se riitti syyksi olla lopettamatta tutkintaa.

"Aion jatkaa, koska Terry haluaisi minun tekevän niin", minä sanoin. "Mutta älä huoli, jos löydän jotain, mitä FBI ei ole saanut selville, kerron heille kaiken. Niin kuin tänäänkin. En yritä kilpailla heidän kanssaan. En vain voi lopettaa kesken kaiken, Graciela."

"Ymmärrän."

"Sinun ei kuitenkaan tarvitse kertoa sitä heille, jos he kyselevät perääni. He eivät välttämättä innostu asiasta."

"Tajuan kyllä."

"Suurkiitos, Graciela. Soitan, jos jotain uutta ilmenee."

"Kiitos sinulle, Harry, ja onnea."

"Se tulee tarpeeseen."

Lopetettuani puhelun yritin soittaa uudestaan Buddy Lockridgelle, mutta en saanut häneen vieläkään yhteyttä. Ehkä hän oli yhä matkalla ja ehkä hän oli sulkenut puhelimen lennon ajaksi. Ainakin toivoin niin. Toivottavasti

Buddy oli ehtinyt käydä veneellä ennen kuin FBI:n agentit olivat rynnänneet paikalle. Laskin puhelimen kädestäni ja menin jääkaapille. Tein itselleni välipalaa parista vehnäleivän viipaleesta ja sulatejuustosta. Jääkaapissa oli aina leipää ja juustoa siltä varalta, että Maddie haluaisi grillattuja juustoleipiä vieraillessaan luonani. Hän ei varmaan koskaan kyllästyisi niihin. Minä en jaksanut lämmittää leipiä vaan seisoin tiskipöydän vieressä ja ahdoin mauttomat leivät kurkusta alas mahdollisimman nopeasti taltuttaakseni huutavan nälkäni. Sitten istuin pöydän ääreen ja avasin muistikirjasta puhtaan sivun. Tein aluksi pari rentoutusharjoitusta, jotka olin oppinut muutama vuosi sitten tutustuessani hypnoosiin. Näin mielessäni tyhjän liitutaulun. Kohta tartuin valkoiseen liituun ja ryhdyin kirjoittamaan mustalle taululle. Yritin parhaani mukaan kopioida Terryn muistiinpanot kadonneista miehistä – muistiinpanot jotka FBI oli vienyt. Kun olin kirjoittanut kaiken liitutaululle, kirjoitin samat asiat muistikirjaan. Uskoin, että olin muistanut lähes kaiken puhelinnumeroita lukuun ottamatta, ja niistä en pahemmin huolestunut, sillä ne olisi helppo selvittää soittamalla numerotiedusteluun.

Avoimesta parvekkeen ovesta kuului suihkukoneen moottoreiden kimeä ujellus. Uusi kone pysähtyi kentän laidalle. Melu laantui hetken kuluttua, ja pystyin taas keskittymään.

Avasin Terryn karttakirjan. Tarkistin kaikki sivut enkä löytänyt merkintöjä muualta kuin siltä aukeamalta, jossa näkyi Nevadan osavaltion eteläosa sekä kaistale Kaliforsniaa ja Arizonaa. Yritin taas miettiä, mitä McCalebin merkinnät voisivat tarkoittaa. Hän oli ympyröinyt Mojaven luonnonsuojelualueen, jolla Zzyzx Road sijaitsi ja jossa FBI:n kaivuoperaatio oli täydessä käynnissä. Sivun marginaaliin Terry oli kirjoittanut joukon numeroita, joiden summa oli 86. Luvun alle Terry oli merkinnyt viivan ja sanat *Oikeasti – 92.*

Uskoin numeroiden tarkoittavan maileja. Katsoin karttaa tarkemmin ja huomasin, että siihen oli merkitty paikkakuntien väliset etäisyydet. Löysin muutamassa sekunnissa välimatkat, jotka vastasivat Terryn kartan reunaan kirjoittamia lukuja. Hän oli laskenut yhteen matkan Las Vegasista pisteeseen, joka sijaitsi keskellä Mojaven autiomaata valtatie 15:n varrella. Zzyzx Road oli liian pieni ja merkityksetön päästäkseen karttakirjaan, mutta valtatien varrella sijaitseva nimetön paikka, josta Terry oli aloittanut matkan mittaamisen, ei voinut olla mikään muu.

Kirjoitin paikkakuntien välimatkat muistikirjaani ja laskin ne yhteen. Terryn laskutoimitus oli mennyt oikein, kartan mukaan matkaa oli 86 mailia. Hän ei ollut kuitenkaan uskonut karttaan tai oli valinnut toisen reitin, jonka pituudeksi oli tullut 92 mailia. Arvelin, että hän oli päättänyt ajaa koko matkan itse ja saanut tarkan luvun autonsa matkamittarista. Ero johtui epäilemättä siitä, että McCaleb oli ajanut Las Vegasissa tiettyyn paikkaan, kun taas kartan tekijät käyttivät välimatkojen mittaamiseen jotain toista pistettä kaupungissa.

Minä en tietenkään voinut tietää Terryn päämäärää. En voinut olla varma edes siitä, milloin hän oli kirjoittanut merkintänsä karttaan, tai siitä, liittyivätkö ne mitenkään tutkimukseeni. En kuitenkaan kyennyt keksimään muuta selitystä, sillä Terry oli todellakin aloittanut matkansa Zzyzx Roadilta. Se ei voinut olla pelkkää sattumaa. Sattumia ei ole.

Kuulin yskintää. Arvasin, että naapurihuoneiston nainen oli tupakalla parvekkeellaan. Hänessä oli jotain outoa, ja pidin häntä vaivihkaa silmällä aina kun vietin aikaa motellissa. Hän ei näyttänyt polttavan oikeasti ja hän kävi parvekkeella vain silloin, kun kentälle laskeutui uusi yksityiskone. Monet ihmiset pitävät toki lentokoneiden katselusta, mutta vaistoni kertoi, että hänen tapauksessaan oli kysymys jostain aivan muusta, ja se jos mikä kasvatti mielenkiintoani. Ehkä hän oli kasinoiden tai joidenkin pelurien palkkalistoilla ja etsi helppoja uhreja.

Nousin ylös ja menin parvekkeelle. Astuessani ulos vilkaisin heti oikealle ja näin kuinka naapurini viskasi jotain nopeasti huoneeseensa. Jotakin mitä minun ei pitäisi nähdä.

"Mitäs kuuluu, Jane?"

"Mitäs tässä, Harry. Ei olla nähty vähään aikaan."

"Oli hommia muualla. Kuka sieltä nyt saapuu?"

Katsoin pysäköintialueen poikki lentokentälle. Mustan ja virtaviivaisen suihkukoneen viereen oli pysähtynyt toinen samanlainen. Koneen juuressa odotti siihen sopiva musta limusiini. Portaita pitkin laskeutui mies, jolla oli yllään puku, aurinkolasit ja kastanjanruskea turbaani.

Olin tainnut pilata Janen kyttäyskeikan, sillä hän oli todennäköisesti heittänyt huoneeseen kiikarin tai kameran, kun minä astuin parvekkeelle.

"Taas yksi öljykeisari", sanoin ääneen vain sanoakseni jotain.

"Niin kai", Jane tokaisi.

Hän veti savut tupakasta ja sai uuden yskänkohtauksen. Oli selvää ettei hän polttanut vakituisesti. Hän tupakoi vain siksi, ettei näyttäisi epäilyttävältä tarkkaillessaan parvekkeelta äveriäitä pelaajia ja heidän yksityiskoneitaan. Eivät Janen silmätkään olleet oikeasti ruskeat. Olin kerran nähnyt hänet parvekkeella, kun hän ei ollut muistanut laittaa värillisiä piilolinssejään. Lisäksi Jane oli peittänyt luonnollisen hiusvärinsä mustalla hennalla.

Halusin kovasti kysyä Janelta mitä hän puuhaili, mihin huijaukseen tai peliin hän oli erikoistunut. Pidin kuitenkin parvekejutusteluistamme ja olin sitä paitsi eläkkeelle jäänyt poliisi. Totuus oli loppujen lopuksi se, että jos Jane – mikä hänen sukunimensä sitten olikaan – erotti ammatikseen rikkaita miehiä näiden rikkauksista, minkä ihmeen vuoksi minun pitäisi siitä välittää. Koko Las Vegas oli rakennettu sen periaatteen varaan. Himojen kaupungissa uhkapelurit saavat aina ansionsa mukaan. Kaiken kukkuraksi vaistosin, että Janessa oli pohjimmiltaan jotain hyvää. Hän oli saattanut hieman turmeltua mutta ei hän mikään paha ihminen ollut. Olimme kerran sattuneet samaan aikaan portaikkoon, kun olin tulossa Maddien kanssa asunnolle, ja Jane oli pysähtynyt juttelemaan tyttäreni kanssa. Seuraavana aamuna löysin sanomalehteni vierestä pienen pantteripehmolelun.

"Mitä tytöllesi kuuluu?" Jane kysyi kuin olisi lukenut ajatukseni.

"Hyvää. Hän kysyi minulta äskettäin, ovatko Burger King ja Dairy Queen naimisissa."

Jane hymyili, ja näin hänen silmissään haikeuden, jonka olin nähnyt aiemminkin. Uskoin, että se liittyi jotenkin hänen omiin lapsiinsa. Päätin rohkaista mieleni ja kysyä häneltä jotain, mitä olin miettinyt jo pitkään.

"Onko sinulla lapsia?"

"Yksi tyttö. Vähän vanhempi kuin sinulla. Hän ei ole enää minun kanssani. Hän asuu Ranskassa."

Jane ei sanonut muuta, ja jätin kysymykset siihen, sillä tunsin syyllisyyttä omasta onnekkuudestani ja siitä että olin tarkoituksella udellut aiheesta, joka oli selvästikin arka. Sain hänet kuitenkin esittämään kysymyksen, jota hän oli varmaan miettinyt jo pitkään.

"Oletko sinä poliisi, Harry?"

Pudistin päätäni.

"Joskus muinoin Los Angelesissa. Mistä tiesit?"

"Kunhan arvasin. Se tuli mieleeni, kun näin sinut kävelevän autolle tyttäresi kanssa. Vaikutti ihan siltä, että vilkuilit jatkuvasti ympärillesi kuin suojellaksesi tyttöä kaikelta pahalta ja yllättävältä."

En voinut kuin kohauttaa harteitani. Olin jäänyt kiinni.

"Se vaikutti tosi ihanalta", Jane lisäsi. "Mitä teet nykyään?"

"En oikeastaan mitään. Yritän keksiä jotain järkevää tekemistä."

"Hyvä niin."

Emme tainneet olla enää pelkkiä huonenaapureita, jotka vaihtavat keskenään turhanpäiväisiä latteuksia.

"Entä itse?" minä kysyin.

"Minäkö? Odottelen, että jotain tapahtuisi."

Se siitä. Tiesin, että en saisi hänestä enempää irti. Käänsin katseeni kentälle ja näin, että taas yksi šeikki tai sulttaani asteli koneensa portaita. Autonkuljettaja odotti alhaalla limusiinin ovi avoinna. Kuljettaja näytti siltä, että hänen takkinsa alla oli jotain kättä pidempää siltä varalta, että asiakkaan turvallisuutta uhattaisiin. Käänsin katseeni takaisin naapuriini.

"Nähdään taas, Jane."

"Varmasti. Kerro tytöllesi terveisiä, Harry."

"Minä kerron. Pidä huolta itsestäsi."

"Sinä myös."

Päästyäni sisälle yritin soittaa Buddy Lockridgelle vielä kerran, mutta yhtä huonolla tuloksella kuin aiemmillakin kerroilla. Poimin kynän käteeni ja naputtelin kärsimättömästi muistikirjaani. Buddyn olisi pitänyt jo vastata. En ollut huolestunut. Minua vain ärsytti. Buddysta sanottiin, että häneen ei voi luottaa. Minulla ei ollut aikaa hänen vitkasteluilleen.

Menin keittiöön ja otin olutpullon tiskipöydän alle ahdetusta pienestä jääkaapista. Oven karmiin oli kiinnitetty pullonavaaja. Väänsin korkin auki ja otin pullosta reilun kulauksen. Olut huuhteli autiomaan pölyt kurkustani ja maistui todella hyvältä. Uskoin ansainneeni sen. Kävelin takaisin parvekkeen ovelle mutta en mennyt ulos. En halunnut säikäyttää Janea toistamiseen. Vilkaisin oviaukosta ulos ja näin, että limusiini oli poistunut ja suihkukoneen ovi oli suljettu. Kurkistin vielä Janen parvekkeelle. Hänkin oli poissa. Näin parvekkeen kaiteelle jätetyssä tuhkakupissa Janen polttaman savukkeen. Siitä oli otettu vain parit savut. Jonkun pitäisi kertoa hänelle, että hän voisi jäädä kiinni noin päiväselvän seikan vuoksi.

Muutamaa minuuttia myöhemmin olutpullo oli tyhjä ja minä pakersin taas muistiinpanojeni ja Terry McCalebin karttakirjan parissa. Tiesin, että minulta oli jäänyt jotain huomaamatta, mutta en keksinyt mitä. Olin kuitenkin vakuuttunut siitä, että olin todella lähellä ratkaisua. Kauhoin tyhjää, vaikka vastaus oli aivan edessäni.

Puhelimeni pärähti soimaan. Buddy Lockridge vihdoinkin.

"Soititko minulle äsken?"

"Kyllä, mutta muistatko kun sanoin, että älä soita tähän numeroon."

"Niin, mutta sinähän soitit minulle ihan äsken. Ajattelin, että voisin soittaa takaisin."

"Mitä jos soittaja olisi ollut joku muu?"

"Numero näkyy puhelimen näytöllä. Sinun numerosi."

"Mistä voit tietää, kuka sinulle soittaa? Mitä jos joku muu olisi soittanut minun puhelimellani?"

"Ai joo."

"Täsmälleen. Buddy, jos haluat auttaa, sinun on kuunneltava minua."

"Älä nyt hermostu, kyllä minä tajuan."

"Hyvä. Missä olet?"

"Vegasissa tietenkin. Tännehän sinä minut käskit."
"Saitko tuotua tavarat veneeltä?"
"Kuinkas muuten?"
"Entä FBI?"
"Ei hätää. Kaikki meni hyvin."
"Missä olet tällä hetkellä?"
Puhuessani Buddyn kanssa huomasin muistiinpanoissa erään yksityiskohdan ja muistin siihen liittyvän asian kadonneista miehistä kertovassa artikkelissa. Tai oikeastaan muistin kohdan, jonka Terry McCaleb oli ympyröinyt lehtileikkeeseen.
"Olen B:ssä", Buddy vastasi.
"B:ssä? Missä helvetin B:ssä?"
"Kai sinä nyt ison B:n tiedät?"
"Buddy, mitä helvettiä yrität sanoa? Missä sinä olet?"
Hän kuiskasi minulle.
"Luulin, että meidän pitää olla varovaisia. Siltä varalta, että joku kuuntelee."
"Ihan sama vaikka kuunteleekin. Unohda koodit, Buddy, ja sano suoraan missä luuhaat."
"Bellagiossa. Ihan simppeliä kieltä."
"Simppeliä kieltä simppelille miehelle. Otitko tosissasi huoneen Bellagiosta minun piikkiini?"
"Tietenkin."
"Siitä tuli sitten lyhyt pyörähdys."
"Mitä tarkoitat? Juurihan minä saavuin perille."
"En aio maksaa itseäni kipeäksi. Kerää kamppeesi ja tule motelliin, jossa minä olen. Jos minulla olisi varaa maksaa huoneesi Bellagiossa, kai asuisin siellä itsekin."
"Sinulla ei taida olla kovin kummoista edustustiliä?"
"Ei minkäänlaista."
"Selvä on. Mihin minun pitää tulla?"
Kerroin Buddylle Double X:n nimen ja osoitteen, joiden perusteella hän osasi päätellä majoituksen laadun.

"Onko siellä edes kaapelitelevisiota?"

"Vitut on. Ala tulla."

"Tuota... olen maksanut jo huoneen, enkä kuitenkaan saa rahojani enää takaisin. Luottokorttiani on veloitettu, ja kävin sitä paitsi äsken paskallakin. Se on hotellien kirjoittamaton sääntö, että huone kuuluu nyt minulle. Nukun täällä yhden yön ja tulen sinne vaikka huomenna."

Et jää Vegasiin kuin täksi yhdeksi yöksi, minä ajattelin mutta en sanonut sitä ääneen.

"Siinä tapauksessa maksat itse kaiken, mikä ylittää tämän paikan hinnan. En sanonut, että sinun on mentävä suoraan kaupungin kalleimpaan hotelliin."

"Ihan sama, vähennä se vaikka minun palkkiostani. Niuhota nyt muutaman dollarin takia."

"Aivan varmasti niuhotankin. Vuokrasitko auton?"

"En, hyppäsin lentokentällä taksiin."

"Mene sitten hissillä alakertaan, hyppää toiseen taksiin ja tuo tavarat minulle."

"Kai voin käydä hierojalla ennen sitä?"

"Jumalauta, Buddy, nyt vauhtia ja –"

"Se oli vitsi, hyvä mies! Mihin olet kadottanut huumorintajusi, Harry? Olen siellä hetken päästä."

"Hyvä. Minä odotan."

Katkaisin puhelun sanomatta hyvästejä ja yritin heti unohtaa koko keskustelun. Olin innoissani. Pääsin eteenpäin. Uskoin ratkaisseeni yhden arvoituksista. Katsoin McCalebin muistiinpanoista tekemääni kopiota ja yhtä merkintää erityisesti.

Kolmioteoria? – 1 piste antaa 3

Terry oli ympyröinyt sanan *etsintäalue* lehtiartikkelin kohdasta, jossa Vegasin poliisietsivä kertoi kadonneen miehen vuokra-auton matkamittarilukemasta. Lukeman perusteella poliisi oli arvioinut, minkä kokoiselta alueelta miehestä voisi löytyä merkkejä.

Tajusin, että Terry oli ympyröinyt sanan, koska hän oli uskonut, että etsivä ei ollut tajunnut jotain. Etsintäalue ei olisikaan ympyrän muotoinen niin kuin tavallisesti. Se oli kolmion muotoinen, ja auton mittarilukema vastasi kolmion sivuja. Kolmion ensimmäinen piste, lähtöpaikka, oli McCarranin lentoasema, josta uhri vuokrasi auton ja ajoi pisteeseen kaksi. Se oli paikka, jossa hänen ja kaappaajan polut risteytyivät. Kolmas piste oli paikka, johon uhri vietiin. Lopuksi auto ajettiin takaisin alkupisteeseen, jolloin kolmio täydentyi.

Kun McCaleb oli kirjoittanut muistiinpanojaan, hän ei ollut tiennyt Zzyzx Roadista. Tuolloin hänellä oli tiedossaan vain yksi piste – lentokentän autovuokraamo. Hän oli kirjoittanut "1 piste antaa 3", koska hän tiesi, että jos yksikin kolmion muista pisteistä ratkeaisi, hän saisi sen myötä selville kolmannenkin.

"Jos saamme selvitettyä vielä yhden pisteen, tiedämme kaikki kolme", sanoin ääneen tulkiten Terry McCalebin pikakirjoitusta.

Nousin ylös ja kävelin ympäri huonetta. Olin innoissani ja tunsin olevani lähellä ratkaisua. Toki miehet siepannut henkilö oli voinut pysähdellä matkan varrella monissakin paikoissa, jolloin kolmioteoria ei pätisi lainkaan. Mutta jos hän ei ollut poikennut reitiltään ja hän oli onnistunut välttämään häiriötekijät ja pysymään suunnitelmassaan, teoria olisi pettämätön. Tappajan tunnontarkka järjestelmällisyys saattaisi olla hänen pahin heikkoutensa. Zzyzx Road oli kolmion kolmas piste, koska se oli viimeinen paikka, jossa auto oli pysähtynyt ennen kuin se oli palautettu takaisin vuokraamoon. Jäljelle jäävä piste oli ainoa tuntematon tekijä koko yhtälössä. Se oli paikka, jossa tappajan ja uhrin tiet risteytyivät. Paikka jossa saalistaja kohtasi saaliinsa. En tiennyt vielä, missä se sijaitsi, mutta äänettömän työparini avulla tiesin, miten saisin sen selville.

22

Backus katseli, kun Rachel ajoi tummansinisen Crown Victoriansa ulos FBI:n toimitalon vieressä sijaitsevalta varikolta. Rachel kääntyi vasempaan Charlestonille ja lähti kohti Las Vegas Boulevardia. Backus jäi odottamaan. Hän istui vuosimallia 1997 olevassa Ford Mustangissa, jossa oli Utahin osavaltion rekisterikilvet. Hän oli vienyt auton mieheltä nimeltä Elijah Willows, joka ei enää tarvitsisi sitä. Hän käänsi katseensa Rachelin autosta takaisin kadun suuntaan ja jäi tarkkailemaan.

FBI:n toimitalon viereisen toimistorakennuksen edestä lähti Grand Am, jossa istui kaksi miestä. Auto kääntyi samaan suuntaan kuin Rachel.

"Siinä meni ensimmäinen", hän sanoi itsekseen.

Backus odotti ja näki pian, että FBI:n pysäköintialueelta ajoi ulos tummansininen kaupunkimaasturi, jonka katolla oli kolme antennia. Myös se kääntyi Charlestonille mutta vastakkaiseen suuntaan kuin Rachel.

Maasturin perässä tuli toinen Grand Am.

"Ja siinä toinen ja kolmas."

Backus tunsi kyseisen seurantataktiikan täydellisesti. Samalla kun kohdetta tarkkailtiin näköetäisyydeltä turvallisen välimatkan päästä, sitä myös seurattiin satelliitilla toisesta autosta. Rachel oli saanut auton, johon oli asennettu GPS-lähetin, tiesi hän siitä tai ei.

Jäljittäminen ei haitannut Backusia. Hän tiesi, että saisi selville Rachelin päämäärän. Hänen tarvitsisi vain seurata autoa, joka oli lähtenyt Rachelin perään, ja hän tietäisi mihin Rachel oli matkalla.

Hän käynnisti Mustangin. Ennen kuin hän lähti seuraamaan Rachelia jäljittävää Grand Amia, hän avasi hansikaslokeron. Hänellä oli kumiset kirurgikäsineet, jotka olivat kokoa liian pienet niin että ne kiristyivät hänen iholleen, eikä niitä voinut nähdä kuin aivan lähietäisyydeltä.

Backusia hymyilytti. Hansikaslokerossa oli pieni kahdestilaukeava Derringer, joka tulisi hyvään tarpeeseen hänen oman aseensa lisäksi. Hän tiesi arvioineensa Elijah Willowsin oikein heti, kun hän oli nähnyt tämän kävelevän ulos Slots-o-Funista, joka sijaitsi Las Vegasin pääkadun vähemmän hohdokkaassa päässä. Willows oli fyysisesti juuri sellainen, jota hän oli etsinyt – sama pituus, sama ruumiinrakenne – mutta hän oli vaistonnut miehessä jotain muutakin. Willows oli tuntunut yksinäiseltä sudelta, joka suhtautuu kaikkeen epäluuloisesti. Hansikaslokerosta löytynyt ase oli vahvistanut hänen aavistuksensa. Onnistunut valinta vahvisti itseluottamusta.

Hän survaisi kaasupolkimen pohjaan ja kääntyi raivokkaasti Charlestonille. Hän teki niin tarkoituksellisesti. Hän tiesi, että jos Rachelin jäljittämisessä käytettiin jostain syystä neljättä autoa, hän herättäisi kaikkein vähiten huomiota, jos hän yrittäisi kaikin keinoin saada huomiota osakseen.

23

Se oli lukiotason geometriaa. Minulla oli tiedossa kolmion kolmesta pisteestä kaksi ja nyt ei tarvinnut kuin selvittää se kolmas. Se oli juuri niin yksinkertaista ja monimutkaista. Kolmannen pisteen selvittämisessä on tiedettävä kolmion sivujen yhteispituus, jonka minä onneksi tiesin. Istuin pöydän ääreen, avasin muistikirjastani uuden sivun ja ryhdyin tutkimaan Terry McCalebin karttakirjaa. *Timesin* artikkelin mukaan kadonneen miehen vuokra-auton matkamittarin lukema oli ollut 328 mailia. Jos tulkitsin McCalebin teoriaa oikein, luku vastasi kolmion kaikkien sivujen yhteenlaskettua pituutta. Kartan välimatkamerkintöjen ansiosta tiesin, että yksi sivuista, matka Zzyzx Roadilta Las Vegasin lentokentälle, oli 92 mailia. Jäljelle jäi 236 mailia. Luvun voisi jakaa lukemattomin eri tavoin kahden muun sivun kesken, joten puuttuva piste voisi sijaita lähes missä tahansa. Kompassi olisi tullut hyvään tarpeeseen, jotta olisin voinut laskea kolmion sivut tarkasti, mutta minun oli pakko tyytyä tavaroihin, jotka olivat saatavillani.

Kartan mittakaavan mukaan yksi tuuma vastasi viittäkymmentä mailia. Kaivoin lompakon taskustani ja otin ajokorttini esiin. Asetin ajokortin lyhyen sivun kartan mittakaavalle ja arvioin, että kortin leveys vastasi noin sadan mailin matkaa. Hahmottelin ajokorttini avulla kartalle useita eri kolmioita, joiden kaksi sivua olivat yhteensä noin 236 mailia. Muodostin kolmioita Zzyzx Roadin ja Las Vegasin välille piirtämäni viivan pohjois- ja eteläpuolelle. Käytin siihen ainakin kaksikymmentä minuuttia ja päädyin tulokseen, että etäisin mahdollinen kolmas piste voisi olla niinkin kaukana etelässä kuin Arizonassa ja Grand Canyonilla ja pohjoisessa Nellisin tukikohdan ampuma-alueen tienoilla. Turhaannuin nopeasti, koska vaihtoehtoja oli loputtomasti, enkä voisi tietää varmuudella oikeaa pistettä, vaikka vahingossa osuisinkin siihen.

Nousin ylös ja kävin hakemassa toisen oluen. Olin edelleen vihoissani itselleni, kun avasin puhelimen ja soitin taas Buddy Lockridgelle. Hän ei vastannut, ja puhelu meni suoraan vastaajaan.

"Missä helvetissä sinä viivyt, Buddy?"

Läimäytin puhelimen läpän kiinni. En oikeastaan edes halunnut nähdä Buddya juuri nyt. Halusin vain raivota jollekulle, ja Buddy olisi oiva uhri.

Menin uudestaan parvekkeelle ja vilkaisin Janen huoneen suuntaan. Parveke oli tyhjä ja tunsin pientä pettymystä. Jane oli arvoituksellinen, ja hänen kanssaan oli hauska jutustella. Käännyin katsomaan pysäköintialueen ja verkkoaidan takana seisovia yksityiskoneita ja näin silmäkulmastani miehen, joka seisoi pysäköintialueen kulmauksessa. Hänellä oli päässään musta lippalakki, johon oli kirjailtu jotain kullan värisin kirjaimin, mutta en saanut tekstistä selvää. Miehellä ei ollut partaa eikä viiksiä, mutta hänellä oli peililasit ja valkoinen paita. Hänen edessään oleva auto peitti hänen alaruumiinsa. Hän tuntui katsovan suoraan minuun. Lippalakkimies ei liikkunut ainakaan kahteen minuuttiin, enkä liikkunut minäkään. Halusin lähteä parvekkeelta ja marssia suoraan pysäköintialueelle hänen luokseen mutta en uskaltanut hievahtaa, sillä pelkäsin että hän häviäisi saman tien, jos kadottaisin hänet silmistäni edes muutamaksi sekunniksi.

Tuijotimme toisiamme, kunnes hän yhtäkkiä käänsi katseensa pois ja lähti kävelemään pysäköintialueen poikki. Kun hän tuli esiin auton takaa, näin että hänellä oli mustat sortsit ja jonkinlainen varustevyö. Näin myös, että hänen paidassaan luki *Vartija* ja tajusin, että hän oli luultavasti motellin palveluksessa. Hän käveli katettuun käytävään, joka erotti Double X:n kaksi siipeä toisistaan, ja minä menetin näköyhteyteni häneen.

Unohdin koko jutun. En ollut aiemmin nähnyt vartijaa alueella päiväsaikaan mutta en uskonut, että siinä oli mitään epäilyttävää. Vilkaisin uudestaan naapuriparvekkeelle, mutta koska Janesta ei näkynyt vilaustakaan, palasin takaisin töiden pariin.

Päätin lähestyä arvoitusta eri tavalla. Jätin kolmion sivujen mittaamisen ja katsoin pelkkää karttaa. Aiempien yritysten perusteella osasin arvioida, kuinka kaukana kolmas piste voisi sijaita. Ryhdyin nyt tarkastelemaan paikkakuntia ja tieosuuksia määrittelemäni alueen sisällä. Aina kun huomasin paikan, joka herätti mielenkiintoni, mittasin ajokortin avulla matkan siinä toivossa, että muodostamani kolmion sivut olisivat yhteensä noin 328 mailia.

Olin mitannut välimatkat yli kahdellekymmenelle paikkakunnalle, eivätkä tulokset olleet lähelläkään sopi-

228

via, kun huomasin yhtäkkiä alueen pohjoisosassa paikkakunnan, joka oli niin pieni, että se oli merkitty karttaan mitättömällä mustalla pisteellä, kaikkein pienimmällä asukasluvun karttamerkillä. Kaupungin nimi oli Clear. Olin kuullut siitä ja innostuin löydöstäni heti. Se sopisi Runoilijan toimintatapaan täydellisesti.

Mittasin etäisyydet ajokortilla. Clear sijaitsi Blue Diamond Highwayn varrella noin 80 mailia Las Vegasista pohjoiseen. Clearista oli pieniä teitä pitkin noin 150 mailia Zzyzx Roadille, kolmion kolmanteen pisteeseen, jos ajaisi Kalifornian rajan tuntumassa sijaitsevan Sandy Valleyn kautta valtatie 15:lle. Kun lisäsin lukuun Zzyzx Roadin ja Las Vegasin välimatkan, sain tulokseksi kolmion, jonka sivujen yhteenlaskettu pituus oli 322 mailia. Se oli vain kuusi mailia vähemmän kuin kadonneen miehen vuokra-auton matkamittarista saatu lukema.

Tunsin veren kohisevan suonissani. Clear Nevadassa. En ollut käynyt siellä koskaan mutta tiesin, että paikkakunta oli täynnä bordelleja ja muita liikeyrityksiä, joita prostituutio tavallisesti synnyttää lähialueilleen. Olin kuullut Clearista, koska olin poliisina monesti jäljittänyt epäiltyjä, joilla olivat viihtyneet siellä. Olin kuullut laitapuolen kulkijoilta, jotka olivat antautuneet minulle vapaaehtoisesti Los Angelesissa, että he olivat viettäneet viimeiset vapaat hetkensä Clearin auliiden tyttöjen kanssa.

Clear oli moraalisesti kyseenalainen paikka, jossa saattoi käydä jättämättä jälkiä käynnistään. Se koski etenkin ukkomiehiä. Menestyneitä liikemiehiä ja pappeja. Clear muistutti monin tavoin Amsterdamin punaisten lyhtyjen aluetta, paikkaa jossa Runoilija oli muutama vuosi sitten siepannut uhrinsa.

Aavistuksien ja vaistojen seuraaminen muodostaa valtavan suuren osan poliisityöstä. Tapaukset ratkeavat tai kaatuvat kivenkovien tosiseikkojen ja todisteiden perusteella, sitä on turha yrittää kiertää. Mutta yleensä tarvitaan kuitenkin juuri vaistoa, jotta nuo tosiseikat saadaan selville ja jotta ne voidaan liittää saumattomasti yhteen. Päätin siksi noudattaa vaistojani. Tiesin olevani oikeassa Clearin suhteen. Voisin istua pöydän ääressä ja piirrellä kolmioitani pitkin poikin karttaa koko loppupäivän, jos vain haluaisin. Kuitenkin vain se kolmio, jonka kärjessä Clear sijaitsi, oli naulinnut minut paikoilleni, vaikka lähes tutisin adrenaliinin ryöpsähdellessä veressäni. Uskoin ratkaisseeni Terry McCalebin kolmioteorian. Ei, en vain uskonut. Olin *täysin varma* siitä. Äänettömän työparini arvoituksellisten muistiinpanojen ansiosta tiesin täsmälleen, mihin mennä. Käytin ajokorttiani viivaimena ja täydensin kolmion kaksi puuttuvaa sivua karttaan. Napautin kynällä kutakin kulmaa ja nousin ylös.

Keittiön seinällä roikkuva kello näytti lähes viittä. Tänään oli liian myöhäistä lähteä liikkeelle. Pääsisin perille vasta pimeän tullen, enkä halunnut sitä – se voisi olla vaarallistakin. Päätin, että hyppäisin autoon aamuvarhaisella, jolloin minulla olisi koko päivä aikaa tehdä tarvittavat tutkimukset Clearissa.

Mietin mitä tavaroita minun pitäisi ottaa mukaan, kun oveen koputettiin. Säpsähdin vaikka olin osannut odottaa vierasta. Kävelin ovelle päästääkseni Buddy Lockridgen sisään.

24

Harry Bosch avasi oven, ja Rachel näki heti, että tämä oli vihainen. Bosch meinasi ärähtää jotain ennen kuin huomasi, että oven takana seisoikin Rachel, ja sulki sitten suunsa. Rachel päätteli, että Bosch oli odottanut toista vierasta, joka tuntui olevan pahasti myöhässä sovitusta tapaamisesta.

"Agentti Walling?"

"Odotitko jotakuta muuta?"

"Ei, en ketään."

Rachel näki, kuinka Bosch vilkaisi hänen olkansa yli pysäköintialueelle, joka sijaitsi motellin takana.

"Jäänkö tähän ovelle seisoskelemaan?"

"Anteeksi, astu vain sisään."

Bosch otti pari askelta taaksepäin ja piteli ovea auki. Rachel astui surullisen pieneen yksiöön, jossa oli vain muutama masentavan värinen kaluste. Huoneen vasemmalla sivustalla oli suunnilleen 60-luvulta peräisin oleva pieni keit-

231

tiönpöytä, ja Rachel näki että pöydällä oli olutpullo, muistikirja ja tiekartta, joka oli auki Nevadan kohdalta. Bosch käveli nopeasti pöydän luokse, sulki sekä kartan että muistikirjan ja pinosi ne pöydälle päällekkäin. Silloin Rachel huomasi, että pöydällä lojui myös Boschin ajokortti.

"Miten eksyit näin hulppeaan paikkaan?" Bosch kysyi.

"Halusin nähdä mitä puuhailet", Rachel vastasi ja yritti peittää epäluuloisen äänensävynsä. "Toivottavasti tämänaamuinen tervetuloseremonia ei jäänyt vaivaamaan mieltäsi."

"Ei suinkaan. Osasin odottaa juuri niin lämmintä vastaanottoa."

"Sen minä kyllä uskon."

"Miten löysit minut?"

Rachel otti muutaman askeleen.

"Maksat huoneesi luottokortilla."

Bosch nyökkäsi mutta ei vaikuttanut oudoksuvan sitä, kuinka nopeasti ja kuinka kyseenalaisin keinoin FBI oli paikallistanut hänet. Rachel otti taas pari askelta ja vinkkasi pöydällä olevaa karttaa.

"Suunnittelitko pikaista lomamatkaa? Nythän sinulla on kosolti aikaa, kun et enää jatka tutkimustasi."

"Pieni autoreissu tekisi hyvää."

"Missä meinasit käydä?"

"En ole vielä päättänyt."

Rachel hymähti ja kääntyi avoimen parvekkeen oven suuntaan. Hän näki motellin pysäköintialueen takana sijaitsevalla lentokentällä hintavannäköisen mustan yksityiskoneen.

"Luottokorttitietojen mukaan olet ollut täällä vuokralla lähes yhdeksän kuukautta. Käyt silloin tällöin Los Angelesissa, mutta pääasiassa tunnut viihtyvän täällä."

"Joo, minulle annetaan kanta-asiakasalennusta. Hinnaksi tulee pyöreät parikymppiä päivässä."

232

"Aika paljon tästä paikasta."

Bosch katseli ympäri huonetta aivan kuin tekisi niin ensimmäistä kertaa.

"Taitaa olla."

He seisoivat yhä. Rachel tiesi, että Bosch ei haluaisi hänen istuvan ja jäävän pitkäksi aikaa, koska tämä odotti toista vierasta. Rachel päättikin sen vuoksi olla kuin kotonaan. Hän istui nukkavierulle sohvalle kehottamatta.

"Miksi olet vuokrannut asuntoa näin pitkään?" hän kysyi.

Bosch vetäisi pöydän alta tuolin ja istahti alas.

"Jos välttämättä haluat tietää, se ei liity mitenkään tähän tapaukseen."

"En uskonutkaan. Olen vain utelias, ei muuta. Et näytä siltä, että harrastat uhkapelejä, et pelaa ainakaan rahasta. Tämä tuntuu sopivalta paikalta vain peliriippuvaisille."

Bosch nyökkäsi.

"Aivan oikein. Pelureille ja muille addikteille. Vietän aikaa täällä, koska tyttäreni asuu Vegasissa. Äitinsä kanssa. Olen yrittänyt tutustua tyttäreeni paremmin viime aikoina. Voisi varmaan sanoa, että olen riippuvainen hänestä."

"Kuinka vanha hän on?"

"Täyttää pian kuusi."

"Sepä mukavaa. Ja hänen äitinsä on Eleanor Wish, entinen FBI:n agentti."

"Kukapa muukaan. Mitä agentti Wallingilla oli mielessään?"

Rachel hymyili taas. Hän piti Boschista. Etsivä kävi aina suoraan asiaan. Ilmeisesti hän ei antanut yhdenkään ihmisen tai asian hermostuttaa itseään. Rachel mietti, johtuiko se siitä, että Bosch oli entinen poliisi, vai jostain toisesta painolastista, jota tämä kanniskeli harteillaan.

"Ensinnäkin haluan, että sanot minua Racheliksi. Mutta kyse taitaa olla pikemminkin siitä, mitä sinä haluat minun tekevän. Sinähän tahdoit, että otan yhteyttä, eikö vain?"

Bosch naurahti, mutta ei siksi, että Rachel olisi sanonut jotain huvittavaa.

"Mitä ihmettä sinä tarkoitat?"

"Se kuulustelu. Ne katseet, nyökkäilyt, hymyt ja kaikki muu. Valitsit minut. Yritit luoda yhteyden välillemme. Halusit tasapainottaa peliä: kaksi kahta vastaan sen sijaan, että tielläsi olisi kolme vihollista."

Bosch kohautti harteitaan ja katseli parvekkeelle.

"En toiminut mitenkään suunnitelmallisesti. Minä... En edes tiedä, mitä tein. Minusta tuntui, että sinuakaan ei ole käsitelty silkkihansikkain. Tahdon vain sanoa, että tiedän, miltä se tuntuu."

"Siitä on kahdeksan vuotta, kun FBI viimeksi kohteli minua kuin ihmistä."

Bosch kääntyi katsomaan Rachelia.

"Ja kaikki pelkästään Backusin vuoksi?"

"Oli siinä muutakin. Tein paljon virheitä, ja FBI:llä on norsun muisti."

"Tiedän myös miltä se tuntuu."

Bosch nousi ylös.

"Minä otan vielä yhden oluen", hän sanoi. "Haluatko sinäkin, vai oletko täällä virantoimituksessa?"

"Anna vain, olin virantoimituksessa tai en."

Bosch nappasi tyhjän olutpullon pöydältä ja käveli ahtaaseen keittiöönsä. Hän laski pullon tiskialtaaseen ja otti kaksi korkkaamatonta olutta jääkaapista. Hän aukaisi pullot ja toi ne olohuoneeseen. Rachel tiesi, että hänen pitäisi olla varuillaan ja tarkkaavainen. Näissä tilanteissa oli tärkeää, kuka vedätti ja ketä.

"Astiakaapissa on talon puolesta lasejakin, mutta en suosittele niitä", Bosch sanoi ja ojensi toisen pulloista Rachelille.

234

"Kyllä se näinkin kelpaa."

Rachel otti oluensa ja kilisti Boschin kanssa. Sitten hän otti lyhyen siemauksen. Sierra Nevadaa, mainiota olutta. Rachel huomasi, että Bosch tarkkaili, joisiko hän oikeasti vai vain teeskentelisi. Hän pyyhki suunsa kädenselällään, vaikka ei ollut läikyttänyt pisaraakaan.

"Pirun hyvää."

"Sanos muuta. Minkä roolin olet muuten saanut tutkinnassa? Joudutko pyörittelemään peukaloitasi ja pitämään suusi kiinni, kuten Zigo?"

Rachel naurahti.

"En ole tosiaan tainnut kuulla yhtään kokonaista lausetta sen miehen suusta. Toisaalta tulin vasta pari päivää sitten. Pääsin mukaan kai lähinnä siitä syystä, että heillä ei ollut muita vaihtoehtoja. Minä tunnen Bob Backusin paremmin kuin kukaan, ja GPS-paikannin lähetettiin Quanticoon minun nimelläni, vaikka en ole astunut jalallani koko laitokseen viimeiseen kahdeksaan vuoteen. Tajusit varmaan, että Backusin suunnitelma saattaa liittyä jotenkin minuun. Oli niin tai näin, sain pääsylipun tähän sirkukseen."

"Mikä oli edellinen asemapaikkasi?"

"Rapid Cityn paikallistoimisto."

Bosch irvisti.

"Se oli vielä ihan hyvä paikka", Rachel tokaisi. "Ennen sitä olin Minotissa Pohjois-Dakotassa. Se on yhden agentin toimisto. Kahlasin suurimman osan ajasta vyötäröä myöten lumessa."

"Paska juttu. Meillä sitä sanotaan moottoritieterapiaksi. Jos joku ei ole yläkerran suosiossa, hänet siirretään mahdollisimman kaukaiseen piiriin, jolloin päivittäinen työmatka kestää tietenkin monta tuntia. Kun istuu pari vuotta liikenneruuhkissa, niin virkamerkistä luopuu vapaaehtoisesti."

"Puhutko omasta kokemuksesta?"

"En, mutta olen varma, että tiedät, miksi minä lähdin."

Rachel ei reagoinut vaan vaihtoi nopeasti puheenaiheen takaisin itseensä.

"FBI:n toimialue kattaa koko maan. Meillä sitä ei sanota moottoritieterapiaksi vaan kovennetuksi komennukseksi. Agentit siirretään paikallistoimistoihin, joihin kukaan ei halua. Ja niitä riittää paljon, paikkoja, joihin hylkiöt voidaan haudata pitkäksikin aikaa. Minotissa kaikki tutkinnat koskevat intiaanireservaatteja, eikä FBI:n henkilökuntaan suhtauduta suopeasti niillä main. Ei Rapid City ollut kummoinenkaan parannus, mutta siellä oli sentään muitakin agentteja. Muita hylkiöitä. Työilmapiiri oli tosi hyvä, kun kenelläkään ei ollut mitään paineita. Tiedät varmaan mitä tarkoitan?"

"Totta kai. Kuinka kauan olit siellä?"

"Kaikkiaan kahdeksan vuotta."

"Jessus."

Rachel huitaisi kädellään välinpitämättömästi aivan kuin ei välittäisi pätkääkään. Hän yritti saada Boschin puolelleen. Hän tiesi, että paljastamalla henkilökohtaisia asioita itsestään, hän voisi saavuttaa Boschin luottamuksen. Hän halusi saavuttaa sen.

"Oliko jotain muutakin?" Bosch jatkoi. "Saitko siirron vain siksi, että heidän oli pakko langettaa syy jonkun niskoille? Koska ammuit Backusia? Vai siksi, että hän pääsi livahtamaan?"

"Syitä oli vaikka kuinka monta. Vihollisen kanssa veljeily, purukumin jauhaminen luokassa, sitä rataa."

Bosch hyväksyi selityksen eikä kysynyt tarkemmin.

"Miksi et vain eronnut virastasi, Rachel?"

"En eronnut, Harry, koska en halunnut, että he päihittävät minut."

Bosch nyökkäsi, ja Rachel näki pilkkeen tämän silmä-kulmassa. Hän oli vetänyt oikeasta narusta. Hän oli saa-vuttamassa Boschin luottamuksen ja se tuntui hyvältä.

"Voinko kertoa sinulle jotain epävirallisesti, Harry?"

"Tietenkin."

"Sain tehtäväkseni pitää sinua silmällä."

"Minuako? Miksi? En tiedä olitko kuulolla siinä hel-vetin matkailuautossa, mutta minä sain sen käsityksen, että minut viskattiin ulos tutkimuksesta."

"Juuri niin, ja sinä aiot tietenkin noudattaa saamaasi käskyä."

Rachel kääntyi ja katsoi pöydälle pinottua tiekarttaa ja muistikirjaa. Sitten hän katsoi taas Boschia ja hänen ää-nensä oli tinkimätön ja vakaa.

"Sain tehtäväkseni tarkkailla sinua, ja jos aiot tunkea nokkasi vielä kerran lähellekään tutkimusta, minun on käsketty pistää sinut rautoihin."

"Agentti Walling, en usko että –"

"Teitittelemiset eivät auta suuntaan eivätkä toiseen."

"Selvä, Rachel sitten. Jos yrität uhkailla minua, siitä vain, anna tulla. Mutta en usko, että tajuat –"

"En minä uhkaile. Tulin luoksesi kertomaan, että en aio noudattaa käskyjäni."

Bosch jäi sanattomaksi ja katseli Rachelia pitkään.

"Mitä tarkoitat?"

"Sitä että olen tarkistanut tietosi. Arvasit ihan oikein. Minä tiedän, mitä sinä olet tehnyt ja millainen poliisi olit. Tiedän myös tulehtuneista suhteistasi FBI:hin. Tiedän si-nusta kaiken ja olen varma, että et kertonut meille kaik-kea, mitä tiedät tästä tapauksesta. Uskon, että olet saanut jotain selville. Paljastit aamulla vain sen verran, että pää-sit pois ehjin nahoin."

Oli Rachelin vuoro olla hiljaa ja odottaa. Lopulta Bosch avasi suunsa.

"Jos tuo oli tarkoitettu kohteliaisuudeksi, niin mikäs sen parempaa, mutta mitä yrität todella sanoa?"

"Minulla on oma ikävä menneisyyteni. En aio jäädä toimistolle keittämään kahvia, kun muut lähtevät Backusin perään. En tällä kertaa. Haluan saada hänet kiinni ennen muita, ja koska olemme Las Vegasissa, olen päättänyt lyödä vetoa sinun puolestasi."

Bosch ei hievahtanut eikä sanonut mitään. Rachel tarkkaili Boschin tummia silmiä, kun tämä mietti, mitä hän oli juuri sanonut. Rachel tiesi ottaneensa valtavan riskin. Hänet oli kuitenkin sysätty Dakotaan kahdeksaksi vuodeksi, ja se jos mikä oli saanut hänet suhtautumaan riskeihin täysin eri tavoin kuin Quanticon aikoina.

"Minullakin on kysymys", Bosch sanoi vihdoin. "Miksi et ole hotellissa kahden agentin kanssa, jotka vartioivat oveasi siltä varalta, että Backus ilmestyy paikalle? Kuten sanoit, tämä saattaa olla pelkkää peliä hänelle. Ensin Terry McCaleb, sitten sinä."

Rachel pudisti päätään, sillä hän ei uskonut, että piileskelystä olisi hyötyä.

"Luulen, että muut käyttävät minua hyväkseen. Toimin syöttinä."

"Käyttävätkö he?"

Rachel kohautti olkapäitään.

"En tiedä. He eivät kerro minulle mitään. Ei sillä ole oikeastaan väliä. Jos Backus tahtoo minut, antaa hänen yrittää. Minä en linnoittaudu hotellihuoneeseeni, kun hän on vapaalla jalalla, en ainakaan niin kauan kuin minulla on parhaat kaverini Sig ja Glock turvanani."

"Oho, kahden käsiaseen agentti. Mielenkiintoista. Suurin osa poliiseista, jotka kantavat kahta asetta, on melkoisia kuumapäitä. En tehnyt mielelläni töitä heidän kanssaan."

Sanoista huolimatta Bosch kuulosti leikkisältä. Rachel tiesi, että oli saamaisillaan hänet.

"En pidä molempia mukanani yhtä aikaa. Toinen on työase ja toinen on oma. Yrität sitä paitsi vaihtaa puheenaihetta."

"Mistä me puhuimme?"

"Suunnitelmastasi. Hei, mitä poliisielokuvissa aina hoetaan? Tämä tehdään joko meidän tavallamme tai –"

"Hakkaamme sinua kasvoihin puhelinluettelolla."

"Täsmälleen. Sinä työskentelet yksin, haraat kaikkia vastaan tietenkin, mutta tunnen, että sinulla on erinomaiset vaistot ja tiedät jotain, mitä FBI ei ole tajunnut. Miksi emme voisi työskennellä yhdessä?"

"Mitä sitten tapahtuu, kun Dei ja muut agentit kuulevat siitä?"

"Olen valmis ottamaan sen riskin ja voin ottaa kaikki syytkin niskoilleni. Mutta entä sitten? Miten he voivat rangaista minua? Pahimmassa tapauksessa minut lähetetään takaisin Minotiin. Kyllä minä kestän."

Bosch nyökkäili. Rachel katseli häntä ja yritti nähdä tummien iiriksien taakse ja saada selkoa hänen ajatuksistaan. Rachel uskoi, että Bosch unohtaisi ammattiylpeyden ja pikkuseikat ja keskittyisi vain siihen, mikä oli parasta tutkimuksen kannalta. Bosch punnitsisi asiaa ja tulisi lopulta johtopäätökseen, että Rachelin ehdotus olisi paras vaihtoehto.

Bosch nyökkäsi vielä kerran ja teki päätöksensä.

"Mitä aiot tehdä huomisaamuna?"

"Vahtia sinua. Miksi kysyt?"

"Missä hotellissa asut?"

"Embassy Suites, se on Paradisen varrella lähellä Harmonia."

"Haen sinut kahdeksalta."

"Olemmeko menossa jonnekin?"

"Kolmion kärkipisteeseen."

"Mitä tarkoitat? Mihin siis?"

239

"Selitän tarkemmin huomenna. Luulen, että voin luottaa sinuun, Rachel, mutta edetään silti askel kerrallaan. Haluatko mukaan?"

"Hyvä on, Bosch, minä tulen."

"Alatko sinä nyt teitittelemään minua?"

Rachel hymähti ja katseli, kuinka Bosch yritti tulkita häntä.

"Se on sitten sovittu, nähdään huomenna", Bosch jatkoi. "Minun pitää lähteä katsomaan tytärtäni."

Kumpikin nousi ylös. Rachel otti vielä yhden huikan oluesta ja laski puolityhjän pullon pöydälle.

"Kahdeksalta huomisaamuna", Rachel toisti. "Ja sinä tulet hotellille?"

"Nähdään siellä."

"Etkö halua, että minä ajan? Bensat menisivät valtion piikkiin."

"Ei sillä ole väliä. Saatko käsiisi kadonneiden miesten valokuvat? Ne olivat lehtiartikkelissa, mutta Dei vei sen."

"Katson mitä voin tehdä. Toimistolta löytyy varmasti kopioita, joita kukaan ei jää kaipaamaan."

"Vielä yksi juttu. Ota molemmat kaverisi mukaan."

"Mitkä kaverit?"

"Sig ja Glock."

Rachel hymyili mutta pudisteli päätään.

"Sinulla ei ole kantolupaa, eihän?"

"Ei ole, ei."

"Taidat tuntea olosi melko alastomaksi?"

"Niinkin voisi sanoa."

Rachel hymyili uudestaan.

"Tiedät kyllä, etten aio antaa sinulle asetta, Harry. En ikipäivänä."

Bosch luovutti.

"Oli pakko kysyä."

Bosch avasi Rachelille oven. Kun ovi oli sulkeutunut, Rachel lähti laskeutumaan portaita alas pysäköintialueelle. Hän vilkaisi vielä olkansa yli taakseen ja mietti, katseliko Bosch ovisilmästä. Sitten hän nousi FBI:n autovarikolta noutamaansa Crown Viciin. Hän tiesi ottaneensa riskin. Se että hän oli paljastanut asioita Boschille ja seuraavan päivän tapaaminen pitäisivät huolen siitä, että hän saisi heittää hyvästit uralleen, jos kaikki ei menisi suunnitelmien mukaan. Mutta hän ei välittänyt. Las Vegas oli uhkapelikaupunki. Hän luotti Boschiin ja itseensä. Hän ei antaisi muiden voittaa.

Kun Rachel ryhtyi peruuttamaan autoa, hän näki taksin ajavan motellin pysäköintialueelle. Takapenkiltä nousi kookas mies, jolla oli auringon vaalentama hiuspehko ja räikeä havaijipaita. Mies jäi hetkeksi katselemaan motellihuoneiden numeroita, kainalossaan hän kantoi paksua kellastunutta kirjekuorta tai kansiota. Rachel katsoi, kun mies laahusti portaat ylös ja käveli huoneen 22 ovelle, Boschin ovelle. Ovi avautui ennen kuin mies ehti koputtaa.

Rachel peruutti pysäköintiruudusta ja ajoi Kovalille. Hän kiersi korttelin ja pysäytti auton paikkaan, josta näki selvästi Boschin kurjan motellin pysäköintialueen molemmat uloskäynnit. Boschilla oli muitakin suunnitelmia, ja Rachel aikoi ottaa niistä selvää.

25

Backus näki vain vilauksen miehestä, joka avasi Rachel Wallingille motellihuoneensa oven. Hän uskoi kuitenkin tunnistavansa tämän vuosien takaa. Backusin pulssi kiihtyi. Jos hän oli oikeassa huoneen 22 asukin suhteen, panokset nousivat heti merkittävästi.

Hän tarkkaili motellia ja sen ympäristöä. Hän näki FBI:n kaikki kolme Rachelia seurannutta autoa. Agentit pysyttelivät hieman etäämpänä motellista. Yksi heistä oli noussut autostaan ja istui nyt linja-autopysäkillä kadun varressa. Hän oli kuin kala kuivalla maalla teeskennellessään odottavansa linja-autoa harmaassa puvussaan, mutta se oli tismalleen FBI:n tyylistä toimintaa.

Backusin oli helppo liikkua vaivihkaa motellin alueella. Rakennus oli L-kirjaimen muotoinen, ja pysäköintialue ympäröi sitä joka puolelta. Jos hän siirtyisi motellin toiselle puolelle, hän voisi nähdä Rachelin kanssa olevasta miehestä toisenkin vilauksen takaikkunan tai parvekkeen kautta.

Hän ei kuitenkaan halunnut ottaa niin suurta riskiä, että ajaisi autonsa rakennuksen taakse. Bussipysäkin penkkiä lämmittävä agentti voisi kiinnostua liikaa hänen liikkeistään. Hän päätti sen sijaan avata auton oven ja astua ulos. Kattovalon hän oli kytkenyt pois päältä jo aiemmin, jotta oven avaaminen ei herättäisi vähäisintäkään huomiota. Hän käveli kyyryssä kahden auton väliin, veti lippalakin päähänsä, painoi lakin reunan silmilleen ja nousi sitten pystyyn autojen välissä. Lakkiin oli painettu kirjainyhdistelmä UNLV, paikallisen yliopiston lyhenne.

Backus käveli motellin pohjakerroksessa sijaitsevaan katettuun käytävään, joka erotti motellin kaksi siipeä toisistaan. Hän ohitti virvoitusjuoma- ja makeisautomaatit, astui ulos rakennuksen takapuolelta, meni pysäköintialueelle ja esitti etsivänsä autoaan. Hän vilkaisi ylöspäin ja näki parvekkeen, jonka hän uskoi kuuluvan siihen huoneeseen, johon Rachel oli mennyt. Parvekkeen liukuovi oli auki.

Kun Backus käänteli päätään ja teeskenteli etsivänsä autoaan, hän huomasi, että pysäkillä istuva agentti ei nähnyt rakennuksen taakse. Kukaan ei voisi tarkkailla häntä. Hän siirtyi huolettomasti suoraan parvekkeen alle. Hän yritti kuunnella keskustelua, joka kantautui parvekkeen avoimesta ovesta. Hän erotti Rachelin äänen mutta ei saanut selvää yksittäisistä sanoista ennen kuin tämä sanoi täysin selvästi: "Taidat tuntea olosi melko alastomaksi?"

Rachelin sanat hämmästyttivät ja kiinnostivat Backusia. Hän harkitsi kiipeävänsä toiseen kerrokseen, jotta voisi kuulla keskustelun paremmin. Oven sulkeutumisen ääni sai hänet muuttamaan mieltään. Hän arvasi, että Rachel oli lähtenyt. Hän käveli takaisin käytävään ja piileskeli Coca Cola -automaatin suojissa, kunnes Rachel käynnisti autonsa. Backus odotti ja kuunteli. Pian hän näki, että pysäköintialueelle ajoi toinenkin auto. Hän siirtyi automaatilta käytävän päätyyn ja kurkisti kulman takaa. Pysäköintialueelle oli ajanut taksi, ja hän tunnisti taksista nousseen matkustajan heti. Se oli Terry McCalebin liikekumppani. Hän oli täysin varma siitä ja tunsi astuneensa keskelle mahtavaa ja jännittävää arvoitusta. Mitä Rachel puuhaili? Ja oliko hän saanut yhteyden Terryn kumppaniin näin nopeasti? Ja mitä helvetin tekemistä LAPD:llä oli tutkimuksen kanssa?

Backus katsoi taksin ohi ja seurasi, kuinka Rachel ajoi ulos pysäköintialueelta ja kääntyi liikenteen joukkoon. Hän odotti, kunnes toinen Grand Am ajoi linja-autopysäkille, penkillä vartonut agentti hyppäsi kyytiin ja auto kaasutti Rachelin perään. Sitten Backus veti lippalakin uudestaan syvemmälle päähän ja astui esiin käytävästä. Hän lähti kävelemään autoaan kohti.

26

Katsellessani ovisilmästä ajattelin Rachel Wallingia ja ih-
mettelin, miten helvetilliset vuodet FBI:ssä ja Dakotassa
eivät olleet pystyneet lannistamaan hänen elinvoimaansa
ja huumorintajuaan. Pidin hänestä ja uskoin, että välil-
lemme oli syntymässä yhteys. Vaikka ajattelin, että voisin
ehkä luottaa häneen, tiesin, että hän oli käsitellyt minua
ammattilaisen ottein. Olin varma, että hän ei ollut kerto-
nut minulle kaikkea, ei kukaan ikinä kerro, mutta hän oli
kuitenkin sanonut tarpeeksi. Halusimme kumpikin samaa
asiaa, vaikkakin eri syistä. En silti menisi pyörtämään
päätöstäni vaan ottaisin hänet mukaani huomisaamuna.
    Yhtäkkiä ovisilmän näkymän täytti kuperaksi vääris-
tynyt Buddy Lockridge. Avasin oven ennen kuin hän ehti
koputtaa ja vedin hänet riuskasti sisään. Mietin oliko
Walling nähnyt Buddya.
    "Täydellinen ajoitus, Buddy. Puhuiko joku kanssasi tai
pysäytettiinkö sinut matkalla?"

"Missä, täälläkö?"

"Niin, täällä juuri."

"Ei, nousin taksista ihan äsken."

"Missä sitten viivyit?"

Lockridge selitti myöhästymisensä sillä, ettei ollut saanut taksia Bellagiosta, mitä en tietenkään uskonut. Kun otin Buddylta molemmat kansiot, joita hän kanniskeli kainalossaan, näin että farkkujen toinen tasku pullotti ratkeamaisillaan.

"Älä jauha paskaa, Buddy. Taksin löytäminen voi olla vaikeaa tässä kaupungissa, mutta ei Bellagiossa. Sieltä saa aina kyydin."

Ojensin käteni ja läpsäytin kämmenselällä hänen täpötäyttä taskuaan.

"Sinä jäit pelaamaan, etkö jäänytkin? Taskusi on täynnä pelimerkkejä."

"Ajattelin kokeilla pari kierrosta black jackia, mutta sitten kävi jumalaton tuuri. Voitin koko ajan. Katso nyt."

Buddy tunki kätensä taskuun ja esitteli minulle täyttä kourallista viiden dollarin pelimerkkejä.

"Helvetti mikä putki! Ei sellaisesta pöydästä voi lähteä kävelemään."

"Mahtavaa. Nyt voitkin maksaa hotellihuoneen voitoillasi."

Buddy katseli huonettani. Avoimen parvekkeen oven kautta huoneeseen kantautui liikenteen ja lentokoneiden jyly.

"Sehän passaa", Buddy sanoi. "Minä en jäisi tänne mistään hinnasta."

Olin vähällä ratketa nauruun. Olin sentään nähnyt, miten hän asui.

"Voit minun puolestani tehdä mitä lystäät, sillä en tarvitse enää apuasi. Kiitos, että toit nämä kansiot."

Lockridge jäi tuijottamaan minua.

"Mitä pirua?"

"Minulla on uusi kumppani. Liittovaltion agentti. Voit mennä takaisin Los Angelesiin vaikka saman tien tai pelata black jackia kunnes omistat koko Bellagion. Minä maksan lentolippusi, kuten lupasin, ja lisäksi helikopterimatkan Catalinalle ja 40 dollaria hotellihuoneestasi. Se on käypä taksa tässä paikassa."

Vinkkasin tutkimuskansioita.

"Pistän päälle vielä parisataa siitä hyvästä, että toit nämä minulle."

"Älä nyt viitsi. Hei, minä tulin tänne asti. Voin auttaa. Olen ollut tekemisissä FBI:n kanssa ennenkin, kun Terry ja minä tutkimme yhtä juttua."

"Se oli silloin ja nyt on nyt. Älä jaksa inttää Buddy. Voin heittää sinut takaisin hotellille. Taksit ovat kuulemma harvassa, ja minä olen menossa samaan suuntaan."

Kun olin sulkenut parvekkeen oven, talutin Buddyn ulos ja lukitsin huoneen. Otin kansiot mukaan lukeakseni niitä myöhemmin. Laskeutuessamme portaita pysäköintialueelle koetin etsiä katseellani vartijaa mutta en nähnyt häntä missään. Vilkuilin ympärilleni samalla myös Rachel Wallingin varalta mutta en nähnyt häntäkään. Näin kuitenkin naapurini Janen pistävän kenkälaatikon valkoisen Monte Carlon tavaratilaan. Huomasin portailta, että Janen auto oli täynnä suurempia laatikoita.

"Sinun on parempi tehdä hommia minun kanssa", Buddy sanoi äänellä, jossa kaikui yhä karvas pettymys. "Ei FBI:hin voi luottaa. Terry oli sentään töissä siellä eikä hänkään luottanut."

"Tiedän kyllä, Buddy. Olen joutunut tekemään yhteistyötä FBI:n kanssa viimeiset kolmekymmentä vuotta."

Lockridge vain pudisteli päätään. Näin kun Jane istahti autonsa rattiin ja peruutti pois. Mietin näkisinkö häntä enää koskaan. Olin tainnut pelästyttää hänet ja ajaa hänet pakosalle, kun olin kertonut, että olen entinen poliisi. Tai ehkä Jane oli kuullut keskusteluni Rachelin kanssa motellin ohuiden seinien läpi.

Buddyn kommentti FBI:stä toi mieleeni jotain.

"Kai tiedät, että he haluavat keskustella kanssasi, kun pääset kotiin?"

"Mistä?"

"GPS-paikantimesta ainakin. FBI löysi sen."

"Hei, siistiä! Eikö Finder vienytkään sitä? Oliko se Shandy?"

"Siltä näyttää. Älä kuitenkaan innostu liikaa, Buddy."

"Miksen innostuisi?"

Avasin Mercedeksen ovet ja nousimme sisään. Katsoin Buddya samalla kun käynnistin auton.

"Kaikki reittipisteet oli pyyhitty laitteen muistista. Nyt jäljellä on vain yksi, eikä siitä paikasta löydy sintin sinttiä."

"Saatana sentään! Olisi pitänyt arvata."

"He aikovat kuitenkin kysellä sinulta paikantimesta ja Terrystä ja viimeisestä kalareissusta. Samat kysymykset kuin minäkin."

"Eli he yrittävät pysyä kannoillasi, vai? Juoksevat perässäsi? Olet kova jätkä, Harry."

"Tuskinpa."

Tiesin mitä seuraavaksi tapahtuisi. Buddy kääntyi ja nojautui puoleeni.

"Ota minut mukaan. Tiedän, että voin auttaa. Olen fiksu kaveri ja tajuan juttuja."

"Pistä turvavyö kiinni, Buddy."

Peruutin äkillisesti ennen kuin Buddy ehti kiinnittää vyötään, ja hän melkein paiskautui kojelautaa vasten.

Ajoimme keskustaan ja matelimme hiljakseen Bellagiota kohti. Iltapäivä oli kääntynyt jo alkuiltaan, ja lämpötilan laskiessa katujen varsille alkoi kerääntyä ihmisiä. Näin, että katutason yläpuolella kulkevissa ilmaratavaunuissa oli väkeä, samoin kävelyteillä. Julkisivujen neonmainokset loistivat iltahämärässä kuin auringonlasku. Ainakin melkein kuin. Buddy jatkoi kinuamistaan, mutta tyrmäsin hänen toiveensa kerta toisensa jälkeen. Kun olimme ajaneet Bellagion edustalla sijaitsevan suunnattoman suihkulähteen ympäri ja pysähtyneet loistokkaan pylväsaulan eteen, kerroin pysäköintivahdille, että aiomme vain poimia kyytiin vielä yhden matkustajan, jolloin meidät ohjattiin ajotien sivuun ja meidän käskettiin jäädä vahtimaan autoa.

"Kenet me otamme kyytiin?" Buddy kysyi uutta toivoa äänessään.

"Emme ketään. Se oli vain tekosyy. Haluatko muuten oikeasti auttaa? Jää siinä tapauksessa vartioimaan autoa muutamaksi minuutiksi, ettei sitä hinata pois. Käväisen pikaisesti sisällä."

"Minkä vuoksi?"

"Käyn katsomassa, onko eräs tuttavani täällä tänään."

"Kuka?"

Loikkasin nopeasti ulos ja suljin oven vastaamatta kysymykseen, sillä jokainen Buddylle annettu vastaus johti aina vain uuteen kysymysten tulvaan, eikä minulla ollut aikaa siihen.

Tunsin Bellagion sokkelot yhtä hyvin kuin Mulholland Driven mutkat Los Angelesissa. Entinen vaimoni Eleanor Wish ansaitsi elantonsa kasinolla, ja olimme usein käyneet täällä yhdessä. Kävelin määrätietoisesti kasinon lattian poikki ja ohitin lukuisia peliautomaatteja ennen kuin pääsin pokerihuoneeseen.

Pelaajia istui vain kahdessa pöydässä. Kello oli vasta vähän. Heitä oli kolmetoista, mutta en nähnyt Eleanoria. Vilkaisin pelinvalvojan tiskille ja tunnistin tutun miehen, jonka kanssa olin jutellut monesti, kun olin käynyt kasinolla ja katsellut Eleanorin pelaamista. Menin hänen luokseen.

"Miten hommat sujuvat, Freddy?"

"Naisten takapuolia katsellessa aika menee nopeasti."

"Sepä hyvä. On sinullakin sitten jotain tekemistä."

"Kyllä tämä minulle passaa."

"Tiedätkö onko Eleanor tulossa tänään?"

Eleanorilla oli tapana kertoa pelinvalvojille, milloin hän tulisi käymään. Joskus he pitivät hänelle paikkaa suurpelurien tai todella taitavien pelaajien pöydässä. Joskus he jopa järjestivät korttiringin häntä varten. Exrouvani oli eräänlainen nähtävyys Vegasissa. Hän oli todella kaunis ja hämmästyttävän hyvä pokerissa. Osa miehistä piti yhdistelmää vastustamattomana haasteena. Tarkkanäköiset kasinopäälliköt tiesivät sen ja käyttivät sitä hyväkseen. Eleanoria kohdeltiin aina moitteettomasti Bellagiossa. Hän sai kaiken mitä halusi – juoman, sviitin tai moukkamaisen pelaajan pois pöydästään. Ja aina ilman vastalauseita. Siksi hän kävi yleensä täällä, kun hän pelasi.

"Joo, kyllä hän tulee", Freddy vastasi. "Nyt on aika hiljaista, mutta varmaan vähän myöhemmin."

Odotin hetken ennen kuin kysyin toisen kysymyksen. En saanut olla liian utelias. Nojasin rennosti tiskin kaiteeseen ja katselin, kun hold'em-pöydän pelinhoitaja jakoi käden viimeiset kortit niin että kortit sipaisivat pöydän sinistä verkaa hiljaa kuin kuiskaukset. Viisi pelaajaa oli päättänyt pysyä mukana loppuun asti. Tarkkailin heidän kasvojaan, kun he katsoivat viimeiset korttinsa. Ilmeet eivät värähtäneet eivätkä kertoneet mitään, vaikka yritin lukea niitä.

Eleanor oli joskus kertonut, että hold'emin viimeisestä kortista käytetään nimeä *river*, koska se voi virran tavoin joko pelastaa tai viedä pelaajan hengen. Jos on pysytellyt mukana loppuun saakka, kaikki riippuu tuosta seitsemännestä kortista.

Kolme pelaajaa luovutti heti. Kaksi muuta, jotka sinnittelivät pelissä, nokittivat vuorotellen, kunnes toinen koolasi ja voitti potin kolmella seiskalla.

"Mihin aikoihin hän sanoi tulevansa?" minä kysyin Freddyltä.

"Jaa, siihen aikaan varmaan kuin yleensäkin. Suunnilleen kahdeksalta."

Vaikka yritin käyttäytyä huolettomasti, huomasin Freddyn miettivän, että hänen ei ehkä pitäisi puhua Eleanorista tämän entisen aviomiehen kanssa. Olin saanut selville, mitä tahdoin, joten huikkasin Freddylle kiitokset ja lähdin pois. Eleanor aikoi laittaa tyttäremme nukkumaan ja tulla sitten pelaamaan. Maddie jäisi kotiin, eikä paikalla olisi kuin kokopäiväinen lastenhoitaja.

Päästyäni takaisin kasinon sisäänkäynnin luokse näin että autoni oli tyhjä. Etsiskelin Buddya ja huomasin lopulta, että hän jutteli yhdelle pysäköintivahdeista. Huusin Buddyn nimeä ja vilkutin hyvästiksi. Hän tuli kuitenkin juoksujalkaa luokseni ja sai minut kiinni ennen kuin ehdin nousta autoon.

"Lähdetkö jo?"

"Ihan niin kuin sanoin. En aikonut kuin piipahtaa sisällä. Kiitos muuten, että jäit vahtimaan autoa."

Buddy ei tajunnut.

"Ei kestä kiittää", hän sanoi. "Löysitkö hänet?"

"Kenet?"

"Sen tyypin, jota menit tapaamaan."

"Kyllä, Buddy, minä löysin hänet. Nähdään –"

"Älä nyt, tehdään töitä yhdessä. Terry oli minunkin hyvä ystäväni."

Sanat lepyttivät minua hieman.

"Ymmärrän, että haluat auttaa, Buddy. Mutta jos haluat todella tehdä jotain Terryn puolesta, sinun on paras mennä kotiin, odottaa FBI:n yhteydenottoa ja kertoa heille kaikki, mitä tiedät. Älä salaile mitään."

"Kerronko senkin, että pyysit minua menemään veneelle ja varastamaan kansion ja valokuvat?"

Nyt Buddy ärsytti minua tahallaan, koska oli oivaltanut vihdoin joutuvansa syrjään jutusta.

"En välitä, mitä kerrot heille", minä vastasin. "Sanoin jo, että teen yhteistyötä heidän kanssaan. He saavat tietää kaiken jo ennen kuin tapaavat sinut. Mutta koeta ymmärtää, että minä en käskenyt sinua varastamaan yhtään mitään. Graciela palkkasi minut. Vene ja kaikki siellä olevat tavarat kuuluvat hänelle. Myös kansiot ja valokuvat."

Tönäisin häntä reippaasti rintaan.

"Onko selvä, Buddy?"

Hän otti pari askelta taaksepäin.

"No on. Minä vain –"

"Hyvä."

Ojensin hänelle kättäni. Vaikka kättelimmekin, ele ei ollut hyväntahtoinen.

"Nähdään myöhemmin, Buddy."

Hän päästi irti kädestäni, ja minä nousin autoon ja suljin oven. Väänsin avainta virtalukossa ja ajoin pois. Katsoin taustapeilistä, kun Buddy meni sisään kasinon pyöröovista, ja tiesin, että hän menettäisi kaikki rahansa ennen kuin ilta olisi ohi. Hän oli ollut oikeassa. Hänen ei olisi pitänyt katkaista hyvää putkea.

Kojelaudan kellon mukaan Eleanor ei lähtisi kotoaan vielä puoleentoista tuntiin. Voisin mennä talolle jo nyt mutta tiesin, että olisi viisaampaa odottaa. Halusin nähdä tyttäreni, en entistä vaimoani. Aina kun Eleanor kävi pelaamassa, hän antoi minun käydä katsomassa Maddieta, ja olin siitä hänelle ikuisesti kiitollinen. Vierailu ei aiheuttaisi mitään ongelmia, enkä minä välittänyt, nukkuiko Maddie vai ei. Halusin vain nähdä hänet, kuunnella tasaista hengityksen ääntä ja silittää hänen hiuksiaan. Tiesin kuitenkin kokemuksesta, että minun kannattaisi odottaa Eleanorin lähtöä ennen kuin menisin tapaamaan Maddieta, sillä joka kerta kun Eleanor ja minä näimme toisemme, jokin meni vikaan ja välejämme kalvava katkeruus pilasi kohtaamisemme.

Olisin voinut mennä takaisin motellille lukemaan Runoilijan kansiota seuraavan tunnin ajaksi, mutta päätin sen sijaan ajella ympäriinsä. Paradise Roadilla oli paljon vähemmän liikennettä kuin pääkadulla, kuten aina. Ajoin Harmonin risteyksestä pohjoiseen ja pääsin lähes heti Embassy Suites -hotellin pysäköintialueelle. Ehkä Rachel Walling haluaisi juoda kupin kahvia ja kuulla tarkemman selityksen huomisaamun automatkasta. Kiertelin pysäköintialuetta etsien Rachelin autoa, jonka tunnistaminen ei olisi vaikeaa halpojen pölykapseleiden ja valtion rekisterikilpien vuoksi. En kuitenkaan löytänyt sitä. Otin puhelimeni esiin, soitin numerotiedusteluun ja kysyin Embassy Suitesin numeroa. Soitin sitten hotelliin ja kysyin Rachel Wallingia, ja puhelu yhdistettiin hänen huoneeseensa. Puhelin soi pitkään, mutta kukaan ei vastannut. Suljin puhelimen ja mietin hetken. Avasin sen sitten uudestaan ja soitin kännykkänumeroon, jonka Rachel oli antanut minulle. Hän vastasi heti.

"Hei, Bosch täällä, mitä puuhailet?" minä sanoin niin huolettomasti kuin pystyin.

"En mitään ihmeitä."

"Oletko hotellissa?"

"Kyllä, miten niin, onko jotain sattunut?"

"Ei, ajattelin vain, että haluaisitko juoda kahvit tai jotain. Olen liikenteessä ja minun pitää tappaa vähän aikaa. Pääsen hotellille muutamassa minuutissa."

"Kiitos tarjouksesta, mutta minä taidan pysyä sisätiloissa tänä iltana."

Ei ihme, ettet halua ulos, minä ajattelin. Et ole edes paikalla.

"Täytyy myöntää, että aikaero ottaa melko koville. Väsymys iskee minuun aina vasta toisena päivänä. Meillähän on sitä paitsi aikainen lähtö huomisaamuna."

"Ei se mitään."

"En tarkoita, etten haluaisi käydä kahvilla. Mutta ehkä sitten huomenna."

"Se käy hyvin. Eli nähdään huomenna kahdeksalta, vai mitä?"

"Tulen hotellin eteen."

Hyvästelimme, ja tunsin silloin ensimmäisen epäilyksen piston. Rachel suunnitteli jotain, ja hän oli valehdellut minulle.

Yritin sulkea sen mielestäni. Hänen tehtävänsä oli tarkkailla minua. Hän oli kertonut sen avoimesti. Ehkä vain kuvittelin kaiken.

Kiersin pysäköintialueen vielä kerran ja yritin löytää Crown Vicin tai edes LTD:n mutta en nähnyt yhtään FBI:n autoa. Ajoin sitten hotellin pysäköintialueelta takaisin Paradise Roadille. Käännyin Flamingo Avenuen risteyksestä länteen ja suuntasin pääkadun poikki valtatielle. Päätin käydä syömässä pihviravintolassa, joka sijaitsi lähellä Palms-kasinoa. Palms on monien paikallisten asukkaiden suosikki, koska se sijaitsee kauempana pääkadun kasinoista ja siellä on aina paljon julkkiksia. Edellisen kerran kun olimme pystyneet keskustelemaan sivistyneesti, Eleanor oli sanonut harkitsevansa siirtymistä Bellagiosta Palmsiin. Bellagio oli edelleen kaupungin suosituin kasino, mutta pääosa rahoista meni sellaisiin peleihin kuten baccarat, pai gow ja craps. Ne ovat kuitenkin pelkkiä onnenpelejä päinvastoin kuin pokeri, joka on sitä paitsi ainut pöytäpeli, jossa ei pelata kasinoa vastaan. Eleanor oli kuullut puskaradiosta, että tasaisena virtana Los Angelesista saapuvat näyttelijät ja urheilijat pelasivat Palmsissa pääasiassa pokeria ja hävisivät suuria summia, koska vasta opettelivat pelaamaan.

Tilasin ravintolan baaritiskiltä pihvin ja uuniperunan. Tarjoilija yritti ylipuhua minut ja suositteli, etten ottaisi pihviäni kypsäksi paistettuna, mutta minä pidin pääni. Kun olin nuori, en koskaan syönyt sijaisperheissä puoliraakaa tai veristä pihviä, enkä aikonut kokeilla niitä vanhemmitenkaan. Kun tarjoilija lähti viemään tilausta keittiöön, mieleeni tuli armeijan messi, johon olin sattumalta eksynyt Fort Benningin tukikohdassa. Sen kymmenissä valtavissa sammioissa keitettiin harmaita naudan kimpaleita. Lapion kanssa heiluva keittiöapulainen kuori rasvaa sammioissa kiehuvan veden pinnalta ja viskoi sitä jätesankoon. Keittiö löyhkäsi hirveämmältä kuin mikään paikka, jossa olin koskaan käynyt, kunnes muutamaa kuukautta myöhemmin jouduin Vietnamissa tunnelirotaksi ja ryömin maan alle tunnelinpätkään, johon Vietkong oli kätkenyt kaatuneita sotilaita laskevien tilastonikkareiden ulottumattomiin joukon kuolleiden sissiensä ruumiita.

Avasin Runoilijan tutkintakansion ja valmistauduin paneutumaan papereihin, mutta samassa puhelimeni soi. Vastasin katsomatta, kuka minulle soittaa.

"Haloo?"

"Harry, Rachel täällä. Haluatko vielä lähteä kahville? Muutin sittenkin mieleni."

Arvelin, että hän oli kiirehtinyt takaisin hotellille, jotta ei jäisi kiinni valheestaan.

"Mutta minä tilasin juuri sapuskaa kaupungin toisella puolella."

"No helvetti, olen pahoillani. Opinpahan läksyni. Oletko yksin?"

"Joo, minulla on vähän työpapereita mukana."

"Tiedän kyllä. Minäkin syön yleensä illallisen työjuttujen ääressä."

"Samoin, jos tässä nyt tulee edes syötyä."

"Niinkö? Eikö sinun muuten pitänyt nähdä tyttösi?"

En voinut enää luottaa Racheliin enkä mielellään puhunut hänen kanssaan puhelimessa. En tiennyt, mitä hän juonitteli. Enkä todellakaan halunnut keskustella surkeasta avioliitostani tai siitä, miten huono isä olin.

"Rachel, minua mulkoillaan aika pahasti. Kännyköiden käyttö taitaa olla kiellettyä tässä ravintolassa."

"No, ei sitten rikota sääntöjä. Nähdään huomenna kahdeksalta."

"Nähdään vain, Eleanor. Hei hei."

Olin melkein sulkenut puhelimen, kun kuulin Rachelin äänen.

"Harry?"

"Mitä?"

"Minun nimeni on Rachel."

"Mitä?"

"Sanoit minua Eleanoriksi."

"Ai. Lipsahti varmaan. Anteeksi."

"Muistutanko minä häntä?"

"Ehkä. Tavallaan. Sitä millainen hän oli joskus ennen."

"No, toivottavasti ei kuitenkaan liian kauan sitten."

Rachel tarkoitti Eleanorin FBI-uran tuhoutumista. Se oli ollut niin paha paikka, että kovennettu palvelus Minotissa ei ollut mitään siihen verrattuna.

"Nähdään huomenna, Rachel."

"Hyvät yöt, Harry."

Suljin puhelimen ja mietin, miksi olin sekoittanut heidän nimensä. Nimi oli ampaissut liikkeelle suoraan alitajunnasta, mutta nyt kun olin sanonut sen ääneen, lipsah-

duksen merkityksestä ei ollut epäselvyyttä. En tahtonut
miettiä sitä. Halusin vain keskittyä Runoilijan kansioon.
Tiesin, että tuntisin oloni paljon paremmaksi, kun voisin
tutkia jonkin toisen aikakauden veritekoja ja jonkun toi-
sen henkilön järjetöntä elämää.

27

Koputin Eleanor Wishin talon oveen puoli yhdeksän aikaan illalla, ja oven tuli avaamaan salvadorilainen nainen, joka asui saman katon alla ja hoiti tytärtäni. Marisolilla oli iloiset mutta väsyneet kasvot. Hän oli noin viisikymmentävuotias mutta näytti paljon iäkkäämmältä. Hänen menneisyytensä tapahtumat olivat järkyttäviä, ja aina kun ajattelin niitä, en voinut kuin olla kiitollinen siitä, miten helpolla olin itse selvinnyt. Marisol oli kohdellut minua ystävällisesti aina ensimmäisestä päivästä lähtien, kun olin yllättäen ilmestynyt Eleanorin ovelle ja saanut tietää, että minulla on lapsi. Hän ei pitänyt minua uhkana vaan suhtautui minuun täysin sopuisasti ja kunnioitti asemaani sekä isänä että ulkopuolisena. Hän otti askeleen taaksepäin ja laski minut sisään.

"Hän nukkuu", Marisol sanoi.

Näytin hänelle kansiota, jonka olin ottanut mukaan.

"Ei se mitään. Minulla on töitä. Haluan vain olla vähän aikaa hänen kanssaan. Mitä sinulle kuuluu, Marisol?"

"Minulle kuuluu hyvää."

"Menikö Eleanor kasinolle?"

"Kyllä, hän lähti."

"Onko Maddie käyttäytynyt kiltisti tänään?"

"Maddie on aina kiltti. Hän leikki."

Marisol ei ollut puheliaimmasta päästä. Olin aiemmin yrittänyt keskustella hänen kanssaan espanjaksi, koska luulin, että hän puhui parin sanan lauseita huonon kielitaitonsa vuoksi. Hän ei kuitenkaan sanonut sen enempää omalla äidinkielellään. Hän kertoi aina tyttäreni päivästä ja leikeistä lyhyesti kielestä riippumatta.

"Hyvä kuulla. Kiitos sinulle", minä sanoin. "Mene nukkumaan, jos haluat, minä lähden sitten myöhemmin. Pidän huolta, että ovi menee lukkoon."

Minulla ei ollut avaimia Eleanorin kotiin, mutta ulkoovi meni lukkoon itsestäänkin kunhan sen painoi kiinni.

"Se sopii hyvin."

Nyökkäsin Marisolille ja kävelin käytävää pitkin vasemmalle. Menin Maddien huoneeseen ja suljin oven. Takaseinän pistorasiassa oli yövalo, josta levisi sinertävää kajoa huoneeseen. Menin Maddien sängyn viereen ja sytytin yöpöydän valon. Tiesin kokemuksesta, että se ei häirinnyt Maddien unta. Viisivuotias tyttöni nukkui niin sikeästi, että hän ei heräisi mihinkään, ei Lakersien matsiin eikä viiden Richterin maanjäristykseen.

Tyynyllä oli kimppu takkuisia tummia hiuksia. Maddie nukkui kasvot seinään päin. Sipaisin hiuskiehkurat hänen kasvoiltaan, nojauduin alaspäin ja annoin suukon pienelle poskelle. Kallistin pääni, jotta korvani olisi mahdollisimman lähellä häntä. Kuulin Maddien rauhallisen hengityksen ja helpotuin. Täysin perusteeton ja tilapäinen pelko kaikkosi mielestäni.

259

Menin lipastolle ja suljin Maddien itkuhälyttimen, jonka vastaanotin oli olohuoneessa tai Marisolin makuuhuoneessa. Hälytintä ei tarvittu enää. Minä olin tyttäreni kanssa. Maddie nukkui isossa parisängyssä kissakuvioidun peiton alla. Hänen pieni kehonsa vei vain vähän tilaa, joten minä panin toisen tyynyn sängyn päätyä vasten ja mahduin hyvin kömpimään vuoteeseen hänen viereensä. Laskin käteni varovasti peiton alle hänen selälleen. En liikkunut ennen kuin tunsin Maddien hengityksen rytmin. Avasin toisella kädellä Runoilijan kansion ja ryhdyin lukemaan.

Olin lukenut ravintolassa suurimman osan kansion papereista. Niihin kuului muun muassa epäillyn profiili, jonka tekemisestä Rachel Walling oli osittain vastannut, sekä tutkimusraportteja ja rikospaikkakuvia, joiden lukumäärä oli kasvanut tutkinnan laajetessa, kun lähes jokainen liittovaltion poliisi oli yrittänyt jäljittää Runoilijaksi ristittyä sarjamurhaajaa. Kaikki oli tapahtunut kahdeksan vuotta sitten, ja Runoilija oli ehtinyt surmata kahdeksan henkirikoksia tutkinutta etsivää eri puolilla maata ennen kuin hänen tiensä oli vihdoin noussut pystyyn Los Angelesissa.

Nyt kun tyttäreni nukkui vieressäni, rupesin lukemaan raportteja, jotka oli kirjoitettu FBI:n erikoisagentti Robert Backusin paljastuttua Runoilijaksi. Eli sen jälkeen kun Rachel Walling oli ampunut Backusia ja tämä oli kadonnut jäljettömiin.

Los Angelesin energia- ja vesilaitoksen teknikko oli löytänyt Laurel Canyonin sadevesitunnelista kuolleen miehen, ja kansiossa oli pöytäkirja tälle tehdystä ruumiinavauksesta. Ruumis oli löytynyt lähes kolme kuukautta sen jälkeen, kun Backusia oli ammuttu ja hän oli lentänyt kanjonin lähellä sijaitsevan, kannatinpalkkien varassa seisovan talon ikkunasta pimeään yöhön ja kadonnut rinteessä kasvavaan pensaikkoon. Ruumiilta oli löytynyt FBI:n henkilökortti ja Robert Backusille kuulunut virkamerkki. Myös pahoin rispaantuneet vaatteet olivat Backusin – hänellä oli ollut yllään käsintehty italialainen puku, jonka hän oli teettänyt auttaessaan Milanon viranomaisia paikallisen sarjamurhaajan etsinnöissä. Ruumiinavaus oli jättänyt kuitenkin paljon avoimia kysymyksiä. Jäänteet olivat mädäntyneet, eikä sormenjälkiä voitu ottaa. Ruumiista puuttui myös kappaleita, ja tutkijat uskoivat aluksi, että tunneleissa viihtyvät rotat ja muut raadonsyöjät olivat käyttäneet sitä ravinnoksi. Koko alaleuka ja ylempi hammassilta olivat poissa, minkä vuoksi hammastunnistetietojen vertaaminen Robert Backusin hammastietoihin oli ollut mahdotonta.

Myös kuolinsyy oli jäänyt epäselväksi, vaikka ruumiin ylävatsasta löytyikin reikä – kohdasta, johon agentti Walling oli nähnyt luodin osuvan – ja lisäksi yksi kylkiluista oli murtunut, mahdollisesti osuman aiheuttamasta iskusta. Luotia ei kuitenkaan löytynyt, sillä se oli ilmeisesti lävistänyt koko kehon, ja koska sirpaleitakaan ei löytynyt, luotia ei voitu verrata Rachel Wallingin käyttämiin luoteihin.

Ruumiin DNA:ta ei koskaan verrattu Backusin DNA:han eikä henkilöllisyyttä pystytty tunnistamaan. Ampumavälikohtauksen jälkeen – kun FBI arveli, että Backus oli saattanut selvitä hengissä ja päässyt karkaamaan – hänen kotinsa ja työhuoneensa tutkittiin. Agentit etsivät kuitenkin vain todisteita siitä, miten ja miksi Backus oli tehnyt murhat. He eivät osanneet varautua siihen, että Backusin mädäntynyt ruumis pitäisi jonain päivänä tunnistaa. He eivät ottaneet ainuttakaan hius- tai ihonäytettä viemäristä tai sylkinäytettä hammasharjasta eivätkä he etsineet leikattuja kynnenpaloja roska-astiasta

261

tai hilsettä ja hiuksia työhuoneen tuolin selkänojasta, mikä osoittautui myöhemmin surkeaksi hutiloinniksi ja vaikeutti tutkintaa loppuun asti. Lopulta FBI:n niskaan sateli syytöksiä virkavirheistä ja tutkimuksen tulosten salailusta. Sitten kun ruumis löytyi kolme kuukautta myöhemmin, kaikki oli jo myöhäistä. Tunnistetietoja ei voitu enää ottaa aukottomasti, eikä niitä olisi enää löytynytkään, sillä rakennus, jossa Backus oli asunut, oli palanut salaperäisesti maan tasalle kolme viikkoa sen jälkeen, kun FBI oli lopettanut siellä tutkimuksensa. Lisäksi Backusin toimisto Quanticossa oli jo remontoitu lattiasta kattoon, mistä oli vastuussa mies nimeltä Randal Alpert, erikoisagentti, joka oli saanut Backusin viran käyttäytymistieteiden yksikön johtajana.

Myös verinäytteiden etsintä osoittautui turhaksi, ja FBI upposi yhä syvemmälle häpeän suohon. Agentti Walling oli ampunut Backusia losangelesilaisessa asuintalossa. Lattialle oli roiskunut pieni määrä Backusin verta. Siitä otettiin näyte, mutta sekin tuhoutui vahingossa paikallisessa tutkimuslaboratoriossa, kun laboratorion henkilökunta hukkasi näytteen hävitettäväksi menevien sairaalajätteiden joukkoon.

Sitten Backusin verta yritettiin jäljittää lääkärintarkastuksissa annetuista näytteistä ja mahdollisista verenluovutuksista, mutta nekin johtivat umpikujaan. Oman ovelan suunnitelmansa, moukan tuurin ja byrokraattisten sekaannuksien vuoksi Backus onnistui katoamaan täydellisesti jättämättä jälkeensä pienintäkään merkkiä itsestään.

Etsintä oli päättynyt virallisesti siihen, kun sadevesitunnelista oli löytynyt ruumis, joka voisi mahdollisesti olla Backusin. Vaikka rikostekninen aineisto ei riittänyt ruumiin tunnistamiseen, Backusin henkilökortti, virkamerkki ja italialainen puku riittivät FBI:n johdolle, joka hätiköi ja antoi julkilausuman, että tutkimus on näin ollen saatettu päätökseen. Virallinen tutkinta oli pakko lopettaa, sillä tutkimuksen aikana tehdyt virheet olivat olleet mehukasta reposteltavaa tiedotusvälineille ja FBI:n jo ennestään huono julkisuuskuva oli päässyt ryvettymään pahemmin kuin koskaan.

Samaan aikaan tappaja-agentin profiilin tekeminen jatkui kuitenkin kulisseissa. Pääsin nyt vihdoin lukemaan tätä aineistoa. Tutkimusta oli johtanut FBI:n käyttäytymistieteiden yksikkö – jota Backus oli vielä vastikään johtanut – ja tutkimus tuntui keskittyvän enemmän siihen, miksi hän oli tehnyt murhat, kuin siihen, miten hän oli pystynyt niihin aivan huippututkijoiden silmien alla. Tutkinnan suunta vaikutti olevan hakusessa. Tutkijat yrittivät selvittää epäillyn taustoja toiminnan sijaan. Kansio pursui raportteja, jotka käsittelivät Backusin lapsuutta, nuoruusvuosia ja kasvatusta. Vaikka mukavan selkokielisesti kirjoitettuja havaintoja, arviointeja ja tiivistelmiä oli huikea määrä, niistä kävi ilmi yllättävän vähän. Backusin monimutkaisesta persoonasta paljastui vain joitakin merkityksettömiä yksityiskohtia. Hän jäi arvoitukseksi ja hänen järjetön toimintansa salaisuudeksi. Backusin tapausta eivät kyenneet ratkaisemaan edes alansa parhaat ja terävimmät tutkijat.

Yritin itsekin nyt muodostaa jonkinlaista kokonaiskuvaa hänestä. Backus oli hajonneen perheen lapsi. Isä oli perfektionisti – palkittu FBI:n agentti itse asiassa – ja äiti oli hylännyt perheen kauan sitten. Raportit kertoivat, että isä oli pahoinpidellyt poikaansa, kurittanut häntä ankaralla kädellä kaikista virheistä, kuten yökastelusta ja naapuruston lemmikkien kiusaamisesta, ja luultavasti myös syyttänyt häntä äidin lähtemisestä. Erään raportin mukaan Backus oli kertonut seitsemännellä luokalla koulukaverilleen, että isä oli vuosia aiemmin rangaissut häntä lakanoiden kastelusta kahlitsemalla hänet käsiraudoilla kylpyhuoneen metalliseen pyyhetelineeseen. Toisen luokkatoverin mukaan Backus oli kerran sanonut vievänsä tyynyn ja peiton kylpyammeeseen ja nukkuvansa kaikki yöt siellä, koska hän pelkäsi, mitä isä tekisi, jos hän kastelisi taas vuoteensa. Naapuri oli sen sijaan kertonut epäilleensä, että Backus oli silponut mäyräkoiraansa, hakannut sen kahtia ja viskannut ruumiinkappaleet hylätylle tontille.

Aikuisena Backusilla havaittiin monia pakko-oireita. Hän oli neuroottinen puhtaudesta ja järjestyksestä. Näitä tietoja olivat antaneet useat Backusin kollegat käyttäytymistieteiden yksiköstä. Backus tunnettiin siellä muun muassa siitä, että hän venytti kokouksien alkua, koska hänellä meni käsienpesuun useita minuutteja sen jälkeen kun hän oli käynyt vessassa. Kukaan ei ollut koskaan nähnyt hänen syövän Quanticon ruokalassa mitään muuta kuin grillattuja juustoleipiä. Pelkkiä juustoleipiä päivästä toiseen. Lisäksi hän jauhoi jatkuvasti purukumia ja piti neuroottisen tarkasti huolta, ettei hänen lempimerkkinsä Juicy Fruit päässyt koskaan loppumaan. Yksi agenteista oli kuvaillut Backusin purukumin jauhamista sanalla "hallittu", mikä oli kiertoilmaus sille, että hän epäili Backusin laskevan jokaisen puremiskerran, ja aina kun tämä saavutti tietyn lukeman, purukumi lensi roskikseen ja suuhun vilahti heti uusi Juicy Fruit.

Kansiossa oli myös entisen kihlatun antama lausunto. Hän oli paljastanut Backusin kollegalle, että hänet pakotettiin käymään suihkussa monta kertaa päivässä ja erityisesti ennen ja jälkeen rakastelun. Hän mainitsi lisäksi, että kun he etsivät yhteistä asuntoa ennen häitä, Backus oli kertonut haluavansa oman makuu- ja kylpyhuoneen. Tyttö perui häät ja lopetti seurustelun, kun Backus oli sanonut häntä likaiseksi siaksi, koska hän oli kerran erehtynyt riisumaan korkokengät omassa olohuoneessaan.

Raporteissa vain raapaistiin Backusin järjettömän mielen pintakerroksia. Ne eivät antaneet tutkijoille varsinaisia tietoja. Vaikka Backusilla oli outoja tapoja, ne eivät silti selittäneet aukottomasti sitä, miksi hänestä oli tullut psykopaatti. Tuhannet ihmiset kärsivät lievistä tai vakavista pakko-oireista, mutta eivät he kuitenkaan ala paloittelemaan muita. Ja tuhannet lapset kärsivät pahoinpitelyistä. Eivätkä he kaikki pahoinpitele muita.

Terry McCaleb ei ollut onnistunut keräämään yhtä paljon tietoja Runoilijan tekemistä murhista Amsterdamissa neljä vuotta myöhemmin. Kansiosta ei löytynyt kuin yhdeksän sivun tiivistelmä, jossa kerrottiin seikkaperäisesti murhista ja teknisen tutkinnan tuloksista. Olin aiemmin vilkaissut papereita mutta päätin lukea ne nyt tarkemmin ja huomasin niissä seikkoja, jotka sopivat hyvin yhteen Clearista kehittelemääni teoriaan.

Amsterdamista löytyneet viisi ruumista kuuluivat miehille, jotka olivat tulleet kaupunkiin yksin ja turisteina. Se vastasi kuvaa Zzyzx Roadille haudatuista uhreista, ja vaikka yksi Nevadassa murhatuista miehistä oli ollut lomalla vaimonsa kanssa, hänkin oli ollut sieppauksen aikaan yksin vaimon loikoillessa hotellin kylpylässä. Kaikki viisi miestä oli nähty viimeisen kerran Amsterdamin pahamaineisella punaisten lyhtyjen alueella. Siellä prostituutio on laillista ja prostituoitujen palveluksista voi nauttia katujen varsilla sijaitsevissa pikkuruisissa neonvaloin koristelluissa huoneissa, joiden näyteikkunoissa niukka-asuiset naiset tarjoavat itseään ohikulkijoille. Kahden murhan yhteydessä Alankomaiden poliisiviranomaiset olivat kuulustelleet huoria, jotka olivat kertoneet, että uhrit olivat olleet heidän kanssaan sitä päivää edeltävänä yönä, jolloin heidän ruumiinsa oli löydetty kaupungin läpi virtaavasta Amsteljoesta.

Vaikka miesten ruumiit löytyivät eri paikoista, tutkijat uskoivat, että heidät oli viskattu virtaan samasta paikasta Sixin kotimuseon lähettyviltä. Rakennus oli kuulunut aikoinaan rikkaalle ja vaikutusvaltaiselle amsterdamilaiselle kauppiasperheelle. Se herätti mielenkiintoni, etenkin kun Six ja Zzyzx kuulostivat minun korvissani hiukan samanlaisilta. Lisäksi mieleeni juolahti, oliko murhaaja valinnut sijainnin puhtaasti sattumalta vai halusiko hän ylpeillä irvokkailla teoillaan ja oli siksi valinnut paikan, joka symboloi valtaa.

Paikalliset viranomaiset eivät olleet edistyneet tutkimuksissaan sen pidemmälle. He eivät koskaan saaneet selville, miten murhaaja sieppasi, taltutti ja tappoi uhrinsa. Backusin nimeä ei olisi koskaan edes liitetty murhiin, ellei hän itse olisi halunnut sitä. Backus lähetti viranomaisille viestejä, joissa hän pyysi heitä ottamaan yhteyttä Rachel Wallingiin, minkä seurauksena hänen henkilöllisyytensä tunnistettiin. Raportin mukaan viestit sisälsivät uhreista ja murhista sellaista tietoa, jota vain tappaja itse voisi tietää. Backus lähetti poliisille myös viimeisen uhrinsa passin.

Mielestäni Amsterdamin punaisten lyhtyjen alueen ja Clearin bordellien välillä oli selkeä yhteys. Kummatkin olivat paikkoja, joissa seksiä sai ostaa laillisesti. Sitäkin tärkeämpää oli mielestäni se, että miehet kävivät niissä salaa eivätkä kertoneet aikeistaan kenellekään muulle. Se oli tavallaan tehnyt heistä täydellisiä kohteita ja uhreja. Salainen paikka tarjosi murhaajalle lisäsuojaa.

Olin lukenut kaikki Terry McCalebin Runoilijasta keräämät tiedot mutta päätin tutkia kansiota uudestaan siinä toivossa, että löytäisin toisella lukukerralla jotain tärkeää, mitä en ollut vielä huomannut, ja tutkimuksesta saamani kuva voisi tarkentua. Joskus niin voi käydä. Yksityiskohta, jota ei aluksi tajua tai jonka ymmärtää väärin, voi myöhemmin paljastua koko ongelman ratkaisuksi.

En kuitenkaan löytänyt mitään uutta kahlatessani papereita toiseen kertaan, ja pian raportit alkoivat vaikuttaa puuduttavilta ja kyllästyttäviltä. Minua väsytti ja pysähdyin jostain syystä miettimään kylpyhuoneeseen kahlittua pikkupoikaa. Näin hänet mielessäni ja säälin häntä. Vihasin isää, joka oli tehnyt lapselleen jotain niin hirvittävää, ja vihasin myös äitiä, joka oli hylännyt oman lapsensa eikä tiennyt mitään tämän karmeasta kohtalosta. Tunsinko siis myötätuntoa murhaajaa kohtaan? Tuskinpa. Backus oli muuttanut kärsimyksensä joksikin muuksi ja kääntänyt tuskansa maailmaa vastaan. Ymmärsin, että niin voisi tapahtua, ja tunsin sympatiaa sitä poikaa kohtaan, joka hän oli ollut. En kuitenkaan tuntenut aikuista Backusia kohtaan mitään. Olin päättänyt, että saisin hänet kiinni ja panisin hänet maksamaan teoistaan.

28

Löyhkä oli kuvottava, mutta Backus tiesi kestävänsä sen. Kärpäset inhottivat häntä eniten. Niitä oli kaikkialla, eläviä ja kuolleita. Ne olivat vastenmielisiä ötököitä, jotka levittivät bakteereita, tauteja ja saastaa. Hän oli piiloutunut viltin alle ja vetänyt polvet koukkuun mutta hän kuuli kärpästen surisevan pimeässä huoneessa, lentelevän sokeasti ympäriinsä ja napsahtelevan päin ikkunoita ja seiniä. Niitä oli kaikkialla, ilma oli mustanaan. Hänen olisi pitänyt tajuta, että ne löytäisivät tiensä tänne, mutta toisaalta ne sopivat hyvin hänen suunnitelmaansa.

Hän yritti tukkia korvansa surinalta. Hän yritti selvittää ajatuksensa ja keskittyä käsillä olevaan tehtävään. Oli koittanut hänen viimeinen päivänsä tässä paikassa. Oli aika siirtyä uusille vesille. Aika näyttää muille. Hän toivoi, että voisi jäädä katsomaan ja todistamaan tulevia tapahtumia. Mutta toisaalta hän tiesi, että töitä riitti yllin kyllin muuallakin.

Hän pidätteli hengitystään. Nyt hän tunsi kärpäset. Ne olivat löytäneet hänet ja vilistivät pitkin vilttiä etsien aukkoa, josta pääsisivät viltin alle hänen luokseen. Hän oli lahjoittanut kärpäsille elämän, mutta nyt ne etsivät häntä ja halusivat syödä hänetkin.

Sitten hän repesi nauruun, ja viltille laskeutuneet kärpäset syöksähtivät ilmaan. Hän tajusi, ettei hänen ja kärpästen käyttäytymisessä ollut suurtakaan eroa. Myös hän oli kääntynyt elämän lahjoittajaa vastaan. Hän naurahti uudestaan ja tunsi jotain kurkussaan.

"Krrhh!"

Hän kakoi. Hän yski. Hän yritti saada sen pois. Kärpänen, kuvottava olio, oli lentänyt ja juuttunut hänen kurkkuunsa.

Hän ampaisi ylös ja oli vähällä kompastua. Hän ryntäsi ovelle ja hyppäsi ulos yöhön. Hän tunki sormiaan syvälle nieluun, kunnes vatsalaukun koko sisältö virtasi ulos. Hän putosi polvilleen, yökkäili ja syljeskeli suunsa tyhjäksi. Sitten hän otti lampun taskustaan ja katsoi oksennusta tarkasti sen valokeilassa. Hän näki kärpäsen sätkivän keltaisenvihreän sappinesteen seassa. Se oli yhä hengissä, mutta sen siivet ja jalat olivat tarttuneet tahmeaan eritteeseen.

Backus nousi ylös. Hän liiskasi kärpäsen kenkänsä alle ja oli tyytyväinen itseensä. Hän pyyhki kenkänsä punertavaan hiekkaan. Hän katsoi ylös taivaalle, jota vasten hän näki ainakin kolmenkymmenen metrin korkeuteen kohoavan kivimuodostelman siluetin. Tähän aikaan yöstä muodostelma peitti kuun näkyvistä. Mutta ei se haitannut. Tähdet tuntuivat loistavan sen vuoksi tavallista kirkkaammin.

29

Panin paksun tutkintakansion sivuun ja katselin tyttäreni kasvoja. Mietin, mistä hän näki unta. Hän oli kokenut lyhyen elämänsä aikana vasta niin vähän, että mistä asioista hän voisi uneksia? Olin varma, että hän näki unien salatussa maailmassa vain kauneutta, ja toivoin, ettei hän koskaan näkisi painajaisia.

Olin itsekin väsynyt ja päätin ummistaa silmäni muutamaksi minuutiksi. Vaivuin pian uneen. Mutta minä kuulin unessani vain vihaisia ääniä, näin synkkiä hahmoja, äkkinäisiä ja uhkaavia liikahduksia pimeässä. En tiennyt, missä olin, enkä aavistanut, mihin olin matkalla. Sitten tunsin, kuinka näkymättömät kädet tarttuivat minuun ja vetivät minut takaisin valoon.

"Mitä sinä meinaat, Harry?"

Avasin silmäni, ja Eleanor nyki minua takkini kauluksesta.

"Hei... Eleanor... mitä nyt?"

Yritin jostain syystä hymyillä hänelle mutta olin liian tokkurassa tietääkseni miksi.

"Mitä oikein teet? Katso nyt tätä paskaa."

Aloin hiljalleen ymmärtää, että Eleanor oli suutuksissa. Nojauduin eteenpäin ja katsoin sängyn reunan yli. Runoilijan kansio oli tipahtanut lattialle ja sen sisältö levinnyt ympäriinsä. Rikospaikkakuvat täyttivät koko lattian. Näin poikkeuksellisen selvästi kolme valokuvaa denveriläisestä etsivästä, jonka Backus oli teloittanut miehen omaan autoon. Hänen takaraivonsa oli poissa, verta ja aivonkappaleita oli roiskunut pitkin etuistuinta. Muissa valokuvissa oli Amsterdamin kanaaleissa kelluvia turvonneita ruumiita sekä rikosetsivä, jonka pää oli leikkautunut irti haulikon laukauksen voimasta.

"Saatana!"

"Et voi tehdä näin!" Eleanor lähes karjui. "Mitä jos Maddie olisi herännyt ja nähnyt kuvat? Hän näkisi painajaisia loppuikänsä."

"Hän herää kohta, jos et lopeta huutamista, Eleanor. Olen pahoillani. Minun ei ollut tarkoitus nukahtaa."

Nousin vuoteelta ja polvistuin lattialle keräämään kansion sisällön nopeasti talteen. Katsoin samalla kelloa ja huomasin, että se oli melkein viisi. Olin nukkunut monta tuntia. Ei ihme, että olin vieläkin sekaisin.

Tajusin samalla, että Eleanor oli tullut kotiin todella myöhään. Hän ei tavallisesti pelannut näin pitkään. Se kai tarkoitti, että hänellä oli ollut huono ilta ja hän oli yrittänyt saada onnensa kääntymään, mikä ei ole koskaan hyvä ajatus pokeripöydässä. Pistin valokuvat ja paperit hätäisesti takaisin kansioon ja nousin ylös.

"Olen pahoillani", minä toistin.

"Helvetti sentään, ei minun tarvitse sietää tällaista omassa kodissani."

En sanonut mitään. Tiesin, etten voisi voittaa tätä riitaa. Käännyin katsomaan Maddieta. Hän nukkui yhä, ja tummanruskeat hiuskiehkurat olivat taas hänen kasvoillaan. Jos Maddie ei heräisi kovaan meteliin, toivoin että hän ei heräisi myöskään vanhempiensa hiljaiseen, huoneessa säteilevään vihaan.

Eleanor häipyi, ja minä seurasin häntä pienen hetken päästä. Löysin hänet keittiöstä, jossa hän nojaili työtasoa vasten kädet puuskassa.

"Oliko huono ilta?"

"Älä edes kuvittele, että sillä on mitään tekemistä tämän kanssa."

Nostin käteni antautumisen merkiksi.

"En kuvittelekaan. Syytä minua. Minä mokasin. Halusin vain viettää vähän aikaa Maddien kanssa ja nukahdin."

"Ei ehkä kannata tehdä sitä enää."

"Mitä? Käydä katsomassa Maddieta iltaisin, vai?"

"En minä tiedä."

Eleanor meni jääkaapille ja otti sieltä vesipullon. Hän kaatoi osan vedestä juomalasiin ja tarjosi pulloa minulle. Kerroin, etten halua sitä.

"Mikä tuo kansio muuten on?" hän kysyi. "Onko sinulla tutkimus kesken?"

"Kyllä. Murha. Tapaus sai alkunsa Los Angelesissa mutta johti sitten tänne. Minun pitää mennä huomenna autiomaahan."

"Kävipä se sopivasti. Päätit samalla tulla tänne pelottelemaan tytärtäsi."

"Älä aloita, Eleanor, tein typerästi ja olen idiootti, mutta hän ei nähnyt yhtään mitään."

"Hän olisi kuitenkin voinut nähdä. Ehkä hän näkikin. Ehkä Maddie heräsi keskellä yötä, näki nuo hirvittävät kuvat ja nukahti sitten uudestaan. Ja nyt hän näkee kamalia painajaisia."

"Hei, Maddie ei ole hievahtanutkaan. Hän on nukku-

272

nut koko ajan. Tämä ei toistu, joten voimmeko jättää riidan sikseen?"

"Selvä. Ihan sama."

"Mitä jos vaikka kertoisit, miten iltasi meni?"

"En halua puhua siitä. Haluan vain mennä nukkumaan."

"No, siinä tapauksessa minä kerron jotain."

"Anna tulla sitten."

En ollut aikonut ottaa asiaa esille näin aikaisessa vaiheessa, mutta yö oli jo muutenkin pilalla ja tiesin, että minun pitäisi kertoa Eleanorille aikeistani.

"Olen miettinyt töihin palaamista."

"Mitä tarkoitat, tuota tutkimustako?"

"Ei, poliisiksi. LAPD:llä on yksi ohjelma. Entiset poliisit voivat palata helposti töihin. Sinne halutaan kokeneita kavereita. Jos päätän mennä takaisin, en edes joudu aluksi poliisikouluun."

Eleanor otti pitkän huikan vettä mutta pysyi vaiti.

"Onko se mielestäsi hyvä idea, Eleanor?"

Hän kohautti olkapäitään aivan kuin häntä ei kiinnostaisi koko juttu.

"Tee ihan niin kuin haluat, Harry. Mutta et näkisi Maddieta enää niin usein. Kun eteesi sattuu vaikea tapaus, niin... No, sinä tiedät mitä sitten tapahtuu."

Minä nyökkäsin.

"Ehkä."

"Mutta mistä minä tiedän, haittaako se edes sinua. Et ole muutenkaan ollut kovin kauaa maisemissa."

"Ja kenenköhän vika se on?"

"Ei viitsitä aloittaa tätä taas."

"Jos olisin tiennyt hänestä, olisin halunnut olla hänen elämässään alusta asti. Mutta minä en tiennyt."

"Joo joo. Syytä minua. Syytä saman tien kaikesta muustakin."

273

"En minä sitä tarkoittanut. Minä –"

"Tiedän kyllä, mitä tarkoitat. Sinun ei tarvitse edes sanoa sitä."

Olimme hetken hiljaa ja annoimme raivonpuuskan laantua. Tuijotin lattiaa.

"Ehkä Maddiekin voisi tulla sinne", minä sanoin.

"Mitä sinä nyt hölmöilet?"

"Puhuimme siitä jo aiemmin. Tästä kaupungista. Tällaisessa paikassa varttumisesta."

Eleanor pudisti päätään raivokkaasti.

"En ole muuttanut mieltäni. Mitä sinä kuvittelet, että voisit kasvattaa hänet yksinäsi, vai? Sinä ja sinun päivystyssoittosi keskellä yötä, pitkät työpäivät ja tutkimukset, aseita kotona, karmeita rikospaikkakuvia ympäriinsä. Sitäkö sinä todella haluat? Sekö on lapselle parempi vaihtoehto kuin Las Vegas?"

"Ei. Ajattelin, että sinäkin voisit muuttaa sinne."

"Älä viitsi, Harry. En aio käydä taas tätä samaa keskustelua. Minä en muuta pois, eikä muuta Madelinekaan. Tee niin kuin itse parhaaksi näet, mutta älä päätä asioista minun tai Maddien puolesta."

Ennen kuin ehdin puolustautua, Marisol tuli keittiöön silmät puoliksi ummessa. Hänellä oli yllään kylpytakki, jonka etutaskuun oli kirjailtu *Bellagio*.

"Kova melu", hän valitti.

"Olet oikeassa", Eleanor sanoi. "Anteeksi."

Marisol käveli jääkaapille ja tarttui vesipulloon. Hän kaatoi itselleen lasillisen ja pani pullon pois. Sitten hän lähti keittiöstä sanomatta enää sanaakaan.

"Sinun on paras lähteä", Eleanor sanoi. "En pysty puhumaan näin väsyneenä."

"Selvä. Käyn vain katsomassa, että Maddie nukkuu. Lähden sitten."

"Älä herätä häntä."

"Ai, ihanko totta?"

Menin takaisin tyttäreni huoneeseen. Valo oli jäänyt vahingossa päälle. Istuin Maddien viereen enkä tehnyt pitkään aikaan muuta kuin katselin häntä. Sipaisin hiussuortuvat varovasti hänen kasvoiltaan ja annoin suukon poskelle. Tunsin nenässäni vauvasampoon tuoksun. Painoin poskelle toisenkin suukon ja kuiskasin hyvänyöntoivotukset. Sammutin valon mutta katselin häntä vielä pari minuuttia. Katselin ja odottelin jotakin. En tiedä mitä. Ehkä toivoin, että Eleanor tulisi huoneeseen, istuisi sängylle ja voisimme katsella nukkuvaa tytärtämme yhdessä.

Sitten nousin vuoteelta ja kytkin itkuhälyttimen päälle. Lähdin Maddien huoneesta. Talo oli äänetön kävellessäni ulko-ovelle. En nähnyt Eleanoria. Hän oli mennyt nukkumaan. Hän ei ollut ilmeisesti tuntenut tarvetta nähdä minua enää. Menin ulos, vedin oven kiinni ja varmistin, että se meni lukkoon.

Voimakas metallinen naksahdus, joka syntyi kun lukon kieli iski terästä vasten, tuntui lohduttomalta ja kimpoili lävitseni kuin harhaluoti.

30

Aamukahdeksalta istuin autossani Paradise Roadin varrella sijaitsevan Embassy Suites -hotellin pääsisäänkäynnin edessä. Olin ostanut Starbucksista pussin donitseja ja kaksi isoa kahvia, jotka olin pannut mukinpidikkeisiin. Ennen lähtöä olin käynyt suihkussa ja ajanut partani. Olin myös vaihtanut vaatteet, joissa olin torkkunut viime yönä. Olin lisäksi tankannut auton täyteen ja lähes ylittänyt korttini nostorajan huoltoaseman pankkiautomaatilla. Olin valmis viettämään koko päivän Mojavessa, mutta Rachel Wallingia ei kuulunut. Odotettuani viisi minuuttia ajattelin jo soittaa hänelle, mutta sitten puhelimeni pirahti. Soittaja oli Rachel.

"Vielä viisi minuuttia."

"Missä olet?"

"Minun oli pakko käydä paikallistoimistossa palaverissa. Olen matkalla hotellille."

"Missä palaverissa?"

"Kerron sitten, kun nähdään. Olen jo Paradisella."

"Selvä."

Suljin puhelimen ja katselin odotellessani edessäni olevaan taksiin kiinnitettyä Rivieran esityksen mainoskylttiä. Siinä näkyi kahdentoista alastoman, sopusuhtaisen kauniin naisen pakararivistö. Se toi mieleeni Las Vegasin muuttuneen ilmapiirin ja *Timesissa* julkaistun artikkelin. Mietin kaikkia niitä perheitä, jotka olivat muuttaneet kaupunkiin siinä uskossa, että se sopisi hyvin myös lasten kasvattamiseen, mutta jotka pian saavuttuaan huomaisivat, että vastaavat mainokset pommittivat heitä joka suunnasta.

FBI:n Crown Victoria lipui vierelleni vastakkaisesta suunnasta, ja Rachel avasi sivuikkunan.

"Haluatko, että minä ajan?"

"Mennään minun autollani", minä vastasin, koska ajattelin että siten voisin pitää paremmin langat omissa käsissäni.

Rachel ei väittänyt vastaan. Hän ajoi autonsa pysäköintiruutuun ja tuli istumaan viereeni.

En käynnistänyt autoa.

"Aiotko tyhjentää molemmat mukit?" hän kysyi.

"En, toinen on sinulle. Sokeria löytyy pussin pohjalta. Heillä ei ollut kermaa, jota olisin voinut ottaa mukaan."

"Juon kahvini mustana."

Rachel otti mukinsa ja siemaisi kahvia. Katsoin ensin tuulilasin läpi, sitten taustapeiliin. Ja sitten vain odotin.

"No", Rachel tokaisi lopulta, "emmekö lähdekään?"

"En ole varma. Meidän pitää varmaan ensin puhua."

"Mistä asiasta?"

"Siitä, mitä nyt tapahtuu."

"Mitä tarkoitat?"

"Miksi kävit toimistolla näin aikaisin? Mitä sinulla on mielessäsi, Walling?"

Rachel päästi turhautuneen huokaisun.

"Harry, et taida ymmärtää, miten tärkeä tämä tutkimus on. Otteemme ei saa lipsua. Johtajakin on kiinnostunut, miten tässä käy."

"Entä sitten?"

"Sitä vain, että jos hän haluaa järjestää palaverin aamukymmeneltä, Quanticon ja paikallistoimistojen agenttien täytyy tavata yhdeksältä, jotta voimme sopia yhdessä, mitä sanomme hänelle, ja katsoa, että kaikki sujuu suunnitelmien mukaan."

Nyökkäsin, sillä tajusin, mitä Rachel tarkoitti.

"Ja aikaeron vuoksi aamuyhdeksän Quanticossa on aamukuusi Las Vegasissa."

"Juuri niin."

"Mitä palaverissa tapahtui? Mistä puhuitte?"

"Se on FBI:n sisäinen asia."

Katsoin Rachelia, mutta hänellä oli leveä virne kasvoillaan jo ennen kuin ehdin sanoa vastalauseeni.

"Mutta tietenkin minä kerron sinulle, koska sen jälkeen on sinun vuorosi paljastaa kaikki omat salaisuutesi. Aiomme ottaa yhteyttä tiedotusvälineisiin. Emme voi ottaa riskiä ja olla hiljaa. Se vaikuttaisi salailulta, jos tutkinnan yksityiskohtia pääsisi myöhemmin vuotamaan julkisuuteen. Meidän pitää hallita tiedonkulkua."

Kytkin ajovaihteen ja suuntasin kohti pysäköintialueen uloskäyntiä. Olin suunnitellut reittimme etukäteen. Kääntyisin ensin Flamingolle ja sitten valtatie 15:lle, josta olisi vain lyhyt pyräys Blue Diamond Highwaylle. Voisimme ajaa loppumatkan sitä pitkin suoraan kohti pohjoista ja Clearia.

"Mitä johtaja aikoo sanoa?"

"Hän pitää tiedotustilaisuuden iltapäivällä. Hän kertoo, että Backus on ilmeisesti hengissä ja etsinnät on aloitettu. Hän aikoo myös näyttää Terry McCalebin ottamaa kuvaa Shandysta."

278

"Onko Shandyn henkilötiedot tarkistettu?"

"On. Varmaa tietoa ei ole vielä – Shandy on luultavasti vain joku tekaistu nimi, jonka Backus kertoi Terrylle – mutta Shandyn ja Backusin valokuvien analysointi on aloitettu. Alustavien tietojen mukaan he ovat yksi ja sama henkilö. Shandy on Backus."

"Eikä Terry tunnistanut häntä."

"Nähtävästi hänellä oli aavistuksia. Hän otti valokuvat, joten kai hänen epäilyksensä heräsivät. Mutta Shandylla oli parta, lippalakki ja aurinkolasit. Valokuvia tutkiva asiantuntija arvelee, että Backus on leikkauttanut nenänsä, muuttanut hammaskalustoaan ja ottanut implantit poskipäihin. Hän on voinut tehdä vaikka mitä, käydä jopa leikkauksessa, jossa hänen puheääntään on muutettu. Minäkin katsoin valokuvia mutta en voinut olla varma, vaikka työskentelin sentään viisi vuotta hänen kanssaan, paljon kauemmin kuin Terry. Terry joutui muuttamaan Los Angelesiin, kun sinne avattiin käyttäytymistieteiden sivupiste."

"Tiedättekö, missä hänet on leikattu?"

"Olemme melko varmoja. Noin kuusi vuotta sitten prahalaisen kirurgin ja hänen vaimonsa ruumiit löydettiin heidän maan tasalle palaneesta kodistaan. Talossa oli myös leikkaussali, ja Interpol oli tutkinut tohtorin toimia jo pitkään. Vaimo toimi hänen apulaisenaan. Interpol uskoi, että tohtori puuhasteli juuri kasvokirurgian parissa – muutti naamataulut sopivasta rahasummasta. Arveltiin, että tohtorin ja tämän vaimon murhasi asiakas, joka halusi peittää jälkensä. Kaikki potilastiedot tuhoutuivat tulipalossa. Sitä pidettiin tuhopolttona."

"Mikä yhdisti tohtorin Backusiin?"

"Emme tiedä varmasti. Mutta kuten arvaat, kaikki Backusin toimet agenttina selvitettiin hänen paljastuttuaan. Kaikki hänen tekemänsä tutkimukset käytiin läpi juurta jaksaen. Backus avusti usein ulkomaalaisissa rikostutkimuksissa. Se oli osa FBI:n suhdetoimintaa. Hän vieraili esimerkiksi Puolassa, Jugoslaviassa, Italiassa, Ranskassa ja monissa muissa maissa."

"Ilmeisesti myös Prahassa?"

Rachel nyökkäsi.

"Backus toimi siellä erään tutkinnan avustajana. Nuoria naisia katosi, minkä jälkeen heidän ruumiinsa löytyivät joesta. He olivat prostituoituja. Myös tätä kyseistä tohtoria, plastiikkakirurgia, kuulusteltiin tutkimuksen aikana, koska hän oli leikannut kolmen uhrin rinnat. Backus osallistui tohtorin kuulusteluun."

"Ja sai varmaan kuulla tohtorin iltapuhteistakin?"

"Aivan varmasti. Uskomme, että hän tiesi niistä ja meni klinikalle leikkauttamaan kasvonsa."

"Se tuskin onnistui helposti. Hänen kuvansahan julkaistiin jokaisen sanomalehden etusivulla."

"Harry, vaikka Backus onkin psykopaatti, hän on myös äärimmäisen älykäs. Häntä fiksumpaa murhaajaa ei ole nähty muualla kuin elokuvissa ja kirjoissa. Edes Bundy ei vedä vertoja Backusille. Emme voi muuta kuin olettaa, että hänellä oli valmis pakosuunnitelma kaiken aikaa. Aivan alusta alkaen. Kun ammuin hänet ikkunasta ulos kahdeksan vuotta sitten, hän tiesi täsmälleen mitä tehdä. Hänellä oli rahaa, väärennettyjä henkilöllisyystodistuksia, kaiken mitä hän tarvitsi pakoa ja uutta elämää varten. Luultavasti hän kantoi niitä koko ajan mukanaan. Uskomme, että hän meni Los Angelesista itärannikolle ja matkusti sieltä Eurooppaan."

"Hän poltti asuntonsakin", minä sanoin.

"Totta, se oli varmasti hänen tekosiaan. Hän kävi Virginiassa ja poltti kotinsa kolme viikkoa sen jälkeen, kun olin ampunut häntä Los Angelesissa. Se oli rohkea veto. Tulitikkuleikkien jälkeen hän pakeni Eurooppaan, jossa

280

hänen oli helppo painua maan alle, leikkauttaa kasvonsa ja aloittaa alusta."

"Amsterdamissa."

Rachel nyökkäsi.

"Ensimmäinen murha tapahtui seitsemän kuukautta Prahassa sattuneen tulipalon jälkeen."

Minä nyökkäilin. Kaikki sopi kuvaan. Sitten mieleeni juolahti jotain muuta.

"Miten johtaja aikoo teeskennellä yllättynyttä kertoessaan, että Backus on elossa, kun tiesitte jo neljä vuotta sitten, että hän piileskeli Amsterdamissa?"

"Johtaja voi välttää vastuun monella eri tavalla. Kaikkein tärkeintä on se, että hän ei ollut silloin FBI:n johtaja. Hän voi sysätä koko sotkun edeltäjänsä niskaan. Siitä on muodostunut perinne FBI:ssä. Mutta murhat tapahtuivat kuitenkin vieraan valtion alueella, emmekä me olleet vastuussa tutkimuksesta. Backusin osallisuutta ei pystytty sitä paitsi koskaan todistamaan aukottomasti. Saimme käsialanäytteet mutta emme mitään muuta, eikä niitä voi käyttää todistusaineistona samalla tavoin kuin sormenjälkiä tai DNA:ta. Hän voi kertoa, että Backusista ja Amsterdamista ei ollut täyttä varmuutta. Hän osaa joka tapauksessa turvata selustansa. Hänen ei tarvitse huolehtia muusta kuin nykyhetkestä."

"Ja ottaa tilanne haltuunsa."

"Sen oppii jo FBI:n peruskurssilla."

"Onko tiedotusvälineille kertominen teidän mielestänne hyvä ajatus?"

"Ei. Halusimme, että hän odottaa viikon. Saimme yhden päivän. Lehdistötilaisuus alkaa kuudelta itärannikon aikaa."

"Aivan kuin kaikki ratkeaisi tänään."

"Niinpä. Kusessa ollaan koko porukka."

281

"Luultavasti Backus katoaa uudestaan, käy uudessa leikkauksessa eikä näyttäydy seuraavaan neljään vuoteen."

"Kenties. Mutta ainakaan johtaja ei joudu kärsimään siitä. Hän on turvassa."

Olimme hetken hiljaa ja mietimme tilannetta. Ymmärsin päätöksen astua julkisuuteen, mutta se hyödytti enemmän FBI:n johtajaa kuin itse tutkintaa.

Ajoimme jonkin aikaa pitkin 15:tä, kunnes käännyimme Blue Diamond Highwayn liittymästä.

"Mitä tänä aamuna tapahtui ennen kuin puhuitte päämajan kanssa?"

"Kävimme tavanomaisen kierroksen. Uudet tiedot kaikilta agenteilta."

"Eli mitä?"

"Ei paljon mitään. Pari pikkujuttua. Puhuimme etupäässä sinusta. Luotan sinuun, Harry."

"Mitä luulet, että minä saan aikaan?"

"Uusia johtolankoja. Mihin olemme menossa?"

"Tietävätkö he, että me istumme samassa autossa, vai luulevatko he vielä, että sinä tarkkailet minua sadan metrin päästä?"

"Luultavasti he haluavat, että pitäisin etäisyyttä – tietenkin he haluavat. Varjostaminen on kuitenkin tylsää, ja kuten sanoin, mitä he voivat tehdä, jos saavat tietää yhteistyöstämme? Passittaa minut takaisin Minotiin, vai? Paskanko väliä sillä on, minä pidän Minotista."

"Minot ei ehkä ole yhtään paskempi sijoituspaikka, mutta sinut voidaan siirtää muuallekin. Eikös FBI:llä ole toimintaa Guamissa ja vastaavissa paikoissa?"

"On, mutta se on suhteellista. Guam ei ole kuulemma sekään huono vaihtoehto. Siellä tutkitaan paljon terrorismiin liittyviä juttuja, ja ne ovat nykyään suurinta huutoa. Olen viettänyt viimeiset kahdeksan vuotta Minotissa ja Rapid

Cityssä, joten muutto lämpöisemmille leveysasteille voisi tehdä hyvää, enkä välitä millaisiin tutkimuksiin joudun."

"Mitä puhuitte minusta aamun palaverissa?"

"Minä hoidin puhumisen lähes kokonaan, sillä sinä olet nyt minun vastuualuettani. Kerroin, että tarkistin tietosi Los Angelesin paikallistoimistosta ja että sain pitkän listan tempauksistasi. Annoin tiedot heille ja kerroin, että hävisit maisemista viime vuonna."

"Mitä tarkoitat, eläkkeelle jäämistäkö?"

"En, vaan sisäisen turvallisuuden virastoa. Jouduit hankaluuksiin heidän kanssaan, hävisit maisemista ja putkahdit jälleen esiin. Cherie Dei vaikuttui kovasti. Hän antaa sinun olla vähän pidemmässä lieassa."

"Minä ihmettelinkin, miten selvisin niin helpolla."

Oikeastaan ihmettelin, miksi Dei ei ollut saman tien lyönyt minua rautoihin.

"Entä Terryn muistiinpanot?" minä kysyin.

"Mitä niistä?"

"Muistiinpanojen kimpussa on varmasti minua fiksumpia tutkijoita. Mitä he ovat saaneet selville? Mitä mieltä he ovat Terryn kolmioteoriasta?"

"Sarjamurhaajat noudattavat yleensä vakiintunutta kaavaa, jota sanomme 'kolmiorikoksiksi'. Törmäämme vastaaviin tapauksiin jatkuvasti. Se tarkoittaa, että murhaajan liikkeet voidaan jäljittää kolmeen eri pisteeseen. Ensimmäinen on lähtöpiste – se on yleensä uhrin koti – mutta tässä tapauksessa se oli saapumispaikka eli Las Vegasin lentokenttä. Sitten on niin sanottu saalistuspaikka eli piste, jossa murhaaja sieppaa uhrinsa, paikka, jossa heidän polkunsa yhtyvät. Ja lopuksi on paikka, jossa ruumis hävitetään. Sarjamurhaajat toimivat siten, koska kiinnijäämisen todennäköisyys on pienin, jos uhri havaitaan, siepataan ja hävitetään eri paikoissa. Terry tajusi, että kyseessä on sarja, kun hän luki sen sanomalehtiartikkelin. Terry teki merkinnän lehtileikkeeseen, koska Vegasin poliisietsivä oli erehtynyt. Tämä ei ollut tajunnut kolmiota vaan luullut, että kyseessä oli perinteinen ympyränmuotoinen etsintäalue."

"Yrittääkö FBI nyt selvittää kolmiota?"

"Tietenkin. Se vie kuitenkin aikaa. Tällä hetkellä rikospaikan analysointi on asetettu etusijalle, mutta Quanticossa tutkitaan myös kolmiota. FBI on tehokas mutta joskus hitaanpuoleinen, Harry. Tiedät varmaan sen."

"Toki."

"Tästä muodostui nopeuskilpailu. Sinä olet jänis ja FBI on kilpikonna."

"Mitä tarkoitat?"

"Olet paljon nopeampi kuin me. Arvelen, että olet jo perillä kolmiosta ja nyt kokeilet onneasi puuttuvan pisteen kanssa. Etsit saalistuspaikkaa."

Minä nyökkäsin Rachelille. En enää välittänyt, käyttikö hän minua hyväkseen vai ei. Olin saanut tilaisuuden jatkaa tutkimustani, eikä mikään muu ollut tärkeää.

"Lähtöpiste on lentokenttä ja päätepiste Zzyzx Road. Jäljelle ei jää kuin saalistajan ja saaliin kohtauspaikka, ja uskon saaneeni sen selville. Olemme matkalla sinne."

"Kerro lisää."

"Tahdon tietää vielä yhden asian Terryn muistiinpanoista."

"Olen kertonut jo kaiken. Niiden tutkinta on kesken."

"Kuka on William Bing?"

Rachel empi mutta vain hetken.

"Sillä ei ole väliä, se oli umpikuja."

"Miten niin?"

"William Bing on sydämensiirtopotilas, joka oli Vegas Memorialissa tarkastuksessa ja testeissä. Luultavasti Terry tunsi hänet ja kävi sairaalassa vierailulla matkansa aikana."

"Oletteko saaneet yhteyttä häneen?"

284

"Emme vielä. Yritämme koko ajan."

"Vaikuttaa oudolta."

"Mikä, Terryn vierailuko?"

"Ei, vaan se että Terry kirjoitti Bingin nimen kansioon, jos tällä ei kerta ole mitään tekemistä tutkimuksen kanssa."

"Terry teki paljon muistiinpanoja. Kansioista ja muistikirjoista huomaa, että hän teki kaikenlaisia merkintöjä. Ehkä hän kirjoitti Bingin nimen kansioon, jotta ei unohtaisi soittaa tälle tai käydä sairaalassa Vegasin-reissun aikana. Syitä kyllä löytyy."

En sanonut mitään. En uskonut Rachelin selitystä.

"Mistä he tunsivat toisensa?"

"Emme tiedä vielä. Ehkä sen elokuvan takia. Ensi-illan jälkeen Terry sai satoja kirjeitä sydämensiirtopotilailta. Monet samassa veneessä olevat pitivät Terryä sankarina."

Ajaessamme pohjoiseen Blue Diamondia pitkin näin Travel American huoltamon ja muistin kuitin, jonka olin löytänyt Terry McCalebin autosta. Ajoin huoltamon pihaan, vaikka olin täyttänyt tankin aamulla, kun olin lähtenyt Eleanorin luota. Pysäytin auton ja jäin katsomaan rakennusta.

"Mitä nyt? Pitääkö meidän tankata?"

"Ei tarvitse. Minä vain... Terry kävi täällä."

"Mitä helvettiä? Onko sinulla telepaattisia taipumuksia?"

"Ei, löysin luottokorttikuitin hänen autostaan. Tarkoittaakohan tämä, että Terry kävi Clearissa asti?"

"Missä?"

"Clearin kaupungissa. Se on meidän päämäärämme."

"Emme saa koskaan tietää, jos emme pääse perille."

Tajusin vihjeen, ajoin takaisin maantielle ja suuntasin nokan kohti pohjoista. Matkan aikana kerroin Rachelille oman käsitykseni Terryn teoriasta ja siitä miten Clear mielestäni sopi Terryn hahmottelemaan kolmioon. Tunsin, kuinka Rachelin kiinnostus heräsi. Kenties hän jopa innostui. Ainakin hän oli samaa mieltä uhrien välisistä yhteneväisyyksistä ja siitä minkä vuoksi Backus oli valinnut juuri heidät. Hän myönsi, että Nevadassa surmattujen uhrien viktimologia – Rachelin käyttämä sana – vastasi Amsterdamin uhreja.

Pähkäilimme tapausta tunnin verran, mutta keskustelu hiipui sitä mukaa, mitä lähemmäksi Clearia pääsimme. Autioon ja karuun maisemaan alkoi ilmestyä asutuksen merkkejä, ja pikkuhiljaa näimme tien vieressä yhä useammin mainoskylttejä, jotka kertoivat, että Clearin bordellit odottivat kulkijoita aivan lyhyen matkan päässä.

"Oletko käynyt näissä paikoissa ennen?" Rachel kysyi.

"En."

Ajattelin Vietnamissa näkemiäni hikisiä telttakyhäelmiä, mutta en puhunut niistä Rachelille.

"En tarkoittanut asiakkaana. Työsi puolesta."

"Vastaus on silti ei. Olen kyllä jäljittänyt muutamia tyyppejä, jotka ovat olleet niiden asiakkaita. Olen tarkistanut luottokorttitietoja ja sen sellaisia. Omistajat eivät muuten suhtaudu meihin kovinkaan suopeasti. Ainakaan kukaan ei koskaan pitänyt minun puhelinsoitoistani. Ja seriffin kutsuminen paikalle on pelkkä vitsi. Osavaltio kerää liiketoiminnasta huomattavan määrän veroja, joista melkein kaikki palautuu takaisin piirikuntaan."

"Ymmärrän. Miten me sitten hoidamme tämän?"

Suupieleni kääntyivät hymyyn, koska Rachel oli puhunut *meistä*. Minä esitin hänelle saman kysymyksen.

"En tiedä", hän vastasi. "Mennään kai suoraan etuovesta sisään."

Eli emme venkoilisi vaan astuisimme vain sisään ja esittäisimme kysymyksemme. En ollut varma toimisiko se, mutta Rachelilla oli virkamerkki, joka minulta uupui.

Ajoimme Pahrumpin ohi ja kymmenen mailia myöhemmin saavuimme risteykseen, jossa Clearin tienviitta neuvoi meitä kääntymään vasemmalle. Käännyin risteyksestä, ja asvaltti vaihtui pian hiekkatieksi, minkä vuoksi auto nostatti peräänsä valtavan pölypilven. Saapumisemme huomattaisiin jo kaukaa, jos joku osaisi odottaa meitä perillä.

Clearia pystyi hädin tuskin sanomaan edes kyläpahaseksi, sillä se oli pikemminkin vain rykelmä asuntovaunuja. Hiekkatie toi meidät toiseen risteykseen ja toisen tienviitan luo. Käännyimme pohjoiseen ja tulimme pian aukiolle, jolla lojui vanha ruostunut asuntovaunu. Sen yläreunaan kiinnitetyssä kyltissä luki: TERVETULOA CLEARIIN. URHEILUBAARI AVOINNA. HUONEITA VUOKRATAAN. Baarin edessä olevalla aukiolla ei ollut yhtään autoa.

Jatkoimme matkaa vaunun ohi, ja uusi tienpätkä johdatti meidät asuinalueelle, jossa metallirunkoiset, oluttölkkejä muistuttavat asuntovaunut paahtuivat auringossa. Suurin osa vaunuista oli yhtä ränsistyneitä kuin risteyksessä näkemämme baari. Tulimme lopulta rakennukselle, joka vaikutti jonkinlaiselta kaupungin virastotalolta. Sen vieressä liplatti lähde, jonka mukaan paikkakunta oli saanut nimensä. Jatkoimme vielä matkaa, ja odotuksemme palkittiin, kun vastaan tuli uusi kyltti, jossa sanottiin siekailematta BORDELLIT.

Nevada on laillistanut yhteensä yli kolmekymmentä ilotaloa eri puolilla osavaltiota. Prostituutio on niissä laillista, kontrolloitua ja valvottua. Näistä luvanvaraisista liikeyrityksistä kolme sijaitsi Cleariin johtavan hiekkatien päässä. Saavuimme suurelle kääntymispaikalle, jonka laidalle oli pystytetty kolme täsmälleen samannäköistä bordellia, jotka vartoivat siellä asiakkaita. Niiden nimet olivat Sheila's Front Porch, Tawny's High Five Ranch ja Miss Delilah's House of Holies.

"Hienoa", Rachel sanoi kun katselimme ympärillemme. "Miksi nämä paikat nimetään aina naisten mukaan ihan kuin naiset muka omistaisivat ne?"

"Kas kun en tiedä. Mutta Mister Dave's House of Holies ei varmaan houkuttelisi kovin monia miehiä."

Rachel hymähti.

"Taidat olla oikeassa. Aika fiksu temppu itse asiassa. Kun naisia orjuuttavalle vankilalle antaa naisellisen nimen, se ei kuulosta yhtään niin pahalta. Hyvää markkinointia."

"Vankilalleko? Ei kukaan pakota heitä myymään itseään. Monet prostituoidut ovat kuulemma kotirouvia, jotka tulevat tänne töihin Vegasista asti."

"Olet lapsellinen, jos uskot tuohon, Bosch. Vaikka he voivat liikkua vapaasti, se ei tarkoita, etteivät he ole orjia."

En sanonut mitään. Tyydyin vain nyökkäämään, sillä en halunnut väitellä Rachelin kanssa aiheesta, joka herättäisi liikaa kipeitä muistoja ja kyseenalaistaisi monia menneisyydessäni tapahtuneita asioita.

Myös Rachel halusi jättää nahistelun sikseen.

"Mihin haluat mennä ensimmäiseksi?" hän kysyi.

Pysäköin auton Tawny's High Five Ranchin eteen. Vaikutti melkoiselta liioittelulta sanoa sitä maatilaksi, sillä Tawnyn hökkeli muodostui vain kolmesta tai neljästä asuntovaunusta, jotka oli yhdistetty toisiinsa katetuilla käytävillä. Vilkaisin vasemmalle ja huomasin, että Sheila's Front Porch oli kyhätty pystyyn saman periaatteen mukaan, mutta itse porstuasta ei ollut tietoakaan. Äärimmäisenä oikealla retkottava Miss Delilah's House of Holies ei eronnut muista bordelleista millään tavalla, ja sain paikoista sen käsityksen, että ne eivät kilpailleet keskenään vaan olivat saman puun haaroja.

"Ei harmainta aavistusta", sanoin. "Entten, tentten, teelika mentten, kaikki näyttävät ihan samalta."

Rachel avasi auton oven.

"Pieni hetki", huikkasin. "Otin jotain mukaan."
Ojensin Rachelille valokuvakansion, jonka Buddy
Lockridge oli tuonut Las Vegasiin edellisenä päivänä.

Rachel avasi kansion ja näki edestäpäin ja sivusta otetut
kuvat Jordan Shandyn kasvoista, jotka kaikesta päätellen
olivatkin Robert Backusin kasvot.

"En edes kysy, mistä sait nämä kuvat."

"Hyvä, mutta ota sinä ne. Annamme paremman vai-
kutelman, jos ne ovat virkamerkkiä kantavan henkilön
hallussa."

"Katsotaan nyt kauanko saan pitää sen."

"Onko sinulla kadonneiden miesten valokuvat?"

"Mukana ovat."

"Mainiota."

Rachel otti kansion ja astui ulos. Minä nousin autosta
hänen jälkeensä. Kävelimme auton eteen ja pysähdyimme
hetkeksi katsomaan bordelleja. Jokaisen rakennuksen
edessä oli muutama auto. Delilahin ilotalon eteen oli py-
säköity lisäksi neljä lättäpää-Harleytä, joiden kromiosat
kiiltelivät auringossa. Yhden moottoripyörän poltto-
ainetankkiin oli maalattu marijuanasavuketta polttava
pääkallo, jota ympyröi savukiehkuran muodostama sä-
dekehä.

"Moikataan Delilahia viimeiseksi", minä sanoin. "Jos
meillä käy tuuri, meidän ei tarvitse mennä sinne."

"Pyörätkö sinua huolestuttavat?"

"Ne juuri. Ne kuuluvat Maantien pyhimyksille. Nuk-
kuvia karhuja ei kannata herättää."

"Sopii minulle."

Rachel näytti tietä ja marssi Sheilan etuovelle. Hän ei
jäänyt odottamaan, koska tiesi, että seuraisin aivan hä-
nen kannoillaan.

31

Ilotalossa kasvojamme vasten iski kuvottavan makea hajuveden ja suitsukkeiden löyhkä. Meitä tuli tervehtimään maireasti hymyilevä nainen purppuraisessa kimonossaan, eikä hän yllättynyt lainkaan, että sisään astui pariskunnalta näyttävä nainen ja mies. Kuitenkin heti kun Rachel vilautti FBI:n henkilökorttia, naisen hymyilevät huulet kapenivat suoraksi viivaksi, joka muistutti erehdyttävästi giljotiinin terää.

"Voi kuinka ihanaa", hän visersi. "Ja sitten näytätte etsintämääräyksen."

"Emme aio tutkia paikkoja", Rachel korjasi. "Haluamme vain esittää muutaman kysymyksen."

"Minun ei tarvitse kertoa teille mitään, ellei teillä ole oikeuden määräystä, joka pakottaa minut puhumaan. Paikkani on laillinen ja luvat ovat kunnossa."

Huomasin, että läheisellä sohvalla istui kaksi naista, jotka olivat pukeutuneet kuin alusvaatemallit. He katselivat saippuasarjaa eikä heitä tuntunut kiinnostavan etuovella käytävä kahnaus. He olivat tietyllä tavalla viehättäviä, mutta uravalinta oli jättänyt jälkensä erityisesti heidän kasvoihinsa. Näky sai minut ajattelemaan äitiäni ja hänen ystäviään. Kun olin ollut lapsi, he olivat näyttäneet minusta samalta valmistautuessaan iltaa ja töitä varten. En tuntenut oloani hyväksi rakennuksen sisällä ja halusin lähteä. Ehdin jo toivoa, että kimononainen onnistuisi häätämään meidät ulos.

"Kukaan ei epäile toimintanne laillisuutta", Rachel vakuutti. "Haluamme vain kysyä teiltä ja... henkilökunnaltanne muutamia kysymyksiä. Lähdemme heti sen jälkeen."

"Hakekaa oikeuden määräys, niin suostun ilomielin."

"Sinäkö olet Sheila?"

"Muun muassa. Ihan sama mitä nimeä käytätte, kunhan vain lähdette."

Rachel korotti panoksia ja puhutteli naista parhaalla "ei kannata vittuilla" -äänellään.

"Jos joudun anomaan oikeuden määräystä, soitan seriffille, ja hänen autonsa tulee seisomaan etuoven edessä, kunnes minä palaan. Voit toimia kuinka laillisesti tahansa, Sheila, mutta luuletko, että saat yhtään asiakasta, jos he näkevät pihalla poliisiauton? Minulla menee ainakin pari tuntia Vegasiin, muutama tunti tuomaria odotellessa ja pari tuntia takaisin. Ja koska työt loppuvat viideltä, en taida ehtiä tänne ennen huomista. Sopiiko se sinulle?"

Sheila ei epäröinyt iskeä kovaa.

"Kun soitat seriffille, pyydä että hän hälyttää paikalle Dennisin tai Tommyn. He tuntevat paikan hyvin, kun ovat vakioasiakkaita."

Sheila virnisti Rachelille hermoilematta lainkaan. Hän oli katsonut Rachelin kortit, eikä Rachel voinut enää nokittaa. He tuijottivat toisiaan pitkään. Meinasin puuttua peliin ja sanoa jotain, mutta toinen sohvalla olevista naisista ehti ensin.

"Tuon naisen kanssako pitäisi puhua?" lähinnä meitä istuva kysyi. "Hoidetaan homma äkkiä, niin ei mene koko päivää."

Sheilan ja Rachelin tuijotuskilpailu keskeytyi, ja Sheila katsoi tyttöä, joka oli puhunut. Hän leppyi hiukan mutta pystyi vaivoin peittämään suuttumuksensa. En tiennyt, olisimmeko voineet hoitaa asiaa muulla tavalla Sheilan yllätyshyökkäyksen jälkeen, mutta se oli varmaa, että vihamielisellä asenteella ja uhkailuilla emme olisi pötkineet pitkälle.

Sheila johdatti meidät pieneen toimistoon, jossa kuulustelimme naisia yksitellen. Aloitimme Sheilasta, ja viimeisenä vuorossa olivat kaksi naista, joilla oli ollut silloin asiakas, kun Sheila oli toivottanut meidät sydämellisesti tervetulleeksi. Rachel ei esitellyt minua kenellekään, joten minun ei tarvinnut kertoa, mikä kyseenalainen asema minulla oli tutkimuksessa. Kukaan ei osannut tai halunnut tunnistaa Zzyzx Roadille haudattuja miehiä, ja sama päti Shandyyn, josta Terry McCaleb oli ottanut kuvia veneellään.

Kun kuulustelut päättyivät puoli tuntia myöhemmin, olin saanut vaivanpalkaksi vain suitsukkeista johtuvan jyskyttävän pääkivun. Rachel stressaantui, mikä paistoi hänen kasvoillaan.

"Kuvottavaa", Rachel tiuskaisi kävellessämme vaaleanpunaiseksi maalattua jalkakäytävää takaisin autolleni.

"Mikä?"

"Koko paikka. En ymmärrä, miten kukaan voi tehdä tuollaista työtä."

"Äsken sanoit, että heidät on orjuutettu."

"Toimenkuvaasi ei kuulu minun kiusaaminen."

"Vai niin."

"Mistä sinä nyt hermostut? Et sanonut Sheilalle sanaakaan. Olit tosi avulias."

"Olisin itse hoitanut asian ehkä hieman eri tavalla. Kyllähän sen näki heti, että emme saisi heistä mitään irti."

"Mutta sinä olisit tietenkin saanut."

"En väitä, että olisin. Kerroin sinulle aiemmin, millaisia nämä paikat ovat. Pitää toimia hienovaraisemmin. Ja seriffistä puhuminen oli vikatikki. Minähän sanoin, että hän saa luultavasti puolet palkastaan paikkakunnan huorien ansiosta."

"Kuulen vain valitusta mutta en yhtään hyvää ehdotusta."

"Kohdista kiukkusi johonkuhun muuhun, Rachel. Et sinä ole minulle vihainen. Jos haluat, että kokeilemme toista lähestymistapaa, anna minun yrittää."

"Ihan vapaasti."

"Selvä, anna valokuvat minulle ja odota autossa."

"Älä ole tyhmä. Minä tulen mukaasi."

"Emme voi tuhlata aikaa tärkeilyyn tai ylimielisyyteen, Rachel. Minun olisi pitänyt tajuta se, kun kutsuin sinut mukaan. En kuitenkaan uskonut, että ryhtyisit heti runnomaan virkamerkkiäsi kuulusteltavien kurkkuun."

"Eli aiot astella sisään ja hoitaa hommat tyylikkäämmin."

"Ei sillä ole mitään tekemistä tyylikkyyden kanssa. Hoidan hommat vanhanaikaisella tavalla."

"Kuuluuko siihen vaatteiden riisumista?"

"Ei, kaivan vain lompakkoni esiin."

"FBI ei osta tietoja todistajilta."

"Ei tietenkään. Mutta minä en ole FBI. Jos löydän todistajan, FBI:n ei tarvitse maksaa mitään."

Panin käteni Rachelin selkää vasten ja ohjasin hänet kevyesti auton luo. Avasin oven ja vinkkasin häntä istumaan. Annoin avaimet hänelle.

293

"Kytke ilmastointi päälle. Kävi miten kävi, ei tässä mene kuin tovi."

Käärin kansion ja valokuvat rullalle ja tungin ne takataskuuni takin liepeen alle.

Myös Tawny's High Five Ranchin ovelle johtava jalkakäytävä oli vaaleanpunaista betonia, ja aloin ymmärtää kuinka hyvin se sopi kuvaan. Sheilan bordellissa näkemäni naisetkin olivat kovia kuin kivi, ja heidän päälleen oli vain sipaistu peittävä kerros vaaleanpunaista maalia. Rachel oli samanlainen. Tuntui kuin jalkani olisivat olleet vaaleanpunaisella sementillä täytetyissä ämpäreissä.

Painoin ovikelloa, ja oven tuli avaamaan nainen, jolla oli yllään katkaistut farkut ja hihaton toppi. Vaate peitti vaivoin hänen suuret rintansa, joita plastiikkakirurgi oli ilmiselvästi muokannut.

"Tule peremmälle. Minä olen Tammy."

"Kiitos."

Astuin ilotalon eteiseen, jonka kummallakin seinällä oli kaksi sohvaa. Sohvissa istui kolme naista, jotka vikittelivät minua peilin edessä harjoitelluin hymyin.

"Tässä on Georgette ja Gloria ja Mecca", Tammy luetteli. "Ja minun nimeni on Tammy. Voit valita heti jonkun meistä tai odottaa Tawnya. Hänellä on tällä hetkellä asiakas."

Katsoin Tammya. Hän vaikutti kiinnostuneimmalta. Hänellä oli lyhyet ruskeat hiukset, siro vartalo ja uhkeat rinnat. Monet miehet pitivät häntä varmasti upeana ilmestyksenä, mutta minä en kuulunut heidän joukkoonsa. Kerroin Tammylle, että hän kyllä kelpaisi, ja hän lähti johdattamaan minua käytävään, joka teki mutkan oikealle ja päättyi toiseen asuntovaunuun. Käytävän vasemmalla puolella oli kolme huonetta, joista Tammy valitsi viimeisen ja avasi oven avaimellaan. Kun olimme sisällä, Tammy sulki oven mutta ei lukinnut sitä uudestaan.

Huoneessa mahtui tuskin seisomaan, sillä valtava parisänky vei lähes kaiken tilan.

Tammy istahti alas ja taputti sänkyä merkiksi. Istuin hänen viereensä, ja Tammy otti kuluneita dekkareita täynnä olevalta hyllyltä kansion, joka näytti ravintolan ruokalistalta, ja ojensi sen sitten minulle. Kansio oli ohut, ja sen kannessa komeili karrikoitu piirros. Siinä oli nelinkontin pyllistelevä alaston nainen, joka kurkisti olkansa yli ja vinkkasi silmää miehelle, joka pani häntä takaapäin. Myös mies oli alasti lukuun ottamatta cowboy-hattua ja lanteilla roikkuvia kuudestilaukeavia. Hän heilutti toisessa kädessään lassoa, ja köydenpätkä nousi pariskunnan ylle muodostaen sanat Tawny's High Five Ranch.

"Meiltä saa T-paitoja, joissa on tuo kuva", Tammy kertoi. "Ei maksa kuin parikymppiä."

"Siistiä", minä sanoin avatessani kansion.

Tietynlainen ruokalista siinä olikin. Se oli yksilöity Tammylle. Kansiossa oli kahteen sarakkeeseen jaettu paperiarkki. Ensimmäisessä sarakkeessa lueteltiin istuntojen kestot sekä palvelut, joita Tammylta voisi pyytää, toisessa kerrottiin niiden hinnat. Kahden aktin perään oli merkitty tähti. Paperin alalaidassa selvitettiin, että tähti tarkoitti erilaisia henkilökohtaisia mieltymyksiä.

"Tuota noin", minä emmin tuijottaessani listaa. "Taidan tarvita apua, jotta ymmärrän, mitä nämä kaikki merkitsevät."

"Minä voin auttaa. Mitä haluat tietää?"

"Mitä maksaa pelkkä puhuminen?"

"Haluatko että minä puhun tuhmia? Vai haluatko sinä puhua rivoja minulle?"

"En, haluan vain jutella. Tahdon kysyä eräästä miehestä, jota etsin. Hän on kotoisin näiltä main."

Tammy jäykistyi. Hän suoristi selkänsä ja meni kauemmas, mistä olin oikeastaan iloinen, sillä Tammyn hajuvesi poltti limakalvojani, jotka olivat kärsineet jo edellisen ilotalon suitsukkeiden kärystä.

"Sinun on paras puhua Tawnyn kanssa, kun hän vapautuu."

"Haluan puhua sinun kanssasi, Tammy. Saat satasen viidestä minuutista. Kaksi, jos tiedät jotain etsimästäni tyypistä."

Tammy epäröi ja harkitsi tarjousta. Listan mukaan hän ei ansaitsisi kahtasataa dollaria edes tunnin uurastuksesta. Minulla oli lisäksi aavistus, että listahinnoissa oli tinkausvaraa, eikä ilotaloon johtavalla vaaleanpunaisella tiellä ollut näkynyt suurtakaan ruuhkaa.

"Annan rahani jollekulle tässä paikassa", minä sanoin. "Se voit yhtä hyvin olla sinä."

"Okei, mutta nopeasti sitten. Jos Tawny saa tietää, ettet ole oikea asiakas, hän potkii sinut pihalle ja pistää minut jonon hännille."

Käsitin, mitä hän tarkoitti. Tammy oli avannut oven vain siitä syystä, että oli ollut hänen vuoronsa. Tytöistä voisi valita kenet tahansa, mutta oven avannut tyttö pääsi aina ensiksi tekemään tuttavuutta uuden asiakkaan kanssa.

Otin rahat taskustani ja annoin Tammylle sadan dollarin setelin. Pidin loput näkyvillä, kun tartuin tutkintakansioon ja avasin sen. Rachel oli tehnyt virheen kysyessään naisilta, olivatko he nähneet valokuvissa esiintyviä miehiä. Hän oli erehtynyt, koska hän ei ollut asiasta yhtä varma kuin minä. Uskoin vankasti omaan teoriaani enkä haksahtanut Rachelin virheeseen Tammyn kanssa.

Ensimmäinen valokuva oli Terry McCalebin veneellä otettu kasvokuva Shandysta.

"Milloin näit hänet viimeksi?" minä kysyin.

Tammy tuijotti kuvaa kauan. Hän ei ottanut kuvaa käteensä, vaikka olisin mielelläni antanut sen hänelle. Loputtoman pitkältä tuntuneen ajan jälkeen, kun olin jo ehtinyt luulla että ovi lentäisi pian auki ja Tawny viskaisisi minut pihalle, Tammy puhui vihdoin.

"En ole ihan varma... ehkä kuukausi sitten, ehkä kauemmin. En ole nähnyt häntä sen jälkeen."

Halusin kiivetä sängylle ja pomppia sen päällä mutta hillitsin itseni. Annoin Tammyn kuvitella, että tiesin jo miehestä kaiken, mitä hän voisi kertoa. Siten hän tuntisi olonsa rennommaksi ja puhuisi avoimemmin.

"Muistatko missä näit hänet?"

"Tuossa etupihalla. Saatoin yhden asiakkaan ulos, ja Tom oli odottelemassa."

"Selvä. Sanoiko hän sinulle mitään?"

"Ei hän puhunut koskaan. Ei hän oikeastaan edes tunne minua."

"Mitä sitten tapahtui?"

"Ei mitään. Minun pokani nousi autoon ja he ajoivat pois."

Tajusin, mistä oli kyse. Tomilla oli auto. Hän toimi kuljettajana.

"Kuka hänelle soitti? Olitko se sinä vai soittiko asiakas itse?"

"Varmaan Tawny. En muista tarkkaan."

"Et muista, koska sinä näit häntä usein."

"Niin."

"Mutta nyt et ole nähnyt yli kuukauteen, vai kuinka?"

"Niin. Voi siitä olla kauemminkin. Joko riittää? Mitä vielä haluat?"

Tammyn katse oli kohdistunut seteliin, jota pidin kädessäni.

"Vielä kaksi asiaa. Tiedätkö Tomin sukunimen?"

"En."

"Selvä on. Miten hänet saa kiinni, jos haluaa kyydin?"

"Soittamalla kai."

"Voinko saada hänen numeronsa?"

"Mene urheilubaariin, sieltä mekin aina soitettiin. En muista numeroa ulkomuistista. Se on kirjoitettu baarin puhelimen viereen."

"Urheilubaariin, siis."

En antanut hänelle rahoja. "Vielä yksi asia."

"Hoet sitä koko ajan."

"Aivan, mutta nyt olen tosissani."

Näytin Tammylle kuuden kadonneen miehen kasvokuvat, jotka Rachel oli ottanut mukaansa. Ne olivat laadukkaampia ja terävämpiä kuin sanomalehdessä julkaistut. Kuvat olivat värillisiä, ja Las Vegasin poliisilaitos oli saanut ne miesten perhealbumeista ja sittemmin luovuttanut ne myös FBI:n käyttöön.

"Onko heidän joukossaan sinun asiakkaitasi?"

"Hei, me emme puhu asiakkaista. Toimimme tahdikkaasti emmekä puhu heistä kenellekään."

"He ovat kuolleet, Tammy. He eivät joudu enää vaikeuksiin."

Tammy huolestui ja laski katseensa kuviin, joita pidin yhä kädessäni. Sitten hän otti kuvat minulta ja selasi niitä kuin korttikättä. Huomasin Tammyn kiihkeästä vilkuilusta, että hän oli saanut ainakin yhden ässän.

"Mitä nyt?"

"Tämä yksi kaveri taisi käydä täällä. Oli muistaakseni Meccan kanssa. Sinun kannattaa kysyä häneltä."

Kuulin kaksi torven tuuttausta. Tiesin, että ääni tuli autostani. Rachel kävi levottomaksi.

"Hae Mecca tänne. Saat sitten loput rahat. Kerro, että maksan hyvin. Mutta älä kerro, mitä haluan. Sano vaikka että haluan kaksi tyttöä yhtä aikaa."

"Okei, mutta ei enää kysymyksiä. Ja sitten maksat minulle."

"Sovittu."

298

Tammy lähti, ja minä katselin huonetta odotellessani. Seinien panelointi oli kirsikkapuujäljitelmää. Huoneessa oli yksi ikkuna, jossa roikkui röyhelöverho. Nojauduin sängyn poikki ja kurkistin ulos. En nähnyt muuta kuin paljasta aavikkoa. Sänky ja asuntovaunu olisivat yhtä hyvin voineet olla kuussa.

Ovi avautui, ja valmistauduin antamaan Tammylle loput rahoista ja kaivamaan taskusta myös Meccan osuuden kääntyessäni ovea kohti. Oviaukossa ei kuitenkaan seissyt kahta naista. Siellä oli kaksi miestä. Kaksi mustiin T-paitoihin pukeutunutta järkälettä – joista toinen oli jopa kaveriaan isompi – ja heidän käsivartensa olivat täynnä vankilatatuointeja. Näin isomman miehen pullistelevassa hauiksessa kallon ja sädekehän, ja se kertoi kaiken, mitä minun tarvitsisi heistä tietää.

"Mitäs kuuluu?" isompi mies murisi.

"Sinäkö olet Tawny?" minä kysyin.

Sanomatta mitään hän tarttui kourillaan takkini kaulukseen. Hän riuhtaisi minut sängyltä ja viskasi käytävään, jossa toinen kumppanuksista odotti minua käsivarret levällään. Tämä tuuppasi minut käytävää pitkin vastakkaiseen suuntaan, josta olin Tammyn kanssa tullut. Tajusin silloin, että Rachelin äänimerkki oli ollut varoitus, ei kärsimättömyyden osoitus. Toivoin hartaasti, että olisin ymmärtänyt vihjeen, kun hormonihirmut viskasivat minut takaovesta pihalle ja päistikkaa kiviseen maahan.

Lensin rähmälleni ja ennen kuin ehdin kerätä voimani ja nousta ylös, toinen miehistä astui päälleni ja painoi minut uudestaan mahalleni. Yritin kammeta itseni uudestaan ylös, ja tällä kertaa he antoivat minun nousta.

"Minä kysyin, että mitä kuuluu. Mitä teet täällä?"

"Esitin vain pari kysymystä ja olisin maksanut hyvistä vastauksista. En tiennyt, että se aiheuttaisi ongelmia."

"No, ongelma siitä nyt kuitenkin tuli."

He lähestyivät minua taas, isompi mies etunenässä. Hän oli niin valtava, etten edes nähnyt pienempää kaveria kunnolla hänen selkänsä takaa. Otin askeleen taaksepäin aina kun he astuivat yhden eteenpäin. Pelkäsin pahoin, että sitä he halusivatkin. He pakottivat minut kävelemään takaperin jotakin kohti. Ehkä maassa oli kuoppa, johon kohta tipahtaisin.

"Mikä olet miehiäsi?"

"Olen yksityisetsivä Los Angelesista. Etsin kadonnutta kaveria, en muuta."

"Ne jotka tulevat tänne eivät välttämättä halua, että heidät löydetään."

"Ymmärrän kyllä. Jos minä tästä sitten lähden, niin en häiritse teitä –"

"Hei, pojat."

Kaikkien liike pysähtyi. Se oli Rachel. Isompi korsto kääntyi ääntä kohti ja hänen hartiansa rentoutuivat hieman. Näin, että Rachel tuli ulos bordellin takaovesta. Hänen kätensä olivat tyhjät.

"Päätit ottaa äitimuorisikin mukaan", isompi miehistä murahti.

"Oli pakko, kun hän pyysi niin nätisti."

Kun korsto katsoi yhä Rachelia, minä ristin käteni ja iskin häntä kaikin voimin niskaan. Hän lennähti eteenpäin ja lysähti kaveriaan vasten. Iskussa ei kuitenkaan ollut muuta hyvää kuin yllättävyys. Hän ei pudonnut. Hän vain kääntyi ympäri ja alkoi vyöryä minua kohti kädet nyrkissä kuin kaksi lekaa. Näin kuinka Rachel sujautti käden takkinsa alle ja yritti heilauttaa lievettä sivuun tarttuakseen aseeseen. Hänen kätensä kuitenkin sotkeentui kankaaseen eikä hän saanut asetta esille ajoissa.

"Seis", hän huusi.

Steroidikumppanukset eivät välittäneet huudosta. Väistin isomman miehen nyrkiniskun, mutta kun nousin pystyyn kiepsahdettuani hänen selkänsä taakse, seisoinkin suoraan pienemmän lihaskimpun edessä. Hän tarttui minuun rutistusotteella ja nosti minut ilmaan. Jostain syystä minä ehdin huomata, että takimmaisen asuntovaunun ikkunoissa oli kolme naista. He seurasivat miten kamppailussa kävisi. Löylytykseni oli vetänyt yleisöä.

En voinut liikuttaa käsiä hyökkääjän puristuksessa ja tunsin selkärangassani tuskan kipunan, kun ilma pakeni keuhkoistani. Rachel sai lopulta otteen aseestaan ja ampui taivaalle kaksi varoituslaukausta.

Minä mätkähdin maahan ja näin Rachelin kävelevän luoksemme varuillaan, ettei kukaan muu yllättäisi häntä takaapäin.

"FBI", hän huusi. "Käykää maahan makaamaan. Molemmat maahan nyt heti."

Miehet tottelivat käskyä. Minä nousin ylös, kun olin saanut haukottua vähän ilmaa. Yritin pudistella tomut vaatteistani mutta onnistuin vain levittämään likaa. Katsoin Rachelia ja nyökkäsin olevani kunnossa. Hän piti etäisyyttä maassa makaaviin miehiin ja kutsui minut luokseen.

"Mitä tapahtui?"

"Kuulustelin yhtä naisista ja pyysin, että hän hakisi kaverinsa huoneeseen. Mutta sitten ovelle ilmestyi tämä kaksikko, ja he raahasivat minut pihalle. Kiitos varoituksesta."

"Minä tosiaan yritin varoittaa sinua. Soitin äänitorvea."

"Minä tiedän. Rauhoitu, Rachel. Siksi minä kiitinkin. En vain ymmärtänyt ajoissa varoitustasi."

"Mitä me nyt teemme?"

"En välitä näistä kaveruksista. Päästä heidät menemään. Sisällä on kaksi naista, Tammy ja Mecca, ja meidän pitää jututtaa heitä. Toinen tuntee Shandyn ja toinen luultavasti tunnistaa yhden kadonneista miehistä asiakkaakseen."

Rachel kuunteli ja nyökkäili hitaasti.

"Hyvä. Oliko Shandykin asiakas?"

"Ei, vaan jonkin sortin autonkuljettaja. Meidän pitää mennä urheilubaariin ja kysellä tarkemmin sieltä."

"Emme voi siinä tapauksessa päästää näitä kahta lähtemään. He jäävät vain odottamaan uutta tilaisuutta. Ilotalon edessä oli sitä paitsi neljä pyörää. Missä loput kaksi kaveria luuraavat?"

"En tiedä."

"Hei!" isompi steroidiahmatti mylvi. "Joko tästä helvetin hiekasta voi nousta?"

Rachel otti muutaman askeleen heitä kohti.

"Okei, nouskaa ylös."

Hän odotti, kunnes miehet olivat nousseet pystyyn ja jääneet tuijottamaan häntä pahansuovasti. Sitten hän laski aseensa ja alkoi puhua rauhallisesti ihan kuin yleensäkin tutustuisi ihmisiin tällä tavoin.

"Mistä te kundit olette kotoisin?"

"Miksi kysyt?"

"Miksikö kysyn? Koska haluan tietää. En ole vielä päättänyt pidätänkö teidät."

"Mistä hyvästä muka? Hän aloitti."

"Ei minun mielestäni. Minä näin kahden ison miehen hakkaavan yhtä pienempää."

"Hän on täällä ilman lupaa."

"Jos muistan yhtään lakia, luvaton oleskelu ei oikeuta pahoinpitelyyn. Jos olette sitä mieltä, että minä olen väärässä, voitte vapaasti jatkaa –"

"Pahrumpista."

"Mitä?"

"Me ollaan kotoisin Pahrumpista."

"Ja tekö omistatte nämä kolme liiketilaa?"

"Ei, me pidetään vain huolta turvallisuudesta."

"Niinpä tietenkin. Mitä jos tehdään nyt näin. Jos etsitte kaksi ystäväänne, joiden pyörät näimme pihalla, ja lähdette saman tien kotiin, niin jätetään tämä juttu tähän."

"Tosi reilua, saatana. Tuo tyyppi kyseli –"

"Minä olen FBI:stä. Minua ei kiinnosta, mikä on reilua ja mikä ei. Yrittäkää päättää."

Hetken päästä isompi köriläs lopetti Rachelin tuijottamisen ja lähti tallustamaan asuntovaunua kohti. Pienempi seurasi perässä.

"Mihin matka?" Rachel älähti.

"Kotiin. Niin kuin pyysit."

"Hienoa. Ja muistakaahan käyttää kypärää."

Kääntymättä katsomaan taakseen isompi mies nosti paksun käsivartensa ja vilautti meille keskisormea. Pienempi mies noudatti esimerkkiä ja teki samoin.

Rachel katsoi minua ja sanoi: "Toivottavasti tämä oli hyvä idea."

32

Takapenkillä istuvat naiset olivat raivoissaan, mutta Rachel ei välittänyt näistä kahdesta kiusankappaleesta. Kukaan ei ollut päässyt näin lähelle Backusia sitten Los Angelesin, kun hän nähnyt Backusin lentävän selkä edellä ikkunalasin läpi yön pimeyteen, joka oli niellyt kaikki jäljet tästä. Siitä oli kulunut vuosia. Rachel ei antaisi auton takapenkillä riitaa haastavien prostituoitujen häiritä häntä. Ainoa todella häiritsevä seikka oli Bosch auton ratissa. Heillä oli kaksi todistajaa, joita he kuljettivat yksityisautossa. Se oli turvallisuusriski, eikä Rachel tiennyt, miten urheilubaarissa käyminen onnistuisi.

"Minä tiedän, miten hoidamme tämän", Bosch kertoi ajaessaan poispäin ilotaloilta.

"Niin minäkin", Rachel sanoi. "Sinä jäät vahtimaan heitä, kun minä käyn nopeasti sisällä."

"Ei, se ei toimi. Tarvitset tukea. Juuri äsken tuli todistettua, että meidän pitää pysyä yhdessä."

"Miten me sitten toimimme?"

"Pistän takaovet lapsilukkoon. Eivät he saa niitä auki."

"Mikä estää heitä kapuamasta etupenkkien yli ja ulos autosta?"

"No mihin he muka menisivät? Ei heillä ole vaihtoehtoja, eihän, neidit?"

Bosch katsoi taustapeiliin.

"Haista vittu", Mecca sähisi. "Tämä on laitonta. Me emme ole tehneet mitään rikollista."

"Kuten äsken jo kerroin, tämä on laillista", Rachel selitti tympääntyneenä. "Olette todistajia liittovaltion rikostutkinnassa. Teitä kuulustellaan ennen kuin voitte lähteä."

"Kuulustelkaa sitten, niin me päästään menemään."

Rachel oli hämmästynyt nähdessään toisen prostituoidun ajokortin, sillä tämän nimi oli oikeasti Mecca. Mecca McIntyre. Mahtava nimi.

"Koeta ymmärtää, Mecca, että me emme voi. Kerroin senkin jo aiemmin."

Bosch pysäytti auton urheilubaarin edessä sijaitsevalle aukiolle. Muita autoja ei näkynyt. Hän avasi ikkunoita muutaman sentin ja sammutti moottorin.

"Aion kytkeä hälytyksen päälle", Bosch varoitti. "Jos kiipeätte etupenkille ja avaatte oven, hälytyslaite alkaa huutaa. Siinä tapauksessa me tulemme ulos ja saamme teidät kiinni. Joten älkää edes yrittäkö, onko selvä? Meillä ei mene kuin hetki."

Rachel astui ulos ja sulki oven. Hän katsoi matkapuhelintaan, mutta kenttää ei ollut vieläkään. Hän näki Boschin katsovan omaa puhelintaan, mutta tämäkin vain pudisteli päätään. Rachel päätti, että soittaisi Las Vegasin paikallistoimistoon baarin puhelimesta – jos siellä edes oli puhelin – ja antaisi raporttinsa päivän tapahtumista.

Hän uskoi, että Cherie Dei raivostuisi ja hykertelisi tyytyväisenä samanaikaisesti.

"Onko sinulla muuten ylimääräistä lipasta Sigiä varten?" Bosch kysyi, kun he nousivat ylös baarin ovelle johtavaa luiskaa.

"Tietenkin."

"Pidätkö sitä vyölläsi?"

"Tietty, miksi kysyt?"

"Ei mitään, ajattelin vain, että kätesi taisi tarttua takin liepeeseen tuolla asuntovaunun takana."

"Eikä tarttunut. Minä vain – mitä yrität sanoa?"

"En mitään. Meinasin vain kertoa, että minä sujautin toisen lippaan aina takin taskuun. Se toimii hyvänä painona. Sitten kun takin lievettä viskaa vähän taaksepäin, aseen saa helpommin ja nopeammin esille."

"Kiitos vihjeestä", Rachel mutisi. "Mutta voimmeko nyt keskittyä tähän?"

"Toki. Menetkö edeltä?"

"Jos sinulle vain sopii."

"Ole hyvä."

Bosch seurasi Rachelia ylös luiskaa. Asuntovaunun ovessa oli ikkuna, ja Rachel uskoi näkevänsä siihen heijastuvasta kuvajaisesta, että Boschin kasvoilla kareili pieni hymy. Hän avasi oven, jolloin sen yläpuolelle kiinnitetty kello kilahti ja kertoi, että asiakkaita oli tulossa.

He astuivat sisään pieneen ja typötyhjään baariin. Salin oikealla puolella oli biljardipöytä, jonka kuluneessa vihreässä verassa näkyi vuosien varrella kertyneitä juomatahroja. Pöytä oli pieni mutta silti liian suuri mahtuakseen kunnolla näin ahtaaseen tilaan. Jo avauslyönnissä biljardikeppi pitäisi nostaa neljänkymmenenviiden asteen kulmaan.

Oven vasemmalla puolella oli tiski ja kuusi baarijakkaraa, seinällä tiskin takana kolme hyllyllistä laseja ja valikoima tuliliemiä. Tiski oli tyhjä, mutta ennen kuin Rachel tai Bosch ehti huhuilla baarimikkoa, tiskin vasemmalla sivustalla roikkuvat mustat verhot raottuivat ja niiden välistä ilmestyi uniselta näyttävä mies, vaikka päivä oli jo lähes puolessa.

"Voinko auttaa? Melko aikaista, vai mitä?"

Rachel vilautti henkilökorttiaan, ja miehen rähmäiset silmät aukenivat vähän lisää. Hän oli noin 60-vuotias, Rachel arveli, mutta nokosten jäljiltä pörröttävä tukka ja leukaperiä peittävä harmaa sänki saivat hänet näyttämään hiukan ikäistään vanhemmalta.

Mies nyökkäsi aivan kuin olisi ratkaissut kovinkin visaisen pulman.

"Oletko sinä hänen siskonsa?" hän kysyi.

"Anteeksi mitä?"

"Olet Tomin sisko, etkö olekin? Hän sanoi, että voisit tulla käymään."

"Kuka Tom?"

"Tom Walling. Kuka muukaan?"

"Etsimme Tomia, joka toimi ilotalojen autonkuljettajana. Häntäkö tarkoitatte?"

"Sitähän minä yritän tässä sanoa. Tom oli minun palkkaamani kuski. Hän sanoi, että sisko saattaisi käydä joskus kyselemässä hänen peräänsä. Ei hän kyllä kertonut, että olet FBI:stä."

Rachel nyökkäsi miehelle ja koetti toipua hämmennyksestä. Hän oli mennyt tolaltaan, mutta se ei johtunut tästä yllättävästä käänteestä. Ihmetyksen varsinainen aiheuttaja oli Backusin julkeus ja epäilys siitä, että Backusin suunnitelmilla saattoi olla jokin syvempi merkitys.

"Ja mikä on teidän nimenne?"

"Billings Rett. Tämän paikan omistaja ja paikkakunnan pormestari."

"Clearin pormestari."

"Minä itse."

Rachel tunsi, kuinka jokin kova esine painoi hänen käsivarttaan, ja näki kansion ja valokuvat, kun katsoi alaspäin. Bosch tarjosi niitä hänelle ja pysytteli itse taka-alalla. Bosch tuntui tajuavan, mitä oli tapahtunut. Tutkimuksessa ei ollut enää kysymys Terry McCalebista tai Boschista vaan Rachelista. Hän otti kansion Boschilta ja etsi yhden niistä valokuvista, jotka McCaleb oli ottanut asiakkaastaan Jordan Shandysta. Rachel näytti kuvaa Billings Rettille.

"Onko hän Tom Walling?"

Rett katsoi kuvaa vain pari sekuntia.

"Tomhan se siinä. Sama lippiskin päässä. Meillä on lautasantenni, eikä Tom jättänyt ikinä yhtään Dodgersien peliä väliin."

"Hän oli siis yksi autonkuljettajistanne?"

"Ainut kuski. Eivät nämä niin isoja bisneksiä ole."

"Ja hän kertoi, että hänen siskonsa tulisi käymään?"

"Hän sanoi, että sisko voisi joskus tulla. Hän jätti sinulle jotain."

Rett kääntyi ja katsoi baaritiskin takana oleville hyllyille. Hän löysi etsimänsä ja kurotti ylimmälle hyllylle. Hän veti esiin kirjekuoren, jonka hän ojensi Rachelille. Kirjekuori jätti pölyiselle hyllylle nelikulmion muotoisen puhtaan kohdan. Se oli ollut hyllyllä kauan.

Kuoreen oli kirjoitettu Rachelin koko nimi. Rachel kääntyi hiukan sivummalle peittääkseen kirjeen Boschin katseilta ja alkoi sitten avata sitä.

"Eikö se pitäisi tutkia ensin?" Bosch kysyi.

"Ihan suotta. Minä tiedän, että se on häneltä."

Rachel repäisi kuoren auki ja veti esiin käsinkirjoitetun kortin. Hän ryhtyi lukemaan Backusin jättämää viestiä.

Rakas Rachel

Jos olet ensimmäinen henkilö, joka lukee tämän kirjeen, kuten hartaasti toivon, olen ilmeisesti ollut hyvä opettaja. Toivon, että olet pysynyt terveenä ja voit hyvin. Erityisesti toivon, että olet selvinnyt kunnialla FBI:n nöyryytysyrityksistä ja että olet taas huipulla. Toivon, että se joka ottaa, voi myös antaa. En ole halunnut sinulle koskaan mitään pahaa, Rachel. Aikomukseni on nyt viimeisenä tekonani pelastaa sinut.

Hyvästi, Rachel
R

Rachel luki kortin nopeasti uudestaan ja ojensi sen olkansa yli Boschille. Boschin lukiessa sitä Rachel jatkoi kysymysten esittämistä Billings Rettille.

"Milloin hän antoi kirjekuoren teille ja mitä hän tarkalleen ottaen sanoi?"

"Siitä on varmaan kuukausi, ja hän sanoi lähtevänsä pois. Hän maksoi vuokransa pitkäksi aikaa eteenpäin, sitten hän antoi kirjeen ja kertoi, että se on hänen siskolleen, joka voisi ilmestyä etsimään häntä. Ja siinä sinä nyt olet."

"Minä en ole hänen siskonsa", Rachel tiuskaisi. "Milloin hän tuli tänne ensimmäisen kerran?"

"Kiperä kysymys, taisi olla kolme tai neljä vuotta sitten."

"Miksi hän tuli tänne?"

Rett pudisteli päätään.

"Ei harmainta aavistusta. Miksi kukaan menee New Yorkiin? Kaikilla on omat syynsä. Hän ei kertonut minulle omaansa."

"Miten hän päätyi autonkuljettajaksenne?"

"Tom oli täällä yhtenä iltana pelaamassa biljardia, ja

minä kysyin haluaisiko hän töitä. Hän sanoi, että työt kyllä kelpaisivat, ja siitä se lähti. Ei se ollut mitään kokopäivähommaa. Töitä oli silloin, kun joku soitti kaipaavansa kyytiä. Useimmat ajavat tänne itse."

"Kertoiko hän silloin, että hänen nimensä on Tom Walling?"

"Ei, sen hän kertoi heti tänne tultuaan. Hän vuokrasi minulta asuntovaunun."

"Entä kuukausi sitten? Sanoitte, että hän maksoi vuokransa ja lähti."

"Joo, Tom sanoi, että tulisi takaisin, ja pyysi, että pitäisin vaunun vapaana. Hän maksoi vuokran elokuuhun asti. Sitten hän lähti, enkä ole kuullut hänestä sen koommin."

Ulkoa kuului hälyttimen ääni. Boschin Mercedes. Rachel pyörähti ympäri mutta Bosch harppoi jo ovelle.

"Minä menen", hän huikkasi.

Bosch meni ulos ja jätti Rachelin kahdestaan baarinpitäjän kanssa. Rachel keskittyi taas häneen.

"Kertoiko Tom Walling, mistä hän on kotoisin?"

"Ei, siitä ei ollut puhetta. Tom oli hiljainen kaveri."

"Ja te ette koskaan kysynyt."

"Tyttökulta, Clearissa ei udella muiden asioita. Täällä ei pidetä tungettelevista kysymyksistä. Tom piti kuskin hommasta, ansaitsi sillä muutaman kympin ja kävi silloin tällöin pelaamassa biljardia yksikseen. Hän ei edes juonut, jauhoi vain purkkaa. Hän ei koskaan kajonnut huoriin eikä myöhästynyt töistä. Minua ei muu kiinnostanut. Nykyinen kuskini on aina –"

"En halua kuulla hänestä."

Kello kilahti, ja Rachel kääntyi katsomaan, kun Bosch tuli sisään. Tämä nyökkäsi sen merkiksi, että kaikki on kunnossa.

"He kokeilivat takaovea. Lapsilukko taitaa olla rikki."

Rachel nyökkäsi Boschille ja katsoi Billings Rettiä, ilotalokylän ylpeää pormestaria.

"Missä Tom Wallingin vaunu on?" Rachel kysyi.

"Se on kukkuloilla kaupungin länsipuolella."

Rett hymyili niin että mätä etuhammas paljastui ja jatkoi.

"Tom halusi paikan kaupungin laitamilta. Hän kertoi, ettei viihtyisi tässä hulinassa. Löysin hänelle hyvän paikan Titanic Rockin luota."

"Titanic Rockin?"

"Tajuatte kyllä, kun pääsette perille – ainakin jos näitte sen leffan. Joku täällä matkailleista näsäviisaista kiipeilijöistä merkitsi paikan. Ette voi eksyä. Ajakaa baarin takaa lähtevää tietä länteen niin löydätte perille. Pidätte vain silmänne auki, niin näette uppoavan laivan."

33

Auton tuuletin puhisi täydellä teholla, ja minä yritin rauhoitella takapenkillä istuvia naisia. Rachel oli yhä baarissa puhumassa puhelimitse Cherie Dein kanssa ja suunnittelemassa apujoukkojen saapumista. Arvelin, että FBI:n agentit laskeutuisivat pian taivaalta helikoptereillaan ja jyräisivät Clearin alleen. He olivat päässeet Backusin jäljille. He olivat aivan hänen kintereillään.

Yritin jutustella tyttöjen kanssa – en oikein osannut pitää heitä naisina, vaikka tiesin, mitä he tekivät työkseen ja kuinka vanhoja he olivat. He tiesivät luultavasti kaiken, mitä miehistä voi tietää, mutta maailmasta tuskin mitään. Pidin heitä tyttöinä, jotka olivat tehneet vääriä valintoja, tai tyttöinä, jotka oli siepattu ja joilta oli evätty mahdollisuus varttua naisiksi. Aloin käsittää, mitä Rachel oli sanonut prostituoiduista hetkeä aiemmin.

"Kävikö Tom Walling koskaan ilotaloissa tai ostiko hän teidän palveluitanne?" minä kysyin.

"Minä en ainakaan nähnyt", Tammy vastasi.

"Joku arveli, että Tom on homo", Mecca lisäsi.

"Mikä hänessä herätti epäilyjä?"

"Hän asui yksin kuin joku erakko", Mecca vastasi. "Eikä ikinä halunnut pillua, vaikka Tawny olisi tarjonnut ilmaiseksi niin kuin muillekin kuskeille."

"Onko heitä muitakin?"

"Tom oli ainut, joka asui täällä", Tammy kertoi nopeasti, sillä hän ei tainnut pitää siitä, että Mecca oli äänessä enemmän. "Muut kuljettajat tulivat Vegasista. Jotkut heistä ovat kasinojen palveluksessa."

"Jos osa kuljettajista on Las Vegasista, miksi asiakkaat pyytäisivät Tomia ajamaan sinne asti hakemaan heidät?"

"Ei kukaan pyytänytkään", Mecca sanoi.

"Kyllä pyysi joskus", Tammy korjasi.

"No ehkä joskus. Kaikista tyhmimmät. Yleensä me soitettiin Tomille, jos joku asiakkaista jäi pitemmäksi aikaa tai vuokrasi vaunun Billingsiltä ja tarvitsi paluukyydin, kun oma kuski oli jo lähtenyt. Kasinojen autot eivät jää odottamaan pitkäksi aikaa. Paitsi silloin, jos asiakas on tosi rikas. Mutta siinä tapauksessa..."

"Siinä tapauksessa, mitä?"

"Ei sellaiset tyypit edes tule Cleariin."

"Pahrumpissa on nätimpiä tyttöjä", Tammy tiesi kertoa aivan kuin se haittaisi vain liiketoimia mutta ei häiritsisi häntä henkilökohtaisesti.

"Sitä paitsi Pahrump on lähempänä Vegasia ja perse maksaa siellä enemmän", Mecca sanoi. "Cleariin asti tulevat kuluttajat ovat tarkkoja rahoistaan."

Auton takapenkillä istuikin markkinoinnin asiantuntija. Koetin ohjata keskustelun takaisin raiteilleen.

"Eli Tom Wallingin tehtävänä oli enimmäkseen viedä asiakkaita takaisin Las Vegasiin tai sinne mistä he tulivat."

"Aivan."

"Juuri niin."

"Ja nämä miehet, teidän asiakkaanne, he ovat anonyymeja. Te ette tarkista henkilöllisyystodistuksia, eikö niin? Asiakkaat voivat käyttää mitä nimeä tahansa, kun he tulevat tänne."

"Just. Paitsi jos he näyttävät alle 21-vuotiailta."

"Niin. Me kysytään henkkarit alaikäisiltä."

Aloin vähitellen ymmärtää, miten Backus oli valinnut uhrinsa bordellien asiakkaiden joukosta. Jos hän oli vaistonnut, että joku näki paljon vaivaa varjellakseen henkilöllisyyttään ja Clearin-reissuaan, tämä oli epäonnekseen tehnyt itsestään täydellisen uhrin. Se sopi myös Backusin profiiliin ja siihen mitä hänen tekemiensä murhien syistä osattiin sanoa. Runoilijan kansiossa olleet raportit viittasivat siihen, että hänen sairaalloiset tekonsa johtuivat hänen isäsuhteestaan. Isää oli pidetty kunnianarvoisana FBI-agenttina, sankarina ja hyvänä miehenä, mutta hän olikin oikeasti vaimoaan ja poikaansa hakkaava hirviö, jonka käyttäytyminen oli ajanut vaimon pakosalle, kun taas nuori Backus, joka ei kyennyt karkaamaan, oli jäänyt yksin ja kaikonnut mielikuvitusmaailmaansa haaveilemaan pahoinpitelijänsä surmaamisesta.

Tajusin, että teoriassani oli yksi suuri epäkohta. Se oli Lloyd Rockland, uhri joka oli vuokrannut auton. Miten Backus oli tappanut hänet, jos hän ei tarvinnut kuljettajaa?

Avasin kansion, jonka Rachel oli jättänyt autoon, ja otin esiin Rocklandin valokuvan. Näytin sitä Tammylle ja Meccalle.

"Tunnistaako jompikumpi tämän miehen? Hänen nimensä oli Lloyd."

"Oli?"

"Niin, oli. Lloyd Rockland. Hän on kuollut. Tunnetteko hänet?"

314

Kumpikaan ei tuntenut. Tiesin, että se oli hakuammuntaa. Rockland oli kadonnut jo vuonna 2002. Yritin miettiä selitystä, jonka perusteella Rockland sopisi teoriaani.

"Teillähän tarjoillaan alkoholia, eikö vain?"

"Tarjoilemme, jos asiakas haluaa juoda", Mecca vastasi. "Meillä on anniskeluoikeudet."

"Mitä tapahtuu, jos asiakas ajaa omalla autolla tänne, mutta juokin liikaa eikä pääse takaisin?"

"Hän voi jäädä nukkumaan päänsä selväksi", Mecca kertoi. "Me vuokraamme huoneen, jos asiakkaalla on varaa maksaa."

"Entä jos hän haluaa palata? Entä jos hänen on pakko päästä takaisin?"

"Hän voi soittaa baariin, ja pormestari huolehtii hänestä. Kuski vie asiakkaan takaisin tämän omalla autolla ja palaa tänne vaikka kasinon auton kyydissä. Järjestelmä toimii hyvin."

Minä nyökkäsin. Teoriassa ei ollutkaan aukkoja. Rockland oli juonut liikaa, ja Backus oli lähtenyt viemään häntä takaisin. Paitsi että Rockland ei päässyt koskaan Las Vegasiin saakka. Minun pitäisi muistaa sanoa Rachelille, että Rocklandin ruumiista on etsittävä jäänteitä alkoholista. Korkea promillemäärä vahvistaisi epäilykseni.

"Hei, pitääkö meidän istua tässä koko loppupäivä?" Mecca valitti.

"En tiedä", minä vastasin ja katsoin baarin ovelle.

Rachel yritti puhua mahdollisimman hiljaa, koska Billings Rett teeskenteli täyttävänsä sanaristikkoa tiskin toisella puolella, mutta Rachel tiesi, että baarin isäntä höristeli koko ajan korviaan kuullakseen kaiken, mitä hän puhui Cherie Dein kanssa.

315

"Mikä on saapumisaika?" Rachel kysyi.

"Pääsemme ilmaan kahdessakymmenessä minuutissa, ja matka kestää saman verran", Cherie Dei vastasi. "Odota meitä, Rachel."

"Tietenkin."

"Minä tunnen sinut, Rachel. Tiedän, mitä sinä haluat tehdä. Pysy poissa epäillyn majapaikasta, kunnes todisteryhmä pääsee paikalle. Jätä todisteiden kerääminen heille."

Rachel oli vähällä sanoa, että Dei ei tuntenut häntä alkuunkaan, että Dei ei voisi ikinä ymmärtää häntä. Hän jätti sen kuitenkin sanomatta.

"Hyvä on", Rachel tokaisi sen sijaan.

"Entä Bosch?" Dei kysyi seuraavaksi.

"Mitä hänestä?"

"Haluan, että hän pysyy erossa tästä."

"Se voi olla hiukan hankalaa, sillä hän löysi tänne. Kaikki tämä on hänen ansiotaan."

"Ymmärrän kyllä, mutta mekin olisimme löytäneet paikan piakkoin. Kuten aina. Hän ansaitsee kiitoksemme, mutta sitten hän saa luvan siirtyä syrjään."

"Sinä saat kertoa sen hänelle."

"Mielelläni. Onko kaikki nyt selvää? Minun täytyy lähteä Nellisiin."

"Selvää on. Nähdään viimeistään tunnin päästä."

"Vielä yksi kysymys, Rachel. Miksi ette ottaneet sinun autoasi?"

"Tulimme tänne Boschin aavistuksen takia, hän halusi ajaa. Mitä väliä sillä on?"

"Annoit hänen kontrolloida tilannetta, ei sen kummempaa."

"Tuo on turhaa jälkiviisastelua. Uskoimme, että voisimme löytää jonkin uuden johtolangan, emme tienneet, että löytäisimme −"

"Ei se haittaa, Rachel. Minun ei olisi pitänyt ottaa koko asiaa puheeksi. Minun pitää mennä."

Dei laski luurin ja lopetti puhelun. Rachel ei voinut tehdä samoin, sillä luurin johto kiemurteli tiskin yli baarin takaseinälle. Hän ojensi luurin Rettille, joka laski kynän alas ja tuli hänen luokseen. Rett otti luurin ja pani sen paikoilleen.

"Kiitos paljon. Noin tunnin kuluttua tänne saapuu kaksi helikopteria. Ne laskeutuvat luultavasti suoraan baarinne eteen. FBI:n agentit haluavat kuulustella teitä. Virallisemmin kuin minä. Uskoisin, että he haluavat keskustella myös monien muiden paikkakuntalaisten kanssa."

"Bisnekset kärsivät."

"Kenties, mutta mitä enemmän teette yhteistyötä, sitä nopeammin he lähtevät eivätkä vaivaa teitä sen pidempää."

Rachel ei maininnut sanaakaan valtavasta toimittajalaumasta, joka ryntäisi piskuisen bordellikaupungin kaduille heti kun tiedotusvälineet saisivat tietää, että Clear oli paikka, jossa Runoilija oli piileskellyt vuosikaudet ja valinnut viimeisimmät uhrinsa.

"Jos agentit kysyvät minun perääni, sanokaa että menin Tom Wallingin asuntovaunulle, onko selvä?"

"Ihan kuin olisin ohimennen kuullut, että teitä käskettiin pysymään poissa sieltä."

"Kertokaa heille, mitä pyysin."

"Minä kerron."

"Oletteko muuten käynyt hänen vaunullaan sen jälkeen, kun hän kertoi lähtevänsä?"

"En ole ehtinyt. Hän maksoi vuokran etukäteen, ja ajattelin, että ei ole minun asiani nuuskia hänen nurkissaan. Clearissa ei hoideta asioita siihen tyyliin."

Rachel nyökkäsi.

"Hyvä on, kiitos yhteistyöstä."

Baarinpitäjä kohautti harteitaan sanoakseen, että hänelle ei ollut annettu vaihtoehtoja tai että hänestä tuskin oli ollut sen ihmeempää apua. Rachel kääntyi ja lähti kävelemään ulko-ovea kohti. Hän kuitenkin pysähtyi ennen kuin pääsi ovelle asti. Hän sujautti käden takkinsa alle ja otti Sig Sauerin ylimääräisen panoslippaan vyöltään. Hän kokeili nopeasti lippaan painoa kämmenessään ja tipautti sen takkinsa taskuun. Sitten hän astui ulos, käveli autolle ja istui Boschin viereen.

"No, kerro", Bosch sanoi, "suuttuiko Dei?"

"Ei. Taisimme juuri ratkaista koko tapauksen, joten miksi hän olisi suuttunut?"

"En minä tiedä. Joillakuilla on tapana kimpaantua, vaikka he saisivat kuinka hyviä uutisia tahansa."

"Pitääkö meidän istua tässä iltaan asti?" Mecca kysyi takapenkillä.

Rachel kääntyi katsomaan tyttöjä.

"Aiomme mennä kaupungin laitamille katsomaan Tomin asuntovaunua. Voitte tulla mukaan ja istua autossa tai mennä baariin odottamaan. Paikalle saapuu kohta muita agentteja. Selviätte kuulusteluista luultavasti täällä, eikä teidän tarvitse lähteä Vegasiin asti."

"Luojan kiitos", Mecca huokaisi. "Minä aion odottaa baarissa."

"Niin minäkin", Tammy sanoi.

Bosch päästi heidät ulos.

"Muistakaa odottaa baarissa", Rachel huusi heidän peräänsä. "Jos menette takaisin Tawnyn luokse tai jonnekin muualle, ette pitkälle pötki ja onnistutte vain suututtamaan meidät."

Tytöt eivät kiinnittäneet varoitukseen mitään huomiota. Rachel katsoi, kun he nousivat luiskaa ja menivät baariin. Bosch istui taas etupenkille ja kytki peruutusvaihteen päälle.

"Oletko nyt täysin varma?" hän kysyi. "Minä nimittäin luulen, että Dei käski odottaa täällä, kunnes apujoukot tulevat."

"Hän sanoi myös, että aikoo ensi töikseen passittaa sinut matkoihisi. Haluatko jäädä odottamaan häntä vai haluatko lähteä katsomaan Backusin asuntovaunua?"

"Älä minusta huoli, aion tulla mukaasi. Ei se ole minun työpaikkani, joka tässä on vaakalaudalla."

"Enkä minä murehdi omani puolesta."

Ajoimme kapeaa tietä, jonka Billings Rett oli neuvonut. Se vei Clearin asuntovaunurykelmältä länteen ja ylös kohti kukkuloita noin mailin verran. Sitten tie tasoittui ja teki mutkan punertavanoranssin kivimuodostelman taakse, joka näytti juuri siltä kuin Rett oli kuvaillut. Kivimuodostelma muistutti suunnatonta risteilyalusta, jonka peräpää kohosi taivaalle noin kuudenkymmenen asteen kulmassa ja joka syöksyi keula edellä meren syvyyksiin. Niin alus oli uponnut ainakin siinä elokuvassa. Rettin mainitsema kiipeilijä oli kavunnut kiven huipulle ja tuhertanut valkoisella maalilla sanan *Titanic* kiven pintaan siihen kohtaan, jossa laivan nimi oli lukenut.

Emme jääneet ihailemaan Titanic Rockia emmekä kiipeilijän kätten jälkeä. Ohjasin auton kivimuodostelman ympäri, ja vastaamme tuli pian aukea, jolla seisoi pieni asuntovaunu betoniharkkojen päällä. Sen vieressä lojui romuauto, jonka kaikki renkaat olivat tyhjät, sekä öljytynnyri, jota oli käytetty roskien polttamiseen. Aukean toisella laidalla oli kookas polttoainesäiliö ja generaattori.

Pysäytin auton aukean reunaan ja sammutin moottorin, jotta emme tärvelisi rikospaikalta mahdollisesti löytyviä todisteita. Huomasin, että generaattori ei käynyt. Koko paikan yllä riippui outo ja pahaenteinen hiljaisuuden verho. Tunsin päätyneeni todelliseen maailmanlopun maisemaan, paikkaan jossa pimeyden voimat hallitsivat. Mietin, oliko Backus tuonut uhrinsa tänne ja olivatko he kokeneet loppunsa täällä. Arvelin, että niin oli tapahtunut. Paikassa piili paljon pahaa.

Rachel rikkoi hiljaisuuden.

"Aiommeko vain katsella maisemia vai menemmekö katsomaan lähempää?"

"Minä odotin, että sinä näyttäisit mallia."

Rachel avasi auton oven ja minä noudatin hänen esimerkkiään. Pysähdyimme jälleen auton konepellin eteen katselemaan. Näin silloin, että kaikki vaunun ikkunat olivat auki, mikä tuntui oudolta, jos vuokralainen oli kerran lähtenyt pois pitkäksi aikaa. Heti sen jälkeen tunsin hajun sieraimissani.

"Haistatko?"

Rachel nyökkäsi. Ilmassa leijui kalman löyhkä. Se tuntui paljon pahemmalta ja voimakkaammalta kuin Zzyzx Roadilla. Vaistoni kertoivat, että emme löytäisi salaisuuksia, jotka tappaja oli kätkenyt hiekkaan. Emme tällä kertaa. Asuntovaunussa oli ruumis – ainakin yksi – ja se maatui autiomaan kuivassa ilmassa.

"Viimeisenä tekonani", Rachel sanoi.

"Mitä?"

"Backusin kortti. Hän kirjoitti niin."

Minä nyökkäsin. Rachel epäili itsemurhaa.

"Luuletko?"

"En tiedä. Käydään katsomassa."

Kävelimme varovasti asuntovaunua kohti emmekä puhuneet toisillemme sanaakaan. Haju voimistui, ja tiesimme kumpikin, että kuka vaunussa olikin, hänen raatonsa oli kärventynyt auringon paahteessa jo pitkään.

Siirryin Rachelin vierestä oven vasemmalla puolella oleville ikkunoille kurkistaakseni pimeään vaunuun. Suojasin silmiäni auringon häikäisyltä ja yritin nähdä sisään.

Kun käteni osuivat hyttysverkkoon, suriseva kärpäsparvi lehahti lentoon vaunun sisällä. Kärpäset napsahtelivat verkkoa vasten aivan kuin paikka ja ilmassa leijuva haju olisivat olleet liikaa niillekin.

Ikkunassa ei roikkunut verhoja, mutta olin huonossa paikassa enkä nähnyt kunnolla – en ainakaan ruumista tai mitään sellaiseen liittyvää. Näin kuitenkin pienen oleskelutilan, jonka kalustukseen kuului sohva ja yksi tuoli. Huoneessa oli myös pöytä, jonka päälle oli pinottu suuri määrä kovakantisia kirjoja. Tuolin takana oli hylly, ja myös se oli täynnä kirjoja.

"Ei mitään", minä sanoin.

Vetäydyin kauemmas ikkunasta ja katselin vaunun ulkoseinää. Näin, että Rachelin katse oli kiinnittynyt oveen ja ovenkahvaan. Mieleeni juolahti jotain – jokin ei ollut kohdallaan.

"Rachel, miksi hän jätti kirjeen baariin?"

"Mitä?"

"Kirjeen. Hän jätti sen baariin. Miksi sinne? Miksei tänne?"

"Ehkä hän halusi olla varma, että saan sen."

"Vaikka hän ei olisi antanut sitä baarin omistajalle, olisit silti tullut tänne. Olisit joka tapauksessa löytänyt sen."

Rachel pudisteli päätään.

"Mitä tarkoitat? En ymmärrä, mitä –"

"Älä avaa ovea, Rachel. Odotetaan hetki."

"Mitä oikein höpiset?"

"Jokin on vialla."

"Käy katsomassa takana, onko siellä toista ikkunaa, josta näkee paremmin."

"Hyvä on, mutta odota vähän."

Rachel ei vastannut. Kävelin vaunun vasemmalle nurkalle, astuin kiinnitystukien yli ja olin siirtymässä vaunun taakse. Sitten muutin mieleni ja kävelin roskatynnyrille.

Tynnyrin pohjalla oli paksu kerros tuhkaa ja kärventyneitä roskia. Maassa lojui luudanvarsi, joka oli hiiltynyt toisesta päästä. Poimin sen käteeni ja ryhdyin tonkimaan tynnyriä, kuten uskoin Backusinkin tehneen, kun hän oli polttanut roskia. Hän oli aivan varmasti halunnut pitää huolta, että kaikki oli tuhoutunut täydellisesti.

Näytti siltä, että Backus oli polttanut lähinnä papereita ja kirjoja. En erottanut tuhkan joukossa mitään mielenkiintoista ennen kuin löysin mustuneen ja osittain sulaneen luottokortin. En nähnyt kortista kenelle se oli kuulunut mutta arvelin, että tekninen tutkinta voisi saada selville sen omistajan. Kaivoin luudanvarrella syvemmälle ja löysin muitakin mustia, sulaneita muovinkappaleita. Sitten huomasin kirjan, jonka kannet olivat palaneet kokonaan, mutta ainakin osa sisäsivuista näytti olevan jäljellä. Tartuin kirjaan sormenpäilläni ja avasin sen varovasti. Se näytti runokirjalta, mutta en voinut olla täysin varma, sillä sivutkin olivat palaneet osittain. Löysin yhdeltä aukeamalta puoliksi kärventyneen kuitin. Ylälaidassa luki *Book Car*, mutta muuta kuitista ei ollut jäljellä.

"Bosch? Missä viivyt?"

Rachel huuteli perääni. Hän ei nähnyt missä olin. Laskin kirjan takaisin tynnyriin ja tuikkasin sitten luudanvarrenkin tuhkan sekaan.

"Odota hetki."

Rachel odotti. Hän alkoi käydä kärsimättömäksi. Hän piti korvansa auki autiomaata ylittävien helikopterien varalta. Hän tiesi, että sillä sekunnilla, kun hän kuulisi roottorien äänen, hänen mahdollisuutensa olisivat mennyttä. Hänet viskattaisiin syrjään tutkimuksesta ja ehkä häntä jopa rangaistaisiin, koska hän oli tehnyt yhteistyötä Boschin kanssa.

322

Hän tuijotti ovenkahvaa. Hän ajatteli Backusia ja mietti, oliko pelin viimeinen erä todellakin alkanut. Oliko Backus kyllästynyt autiomaahan neljän pitkän vuoden jälkeen? Oliko Backus surmannut Terry McCalebin ja lähettänyt GPS-paikantimen hänelle vain sen takia, että hän löytäisi tiensä tälle aukealle? Hän mietti viestiä, jonka mukaan Backus oli opettanut häntä hyvin. Suuttumus alkoi sykkiä hänen sisimmässään ja hän halusi riuhtaista oven auki ja –

"Täällä on ruumis!"

Se oli Bosch, hän huusi vaunun vastakkaiselta puolelta.

"Mitä? Missä?"

"Tule tänne. Täältä näkee paremmin. Sisällä on vuode, jolla makaa ruumis. Kaksi tai kolme päivää vanha. En näe kasvoja."

"Näetkö muuta?"

Rachel odotti. Bosch ei sanonut mitään. Rachel laski kätensä ovenkahvalle. Ja käänsi sitä.

"Ovi ei ole lukossa."

"Älä avaa sitä, Rachel", Bosch sanoi. "Luulen... luulen, että haistan kaasua. Haistan muutakin kuin ruumiin. Jotain sen lisäksi."

Rachel epäröi hetken mutta väänsi sitten kahvasta ja raotti ovea parin sentin verran.

Mitään ei tapahtunut.

Hän avasi oven selälleen. Mitään ei tapahtunut. Kärpäset huomasivat avoimen oven ja surisivat hänen ohitseen valoa kohti. Hän huitoi niitä silmistään.

"Menen sisään, Bosch."

Hän nousi vaunuun. Lisää kärpäsiä. Ilma kuhisi niitä. Sitten löyhkä iski hänen kasvoilleen täydellä voimalla, tunkeutui ihohuokosiin ja väänsi vatsanpohjaa.

Rachelin silmät sopeutuivat hämärään autiomaan kirkkaan päivänpaisteen jälkeen, ja hän huomasi valokuvat. Niitä oli pinottu pöytien päällä, teipattu jääkaapin oveen ja kiinnitetty pitkin seiniä. Ne olivat valokuvia uhreista, elossa ja kuolleena, kyyneleitä silmissä, anovasti katsovia, säälittäviä ilmestyksiä. Keittiösopen pöytä oli muutettu työtilaksi. Pöydällä oli kannettava tietokone ja tulostin sekä kolme valokuvanivaskaa. Rachel otti paksuimman pinon käteensä, selasi kuvia ja tunnisti osan niissä esiintyvistä miehistä samoiksi, joiden kuvat hän oli ottanut mukaan Cleariin. Nämä eivät kuitenkaan olleet otoksia perhealbumeista niin kuin hänen kansiossaan. Ne olivat murhaajan ottamia kuvia uhreistaan. Niissä miehet anelivat kameralta armoa ja anteeksiantoa. Rachel huomasi, että kaikki kuvat oli otettu alaviistoon ja että kameraa käyttänyt henkilö – Backus – oli seissyt dominoivassa asennossa uhrien yläpuolella ja ottanut kuvat uhreista, kun he olivat rukoilleet henkensä puolesta.

Kun Rachel ei enää kyennyt katselemaan kuvia, hän laski ne takaisin pöydälle ja tarttui toiseen pinoon. Tässä kasassa oli huomattavasti vähemmän kuvia, ja niissä näkyi nainen ja kaksi lasta, jotka kävelivät pitkin ostoskeskuksen käytäviä. Rachel laski kuvat alas ja oli aikeissa siirtää kolmannen valokuvapinon päälle asetetun kameran syrjään, kun Bosch tuli sisään.

"Rachel, mitä luulet tekeväsi?"

"Älä huoli. Meillä on viisi, ehkä kymmenen minuuttia. Lähdemme heti, kun kuulemme helikopterit, ja annamme todisteryhmän tehdä työnsä. Haluan vain katsoa, onko –"

"En välitä siitä, että haluat olla paikalla ennen muita agentteja. En vain pidä siitä, että avasit oven. Jokin on pahasti vialla ja –"

Bosch hiljeni nähtyään ensimmäisen vilauksen valokuvista.

Rachel kääntyi taas pöytää päin ja nosti kameran viimeisen valokuvanipun päältä. Hän näki päällimmäisessä kuvassa itsensä. Kesti hetken ennen kuin hän tajusi, missä kuvat oli otettu.

"Hän seurasi minua alusta asti", hän sanoi.

"Mitä tarkoitat?" Bosch kysyi.

"Kuva on otettu O'Haren lentokentällä. Tein välilaskun Chicagossa. Backus oli siellä ja varjosti minua."

Rachel selasi kuvat nopeasti. Niitä oli kuusi ja kaikki oli otettu hänen matkansa aikana. Viimeisessä kuvassa Rachel ja Cherie Dei tervehtivät toisiaan matkatavarahihnojen luona. Dei piti kädessään kylttiä, jossa luki BOB BACKUS.

"Hän on tarkkaillut minua."

"Kuten hän tarkkaili Terryäkin."

Bosch nosti tulostimesta valokuvan pitäen sen reunoista kiinni kummankin käden sormenpäillään, jotta ei jättäisi sormenjälkiä. Se oli ilmeisesti viimeinen kuva, jonka Backus oli tulostanut. Kuvassa näkyi tuiki tavallinen kaksikerroksinen omakotitalo ja sen etupiha. Ajotielle oli pysäköity farmariauto. Auton vieressä seisoi vanhahko mies avainnippu kädessään kaiketi etsimässä oikeaa avainta, jolla avata kuljettajan puoleinen etuovi.

Bosch näytti valokuvaa Rachelille.

"Kuka hän on?"

Rachel katsoi kuvaa pitkään.

"En tiedä."

"Tunnistatko talon?"

"En ole koskaan nähnytkään."

Bosch laski kuvan varovasti takaisin tulostimeen, jotta todisteryhmä löytäisi sen omalta paikaltaan.

Rachel siirtyi Boschin taakse ja lähti kävelemään käytävää pitkin kohti suljettua ovea. Ennen kuin Rachel meni ovelle, hän katsoi kylpyhuoneeseen. Huone oli muuten siisti, mutta kuolleet kärpäset peittivät lattiaa ja kalusteiden pintoja. Hän näki kylpyammeessa kaksi tyynyä ja viltin, jotka oli aseteltu sinne nukkumista varten. Hän muisti Backusin kansiossa mainitut tiedot ja tunsi oksentavansa hetkellä millä hyvänsä.

Hän poistui kylpyhuoneesta ja astui käytävän päässä olevalle suljetulle ovelle.

"Täälläkö sinä näit sen ruumiin?" hän kysyi.

Bosch kääntyi ja näki, että Rachel seisoi aivan oven edessä.

"Rachel..."

Rachel ei pysähtynyt. Hän käänsi kahvasta ja veti oven auki. Minä kuulin metallisen kilahduksen jollaista ei tietääkseni lähde yhdestäkään tavallisesta ovesta. Rachelin liike lakkasi, ja hänen kehonsa jäykistyi.

"Harry?"

Otin askeleen häntä kohti.

"Mitä nyt?"

"Harry!"

Rachel kääntyi katsomaan minua kapeassa paneelein verhotussa käytävässä. Kurkistin oviaukosta ja näin, että vuoteella makasi kuollut mies. Ruumis oli selällään ja sen kasvoja peitti musta cowboy-hattu. Oikeassa kädessä oli pistooli. Rinnassa ylävasemmalla luodinreikä.

Kärpäsiä surisi kaikkialla. Sitten kuulin myös kovemman, sihisevän äänen, työnsin Rachelin tieltäni ja näin, että huoneen lattialla paloi sytytyslanka. Tunnistin sen kemiallisesti käsitellyksi tulilangaksi, jonka punokset palaisivat missä tahansa ja kaikissa olosuhteissa, jopa veden alla.

Se lyheni nopeasti. Sitä olisi mahdoton sammuttaa. Lattialla oli reilu metrin pituinen vyyhti, toinen pää hävisi jonnekin vuoteen alle. Rachel kyyristyi polvilleen ja aikoi vetää langanpään esiin.

"Ei, älä koske! Se voi räjähtää. Emme voi tehdä mitään – meidän on pakko lähteä."

326

"Ei! Me emme voi jättää todisteita! Meidän pitää –"
"Rachel, meillä ei ole aikaa! Juokse! Ulos! Nyt!"
Sysäsin hänet huoneesta, käännyin häneen selin ja tukin käytävän vartalollani, jotta hän ei pääsisi ryntäämään takaisin. Ryhdyin työntämään Rachelia ulko-oven suuntaan mutta katselin koko ajan vuoteella makaavaa hahmoa. Kun luulin, että Rachel oli luovuttanut, minä käännyin. Mutta hän oli odottanut sopivaa tilaisuutta ja vilahti nopeasti ohitseni.
"Meidän on pakko saada DNA-näyte!"
Näin Rachelin juoksevan huoneeseen ja loikkaavan vuoteen luo. Hän riuhtaisi hatun kuolleen miehen päästä paljastaen vääristyneet ja hajoamisesta harmaat kasvot. Sitten Rachel otti muutaman askeleen taaksepäin ja kääntyi ovea kohti.
Huomasin ihastelevani Rachelin nopeaa ajatuksenjuoksua ja toimintaa. Hatun lieristä löytyisi varmasti ihosoluja, joista tutkijat saisivat selville ruumiin DNA:n. Rachel ohitti minut hattu kädessään ja ryntäsi juoksuun. Näin, että sytytyslanka lyheni ja paloi jo vuoteen alla. Lähdin Rachelin perään.
"Oliko se hän?" Rachel huusi olkansa yli.
Tiesin mitä hän tarkoitti. Kuuluiko vuoteella lojuva ruho miehelle, joka oli ilmestynyt Terry McCalebin veneelle? Oliko kuollut mies Backus?
"En tiedä. *Älä pysähdy! Juokse! Juokse!*"
Ennätin ovelle kaksi sekuntia Rachelin jälkeen. Hän oli jo hypännyt ulos ja ryhtynyt juoksemaan Titanic Rockin suuntaan. Säntäsin hänen peräänsä. Olin ottanut ehkä viisi juoksuaskelta, kun vaunu repesi liitoksistaan takanani. Räjähdyksen aiheuttama valtava paineaalto iski selkääni ja paiskasi minut maahan. Mieleeni muistui poliisikoulussa oppimani kierähdysliike, jonka avulla onnistuin pääsemään nopeasti muutaman metrin kauemmaksi tulimerestä.

Ajan kulku vääristyi ja hidastui. Yhdessä hetkessä juoksin. Toisessa olin nelinkontin maassa ja yritin nähdä eteeni. Yhtäkkiä aurinko pimeni, ja kun onnistuin vaivoin katsomaan taivaalle, näin asuntovaunun rungon kymmenen metrin korkeudessa yläpuolellani. Sen seinät ja katto olivat ehjät. Se näytti leijuvan paikoillaan kuin roikkuisi pilvistä. Seuraavassa hetkessä vaunu rysähti maahan noin kymmenen metrin päähän minusta. Alumiiniseinät sojottivat veitsenterävinä riekaleina kaikkiin suuntiin. Vaunun maahan iskeytymisen ääni muistutti ketjukolarin rytinää.

Katsoin ylös muiden vaununkappaleiden varalta, mutta taivas oli tyhjä. Vilkaisin taakseni paikkaan, jossa vaunu oli vielä hetki sitten ollut, enkä nähnyt nyt kuin roihuavia liekkejä ja paksua mustaa savua, joka kohosi autiomaan ylle. Vaunun alustastakaan ei ollut jäänyt jäljelle mitään. Räjähdys ja liekit olivat tuhonneet kaiken. Poissa olivat myös vuode ja sen päällä retkottanut ruumis. Backus oli suunnitellut lähtönsä täydellisesti.

Nousin jaloilleni, mutta ne eivät kantaneet minua kunnolla, koska tärykalvoni soivat yhä ja tasapainoaistini oli häiriintynyt. Korvissa kuului pauhu, joka tuntui siltä kuin olisin kävellyt rautatietunnelissa junien sujahdellessa täyttä vauhtia ohitseni. Halusin tukkia korvat käsilläni mutta tiesin, ettei siitä olisi apua. Humina kuului pääni sisällä.

Rachel oli ollut vain metrin päässä edessäni, kun paineaalto oli iskenyt, mutta nyt en nähnyt, missä hän oli. Kompuroin ympäriinsä savun keskellä ja pelkäsin, että hän oli rusentunut vaunun rungon alle.

Lopulta kuitenkin näin hänet maassa rojun vasemmalla puolella. Hän makasi liikkumatta hiekan ja kivien keskellä. Musta hattu lojui hänen vieressään kuin kuoleman merkki. Riensin Rachelin luokse niin nopeasti kuin pystyin.

"Rachel?"

Laskeuduin nelinkontin maahan ja etsin ensin näkyviä vammoja koskematta häneen. Rachel makasi vatsallaan ja hiukset peittivät hänen kasvojaan, enkä minä nähnyt hänen silmiään. Asento muistutti minua nukkuvasta tyttärestäni, ja sukaisin hiukset Rachelin poskelta. Näin samalla verta kämmenselässäni ja tajusin ensimmäistä kertaa, että olin itsekin loukkaantunut räjähdyksessä. Päätin murehtia sitä myöhemmin.

"Rachel?"

En osannut sanoa, hengittikö hän. Vaikutti siltä, että aistini olivat vaurioituneet. Ainakin kuuloni oli tilapäisesti mennyttä, ja muiden aistien yhteistyö luonnistui vaivalloisesti. Taputin kevyesti Rachelin poskea.

"Hei, Rachel. Herää."

En halunnut kääntää Rachelia selälleen, sillä hänellä saattoi olla sisäisiä vammoja, joita liikuttaminen vain pahentaisi. Taputin poskea uudestaan, tällä kertaa kovemmin. Panin käteni Rachelin selkää vasten, kuten olin tehnyt tyttäreni kanssa, ja yritin tuntea, nousiko hänen selkänsä hengityksen tahdissa.

Ei elonmerkkejä. Painoin korvani Rachelin selkää vasten, vaikka tiesin kuinka naurettavaa se oli tilassani. Vaistot toimivat ennen kuin järki ehti reagoida. Ehdin jo ajatella, että minulla ei ole muuta vaihtoehtoa kuin kääntää hänet selälleen, kun huomasin, että Rachelin oikean kädet sormet ensin nytkähtivät ja puristuivat sitten nyrkkiin.

Yhtäkkiä hän nosti päänsä hiekasta ja korahti. Ääni oli niin kova, että kuulin sen.

"Rachel, oletko kunnossa?"

"Minä – minä... vaunussa on paljon todisteita. Me tarvitsemme niitä."

"Vaunua ei enää ole. Se tuhoutui, Rachel."

Hän nousi hitaasti ylös ja istahti hiekkaan. Hänen silmänsä revähtivät auki, kun hän huomasi vaunun jään-

329

teet. Näin, että hänen pupillinsa olivat laajentuneet. Rachel oli saanut aivotärähdyksen.

"Mitä sinä menit tekemään?" hän sanoi syyttävästi.

"En se minä ollut. Vaunu oli viritetty räjähtämään. Kun avasit makuuhuoneen oven..."

"Ai niin."

Rachel käänteli päätään puolelta toiselle kuin koettaisi rentouttaa niskalihaksiaan. Hän näki vieressään lojuvan mustan cowboy-hatun.

"Mikä tuo on?"

"Hänen hattunsa. Otit sen mukaan, kun ryntäsit pihalle."

"DNA?"

"Toivottavasti siitä saadaan näyte, mutta en tiedä onko siitä hyötyä."

Rachel katsoi ilmiliekeissä roihuavaa paikkaa, jossa vaunu oli hetki sitten sijainnut. Olimme liian lähellä. Tunsin liekkien polttavan ihoani. En halunnut silti siirtää Rachelia aivan vielä.

"Mitä jos kävisit makuulle, Rachel? Luulen, että sait aivotärähdyksen. Sinulla voi olla muitakin vammoja."

"Joo, se kuulostaa hyvältä ajatukselta."

Rachel laskeutui makuulle ja katsoi taivaalle. Asento näytti hyvältä ja päätin itsekin käydä pitkäkseni. Ihan kuin olisimme maanneet rantahiekalla. Jos olisi ollut pimeää, olisimme voineet ihastella tähtiä.

***

Tunsin helikopterien lähestyvän ennen kuin kuulin niiden äänen. Tunsin rintakehässäni tasaista värähtelyä ja katsoin etelään päin. Kaksi ilmavoimien kopteria lensi Titanic Rockin takaa. Keräsin voimani ja nostin toista kättä merkiksi laskeutua.

34

"Mitä helvettiä siellä tapahtui?"

Erikoisagentti Randal Alpertin ilme oli kireä, ja hänen kasvonsa olivat muuttuneet purppuranpuhuviksi. Hän oli odotellut helikopterin saapumista Nellisin tukikohdan lentokenttähallissa. Alpertin poliittiset vaistot olivat pitäneet hänet poissa rikospaikalta. Hänen piti kaikin keinon kyetä irrottautumaan autiomaassa tapahtuneesta räjähdyksestä ja kantaa siitä mahdollisimman vähän vastuuta, sillä katastrofin paineaalto voisi kantautua jopa Washingtoniin päämajaan asti.

Rachel Walling ja Cherie Dei seisoivat suunnattomassa lentokonehallissa ja valmistautuivat ottamaan moitteet vastaan. Rachel ei antanut vastausta Alpertin kysymykseen, koska ajatteli, että se johtaisi vain syytösten tulvaporttien murtumiseen. Rachelin ajatuksenjuoksu toimi yhä hitaasti, hänen päänsä oli vieläkin sekaisin räjähdyksen jäljiltä.

"Walling, minä esitin kysymyksen!"

"Hän oli virittänyt vaunun räjähtämään", Cherie Dei aloitti. "Hän tiesi, että Rachel –"

"En kysynyt sinulta", Alpert ärähti. "Haluan, että agentti Walling kertoo minulle itse, minkä vuoksi hän ei noudattanut yksinkertaista käskyä ja miksi koko tutkimus on nyt mennyt täysin päin vittua."

Rachel nosti kätensä pystyyn kuin ilmoittaakseen, että hänellä ei ollut osaa eikä arpaa autiomaan tapahtumissa.

"Me aioimme aluksi odottaa teknistä tutkintaa", Rachel sanoi. "Kuten Dei ohjeisti. Olimme rikospaikan laidalla, kun tunsimme hajun, joka viittasi siihen, että alueella oli ruumis. Sen jälkeen arvelimme, että joku saattaisi olla vielä hengissä asuntovaunussa. Joku loukkaantunut."

"Ja miten helvetissä päädyitte siihen johtopäätökseen pelkän hajun perusteella?"

"Bosch luuli kuulleensa jotain."

"Ai, avunhuutoko muka teidät sai ryntäämään sisään?"

"Bosch tosiaan luuli, että hän kuuli jotain ääntä. Mutta se taisi olla vain tuuli. Se voi joskus hämätä. Vaunun ikkunat olivat auki, ja ääni syntyi luultavasti niistä."

"Entä sinä? Kuulitko sinä avunhuutoja?"

"En. En kuullut."

Alpert katsoi Deitä ja sitten taas Rachelia. Rachel tunsi Alpertin katseen porautuvan häneen. Hän kuitenkin tiesi, että tarina toimisi, eikä hän aikoisi antaa periksi. Rachel oli sepittänyt tarinan yhdessä Boschin kanssa. Bosch oli Alpertin ulottumattomissa, ja jos Rachel oli toiminut siksi, että Bosch oli luullut kuulleensa avunhuutoja, häntä ei voitaisi syyttää. Alpert voisi raivota ja remuta mutta ei tehdä muuta.

"Tiedätkö, mikä tarinassasi meni pieleen? Ensimmäinen sana jota käytit. Me. Sanoit *me*. Teidän ei käsketty tehdä yhteistyötä. Sait tehtäväksesi tarkkailla Boschia. Sinun ei pitänyt liittoutua hänen kanssaan. Sinun ei pitänyt hypätä hänen autoonsa pikku retkelle. Ei kuulustella todistajia yhdessä. Ei mennä rikospaikalle yhdessä."

"Ymmärrän kyllä mutta ajattelin, että näissä olosuhteissa paras vaihtoehto tutkimuksen kannalta olisi voimavarojen ja tietojen jakaminen. Itse asiassa koko paikan löytyminen oli täysin Boschin ansiota. Emme olisi päässeet näin pitkälle ilman hänen apuaan."

"Älä naurata, Walling. Olisimme ratkaisseet jutun ennen pitkää."

"Varmasti olisimmekin. Mutta nopeus oli mielestäni tärkeää. Sanoitte itsekin niin aamupalaverissa. Johtaja astuu pian televisiokameroiden eteen, joten halusin tehdä jotain, jotta hän saisi mahdollisimman paljon uutta tietoa."

"No, siitä ei tarvitse nyt välittää. Emme tiedä alkuunkaan, mitä olemme saaneet selville. Johtaja siirsi lehdistötilaisuutta ja antoi meille aikaa huomiseen puoleenpäivään asti."

Cherie Dei selvitti kurkkuaan, otti riskin ja puuttui keskusteluun.

"Aikataulu ei riitä", hän sanoi. "Ruumis paloi täysin karrelle ja levisi ympäri tienoota. Joudumme kantamaan hänet ruumishuoneelle pienissä pusseissa. Henkilöllisyyden tunnistaminen ja kuolinsyyn selvittäminen vie viikkoja, eikä ole edes varmaa, että ne saadaan selville. Walling sai ilmeisesti otettua DNA-näytteen, mikä saattaa nopeuttaa tutkintaa, mutta meillä ei ole mitään, mihin näytettä voi verrata. Me –"

"Et tainnut kuunnella, mitä sanoin alle kymmenen sekuntia sitten", Alpert tulistui, "meillä ei ole viikkoja. Aikaa on alle vuorokausi."

Alpert kääntyi selin, pani kädet lanteilleen ja otti asennon, joka kuvasti kuinka raskas taakka hänen harteitaan painoi, hänen joka oli omasta mielestään ainut älykäs agentti tässä seurassa.

"Siinä tapauksessa meidän on mentävä takaisin rikospaikalle", Rachel sanoi. "Ehkä rojun seasta löytyy jotain, jonka perusteella –"

"Tuskin!" Alpert huudahti. Hän kääntyi ympäri. "Se ei ole tarpeen, Walling, olet tehnyt jo tarpeeksi tuhoa."

"Minä tunnen Backusin ja tutkimuksen läpikotaisin. Minun pitää päästä takaisin."

"Minä päätän, kuka tutkii rikospaikkaa ja kuka ei. Sinä menet nyt toimistolle ja kirjoitat raporttisi tästä fiaskosta. Haluan, että se on pöydälläni aamukahdeksaan mennessä. Haluan seikkaperäisen listan kaikesta, mitä näit vaunun sisällä."

Alpert jäi odottamaan Rachelin vastalauseryöppyä. Rachel pysyi kuitenkin hiljaa, mikä tuntui miellyttävän Alpertia.

"Selvä, sitten pitää hoitaa vielä tiedotusvälineet. Mitä kerromme toimittajille ja miten teemme sen paljastamatta kaikkea ja viemättä huomiota johtajan huomiselta esiintymiseltä?"

Dei kohautti olkapäitään.

"Emme kerro mitään. Sanotaan, että johtaja puhuu aiheesta huomenna ja sillä selvä."

"Se ei toimi. Meidän on pakko sanoa jotain."

"Emme voi mainita Backusia", Rachel pohti. "Sanomme, että FBI halusi jututtaa Tom Walling -nimistä henkilöä kadonneista miehistä, mutta hän oli virittänyt asuntovaunuunsa panoksen, joka räjähti, kun agentit kävivät paikalla."

Alpert nyökkäsi. Tarina kelpasi hänelle.

"Entä Bosch?"

"Häntä ei mielestäni kannata mainita. Emme voi vahtia häntä jatkuvasti. Jos toimittajat löytävät Boschin, hän saattaa paljastaa kaiken."

"Entä ruumis? Sanommeko, että se on Wallingin?"

"Kerromme totuuden, eli että emme tiedä. Henkilöllisyyden tunnistaminen on aloitettu ja niin edelleen. Sen pitäisi riittää."

"Jos toimittajat menevät Cleariin, he saavat selville, mistä on kysymys."

"Eivät saa. Emme kertoneet kenellekään, mistä tutkimuksessa on kyse."

"Mitä Boschille muuten tapahtui?"

Dei vastasi siihen.

"Otin Boschilta lausunnon ja päästin hänet menemään. Viimeksi kun näin hänet, hän oli matkalla Vegasiin."

"Osaako hän pitää suunsa kiinni?"

Dei vilkaisi Rachelia ja katsoi sitten Alpertia.

"Sanotaan vaikka niin, että hän ei etsi käsiinsä ketään, jolle kertoisi tapahtuneesta. Jos pidämme hänen nimensä poissa lehdistä, kukaan ei myöskään etsi häntä käsiinsä kuullakseen siitä."

Alpert nyökkäsi. Hän sujautti käden taskuun ja otti sieltä matkapuhelimensa.

"Tämän kysymyksen jälkeen minun pitää soittaa Washingtoniin. Totuuden hetki, naiset: oliko se Backusin ruumis?"

Rachel empi eikä halunnut vastata ensin.

"Tällä hetkellä emme voi tietää", Dei sanoi. "Jos kysyt, pitäisikö johtajalle kertoa, että me saimme hänet, minä vastaisin, että sitä ei ainakaan kannata sanoa. Ruumis voi kuulua kenelle tahansa. Se voi olla jopa Backusin yhdennentoista uhrin, emmekä saa välttämättä koskaan selville, kuka hän oli. Se voi olla kenen vain, joka on käynyt huorissa ennen kuin Backus on siepannut hänet."

Alpert katsoi Rachelia ja odotti tämän vastausta.

"Sytytyslanka", Rachel sanoi.

"Mitä siitä?"

"Se oli pitkä. Aivan kuin hän olisi halunnut, että näen ruumiin mutta en liian läheltä. Hän halusi lisäksi, että ehtisin pakenemaan ennen räjähdystä."

"Jatka vain."

"Ruumiin kasvoja peitti musta cowboy-hattu. Muistan, että Rapid Cityn lentokoneessa oli mies, jolla oli päässään sellainen."

"Jumalauta, lensit Etelä-Dakotasta. Eikö jokaisella maalaisella ole samanlainen?"

"Mutta Backus oli koneessa, hän seurasi minua. Luulen, että koko juttu on osa hänen suunnitelmaansa. Kirje baarissa, pitkä sytytyslanka, valokuvat, hattu. Hän tahtoi, että selviän hengissä ja kerron sitten kaikille, että hän on kuollut."

Alpert oli hiljaa. Hän katsoi puhelinta, jota hän puristi tiukasti kädessään.

"Emme tiedä vielä tarpeeksi, Randal", Dei pahoitteli.

Alpert tipautti puhelimen takaisin taskunsa pohjalle.

"Olkoon sitten. Dei, onko autosi täällä?"

"On."

"Vie Walling toimistolle."

Neuvonpito oli päättynyt, mutta lopuksi Alpert katsoi vielä kerran Rachelia tiukasti.

"Muista jättää se raportti aamukahdeksaan mennessä, Walling."

"Tietenkin", Rachel sanoi.

35

Koputin oveen ja yllätyksekseni sen takana seisoikin Eleanor. Hän astui pari askelta taaksepäin ja päästi minut eteiseen.

"Älä katso minua tuolla tavalla, Harry", hän moitti. "Luulet, etten ole koskaan kotona ja jätän Maddien aina Marisolin hoidettavaksi. Olet väärässä. En pelaa kuin kolmena tai neljänä iltana viikossa."

Nostin käteni ylös antautumisen merkiksi, ja hän näki oikean käteni ympärille kääräistyn siteen.

"Mihin sinä olet telonut itsesi?"

"Sain pienen haavan."

"Mitä tapahtui?"

"Se on pitkä tarina."

"Loukkaannuitko tänään siellä autiomaassa?"

Minä vain nyökkäsin.

"Olisi pitänyt arvata. Haittaako se saksofonin soittamista?"

Eläkepäivät olivat tylsiä, joten olin alkanut käydä saksofonitunneilla vanhan jazzmuusikon luona, johon olin tutustunut erään tutkimuksen yhteydessä. Kerran kun Eleanor ja minä olimme vielä hyvissä väleissä, olin ottanut soittimen mukaan ja esittänyt hänelle kappaleen nimeltä *Lullaby*. Eleanor oli pitänyt siitä.

"En ole soittanut pitkään aikaan."

"Mikset muka?"

En halunnut kertoa, että opettajani oli kuollut ja musiikki jäänyt sen takia vähemmälle huomiolle viime aikoina.

"Opettajani tunnisti lahjakkuuteni ja vaati, että vaihtaisin joko soitinta tai opettajaa."

Eleanor hymähti kömpelölle sutkautukselleni, ja jätimme asian sikseen. Seurasin häntä asunnon läpi keittiöön, jossa pokeripöytä toimitti ruokapöydän virkaa – Maddien jäljiltä verassa oli muro- ja maitotahroja. Eleanor oli jakanut pöydälle kuusi avointa korttikättä harjoitellakseen. Hän istui alas ja alkoi kerätä kortteja pois.

"En halua häiritä", minä sanoin. "Tulin vain pistäytymään, koska ajattelin, että voisin lukea Maddielle iltasadun. Missä hän on?"

"Marisolin kanssa kylvyssä. Mutta minä peittelen hänet tänään. Olen ollut ulkona kolme päivää peräkkäin."

"No, ei sillä väliä. Minä sanon vain hei. Ja kerron, että olen lähdössä. Ajan takaisin tänä iltana."

"Lue sinä iltasatu siinä tapauksessa. Minulla on uusi kirjakin. Se on tuossa työtason kulmalla."

"Ei, haluan että sinä teet sen. Tahdon vain nähdä hänet, koska en tiedä, milloin pääsen taas käymään."

"Onko tutkimuksesi vielä kesken?"

"Ei, se päättyi käytännössä tänään."

"Katsoin uutiset, mutta niissä ei kerrottu paljon mitään. Mistä oli kyse?"

"Se on pitkä tarina."

En halunnut kertoa koko juttua alusta asti. Kävelin keittiön työtason luo ja katsoin Eleanorin ostamaa kirjaa. Sen nimi oli *Viljamin voitonpäivä*, ja kannessa komeili apina, joka seisoi olympiakisojen korkeimmalla palkintokorokkeella. Apinan kaulaan ripustettiin kultaista mitalia. Leijona oli voittanut hopeaa ja norsu saanut pronssia.

"Aiotko palata laitokselle?"

Olin juuri avaamaisillani kirjan mutta laskin sen sitten alas ja katsoin Eleanoria.

"Harkitsen vielä, mutta siltä näyttää."

Hän nyökkäsi aivan kuin olisin jo tehnyt lopullisen päätökseni.

"Haluaisitko kertoa, mitä mieltä olet siitä?"

"En. Haluan, että teet niin kuin itse haluat, Harry."

Mietin, miksi kaikki suhtautuvat aina epäluuloisesti siihen, että saavat kuulla täsmälleen sen, mitä oikeasti haluavatkin. Halusiko Eleanor todella, että tekisin niin kuin itse tahdoin? Vai halusiko hän vain vähätellä koko asiaa?

Ennen kuin ehdin sanomaan mitään, Maddie tuli keittiöön ja jäi seisomaan paikoilleen. Hänellä oli yllään pyjama, jossa oli sinisiä ja oransseja raitoja, ja hänen tummanruskea tukkansa roikkui märkänä päätä vasten.

"Pikkuinen tyttö tuli kylvystä", hän sanoi ylpeästi.

Minun ja Eleanorin kasvoille puhkesi iloinen hymy, ja me levitimme kätemme halaukseen täysin samaan aikaan. Maddie meni halaamaan ensin äitiään, mutta se ei vaivannut minua. Tunsin kuitenkin oloni vähän samaksi kuin jos ojentaisin käteni, ja sitä ei huomattaisi tai käteeni ei yksinkertaisesti haluttaisi tarttua. Laskin käteni alas, ja hetken päästä Eleanor pelasti kasvoni.

"Käy antamassa isille hali."

Maddie tuli luokseni, ja minä nostin hänet syliini. Hän painoi tuskin kahtakymmentä kiloa. On suorastaan uskomatonta, että yhden käden varassa voi kannatella kaikkea, mikä elämässä on tärkeää. Maddie painoi märän päänsä rintaani vasten, eikä minua haitannut, että paitani kastui. Se ei haitannut yhtään.

"Mitä kuuluu, kultaseni?"

"Hyvää. Minä piirsin sinusta kuvan tänään."

"Ihanko totta? Saanko nähdä sen?"

"Laske minut alas."

Noudatin Maddien käskyä. Hän juoksi keittiöstä leikkihuoneeseen, ja pienet, paljaat jalat läpsyivät kivisiä lattialaattoja vasten. Katsoin Eleanoria ja hymyilin. Jaoimme yhteisen salaisuuden. Riippumatta siitä, mitä tunsimme tai emme tunteneet toisiamme kohtaan, meillä olisi aina tyttäremme ja muuta emme ehkä tarvitsisikaan.

Kuulin pienet juoksuaskeleet uudestaan, ja Maddie tuli hetken päästä keittiöön käsivarsi pystyssä ja piirustus lepattaen kuin leija. Hän antoi sen minulle. Kuvassa oli mies, jolla oli viikset ja tummat silmät. Käsivarret sojottivat eteenpäin, ja toisessa kädessä hän piteli asetta. Sivun laidassa näkyi toinenkin hahmo. Se oli piirretty punaisella ja oranssilla liidulla, mutta kulmakarvat olivat pikimustat ja V-kirjaimen muotoiset, mikä kertoi, että hän oli pahis.

Kumarruin alas Maddien viereen ihaillakseni kuvaa hänen kanssaan.

"Esittääkö pyssymies minua?"

"Joo, koska olit poliisimies."

Minä nyökkäsin. Maddien sanomana se kuulosti *pliisimieheltä*.

"Entä kuka tämä ilkimys on?"

Hän osoitti toista hahmoa pienellä etusormella.

"Se on herra Piru."

Minä hymähdin.

340

"Millainen mies hän on?"

"Hän on painija. Äiti sanoo, että sinä painit pirujesi kanssa, ja hän on niiden pomo."

"Ai jaa."

Katsoin Eleanoria Maddien päälaen yli ja hymyilin. En voinut harmistua. En voinut kuin rakastaa tapaa, jolla tyttöni katsoi maailmaa. Sitä kuinka kirjaimellisesti hän vielä käsitti kaiken, mitä vanhemmat sanoivat. Tiesin, ettei lapsenuskoa säilyisi kauan, joten arvostin jokaista hetkeä, kun kuulin tai näin siitä todisteita.

"Voinko saada kuvan itselleni?"

"Miksi?"

"Koska se on hieno ja haluan säilyttää sen. Minun pitää lähteä pois vähäksi aikaa ja haluan katsella kuvaa joka ikinen päivä. Se muistuttaa minua sinusta."

"Mihin sinä menet?"

"Menen takaisin paikkaan, jota sanotaan Enkelten kaupungiksi.

Maddie nauroi.

"Hassu. Ei enkeleitä voi nähdä."

"Tiedän, kultaseni. Äidillä taitaa olla sinulle muuten uusi kirja, joka kertoo Viljami-nimisestä apinasta. Minun pitää nyt sanoa hyvää yötä ja lähteä, mutta tulen taas käymään niin pian kuin voin. Käykö se sinulle, pikkuinen?"

"Kyllä se käy, isi."

Annoin suukon Maddien kummallekin poskelle ja rutistin häntä tiukasti. Moiskautin vielä yhden pusun hänen otsalleen ja irrotin otteeni. Nousin ylös piirustus kädessäni ja ojensin Maddielle kirjan, jonka Eleanor lukisi hänelle ennen nukkumaanmenoa.

"Marisol?" Eleanor kutsui lastenhoitajaa.

Marisol tuli keittiöön muutamassa sekunnissa aivan kuin hän olisi odottanut olohuoneessa merkkiä. Tervehdin Marisolia, kun Eleanor antoi hänelle ohjeita.

341

"Vie Maddie makuuhuoneeseen ja peittele hänet, minä tulen kohta lukemaan iltasadun, kunhan saan hyvästeltyä hänen isänsä."

Katsoin kun tyttäreni ja lastenhoitaja lähtivät keittiöstä.

"Olen pahoillani", Eleanor sanoi.

"Piirustuksen takiako? Ei tarvitse olla. Se on upea. Ripustan sen jääkaapin oveen."

"En tiedä, mistä Maddie keksi sen. En ole sanonut hänelle, että painiskelet pirujesi kanssa. Hän on varmaan kuullut jotain, kun olen puhunut puhelimessa."

Olisi oikeastaan ollut parempi, että Eleanor olisi sanonut sen suoraan Maddielle. Mieltäni vaivasi se, että Eleanor puhui minusta puhelimessa jonkun toisen kanssa, jonka nimeä hän ei edes kertonut minulle. Yritin teeskennellä välinpitämätöntä.

"Ei se haittaa", minä sanoin. "Sitten kun Maddie menee kouluun ja muut kertovat, että heidän isänsä ovat lakimiehiä, palomiehiä tai lääkäreitä, Maddiella on ässä hihassaan. Hän voi kertoa, että hänen isänsä painii pirujen kanssa."

Eleanor naurahti ensin mutta tajusi sitten jotain.

"Pelottaa ajatella, mitä hän sanoo äidistään."

En osannut vastata, joten vaihdoin puheenaihetta.

"En voi kertoa sanoin, kuinka paljon rakastan sitä, että hän ei vielä ymmärrä sanojen ja asioiden kaikkia merkityksiä", minä sanoin katsoessani piirustusta uudestaan. "Viattomuus on niin kaunista."

"Tiedän kyllä. Se on minustakin ihanaa. Olen kuitenkin varma, ettet halua hänen ajattelevan, että painiskelet oikeasti pirujen kanssa. Miksi et selittänyt sitä hänelle?"

Pudistin päätäni, ja mieleeni juolahti tapaus omasta lapsuudestani.

"Kun olin pieni ja asuin vielä äitini kanssa, hänen onnistui kerran hankkia meille auto. Se oli kaksivärinen

Plymouth Belvedere, jossa oli nappiautomaatti ja kaikki. Hänen asianajajansa taisi antaa sen meidän käyttöömme. Se oli meillä muutaman vuoden. No, joka tapauksessa äiti sai päähänpiston matkustaa koko mantereen poikki. Pakkasimme auton täyteen tavaraa ja lähdimme yhdessä, äiti ja minä.

Olimme jossain etelävaltiossa, en muista tarkkaan missä, ja pysähdyimme huoltoasemalle tankkaamaan. Huoltamon seinustalla oli kaksi juomavesisuihkua. Ja ne kyltit tietenkin. Toisessa luki VALKOISET ja toisessa VÄRILLISET. Minä menin juomaan siitä, jossa sanottiin värilliset, koska halusin tietää, minkä väristä vesi olisi. Ennen kuin ehdin juoda, äiti kiskaisi minut kauemmas ja selitti, mitä kyltti oikeasti tarkoitti.

Muistan sen vieläkin ja tavallaan toivon, että hän olisi antanut minun katsoa, minkä väristä vettä hanasta tulisi, eikä selittänyt kaikkea juurta jaksaen."

Tarina sai Eleanorin hyvälle tuulelle.

"Kuinka vanha olit?"

"En ole varma. Ehkä kahdeksan."

Eleanor nousi ylös ja tuli luokseni. Hän painoi suudelman poskelleni, enkä minä estänyt häntä. Kiedoin käteni kevyesti hänen lanteilleen.

"Onnea pirujen kanssa painimiseen, Harry."

"Joo, kiitos."

"Jos joskus muutat mielesi, minä olen täällä. Me kumpikin olemme."

Minä nyökkäsin.

"Maddie saa *sinut* muuttamaan mielesi, Eleanor. Odota vain."

Hän hymyili, mutta ilme oli hieman surullinen, ja sitten hän sipaisi leukaani.

"Katso, että ovi menee varmasti lukkoon."

"Ainahan minä."

343

Päästin hänet menemään ja katselin, kun hän lähti keittiöstä. Katsoin sitten taas piirustusta, jossa kamppailin pirua vastaan. Tyttäreni oli piirtänyt kasvoilleni leveän hymyn.

36

Ennen kuin nousin portaat huoneeseeni, pistäydyin Double X:n vastaanotossa ja kerroin yövuorossa työskentelevälle Gupta-nimiselle miehelle, että olin lähdössä. Hän kertoi, että koska olin sopinut huoneeni vuokrauksesta aina viikoksi kerrallaan, luottokorttiani oli veloitettu jo loppuviikonkin osalta. Sanoin, ettei se haittaa ja että lähtisin joka tapauksessa. Sanoin aikovani jättää avaimet keittiönpöydälle, kunhan saisin pakattua tavarani. Olin jo lähdössä ja epäröin hetken mutta päätin sittenkin kysyä, mitä naapurissani asuvalle Janelle oli tapahtunut.

"Hänkin lähti. Sama juttu."

"Mikä sama juttu?"

"Myös hän maksoi vuokransa aina viikoksi kerrallaan mutta häipyi kesken kaiken."

"Voisitko kertoa minulle hänen koko nimensä? Minä tunsin hänet pelkästään Janena."

"Hänen nimensä oli Jane Davis. Taisi olla kiva tyttö?"

"Kyllä, hän oli todella mukava. Puhuimme monesti parvekkeella. En ehtinyt sanoa hänelle näkemiin. Ei hän sattunut jättämään uutta osoitetta tai mitään vastaavaa?"

Gupta virnisti ajatukselle. Hänellä oli erikoisen vaaleanpunaiset ikenet niin tummaihoiseksi mieheksi.

"Hän ei jättänyt osoitetta", Gupta sanoi ilkikurisesti.

"Ei tosiaankaan."

Kiitin häntä tiedoista. Lähdin vastaanotosta, nousin portaat omaan kerrokseeni ja kävelin luhtikäytävää pitkin huoneeni ovelle.

Tavaroiden pakkaamisessa ei mennyt edes viittä minuuttia. Vaateripustimissa roikkui vain muutama paita ja housut. Otin vaatekaapista esiin pahvilaatikon, jossa olin aikoinaan kantanut samat tavarat huoneeseen, ja täytin sen nyt uudestaan rojuillani ja parilla lelulla, jotka olin ostanut Maddieta varten. Buddy Lockridge oli ollut yllättävän tarkkanäköinen sanoessaan minua Matkalaukku-Harryksi. Mutta Pahviloota-Harry olisi ollut vielä osuvampi nimi.

Ennen kuin lähdin, vilkaisin jääkaappiin ja huomasin, että minulla oli vielä yksi olut. Päätin juoda sen pois. Tuumin, ettei yksi olut haittaisi, vaikka hyppäisinkin pian auton rattiin. Monesti aiemmin juominen ei ollut jäänyt pelkästään siihen yhteen. Harkitsin vielä haukkaavani pari leipää, mutta päätin jättää ne syömättä, kun muistin, kuinka Backus oli syönyt Quanticon aikoihin pelkkiä grillattuja juustoleipiä. Menin parvekkeelle juomaan olutta ja katsomaan rikkaiden miesten yksityiskoneita vielä viimeisen kerran. Ilta oli kirpakka ja raikas. Etäämpänä sijaitsevan kiitoradan siniset valot tuikkivat kuin safiirit.

Kaksi mustaa suihkukonetta olivat nyt poissa, niiden omistajat olivat joko hävinneet rahansa tai voittaneet lisää todella nopeasti. Iso Gulfstream seisoi sen sijaan yhä paikallaan, ja suihkumoottoreiden sisäänottoaukkojen eteen oli asetettu punaiset suojat pöllyävää hiekkaa vastaan. Se oli tullut jäädäkseen. Mietin, millä tavalla Jane Davis ja hänen Double X:ssä viettämänsä aika olivat liittyneet kentälle pysäköityihin yksityiskoneisiin.

Vilkaisin Janen tyhjää parveketta, johon oli matkaa alle puolitoista metriä. Tuhkakuppi oli yhä kaiteella, ja näin että se oli vieläkin täynnä puoliksi poltettuja savukkeita. Hänen huonettaan ei ollut vielä siivottu.

Sain siitä tuuman. Vilkaisin ympärilleni ja alas pysäköintialueelle. En nähnyt liikettä muualla kuin Kovalin risteyksessä, missä autot odottivat valojen vaihtumista. Pysäköintialueella ei näkynyt yövartijaa eikä ketään muutakaan. Nousin rivakasti kaiteelle ja olin aikeissa kavuta naapuriparvekkeelle, kun joku koputti ovelleni. Hyppäsin äkkiä alas ja menin avaamaan.

Oviaukossa seisoi Rachel Walling.

"Rachel? Moi. Onko jotain sattunut?"

"Ei mitään niin pahaa, ettei Backusin vangitseminen sitä parantaisi. Voinko käydä peremmälle?"

"Tietenkin."

Siirryin oven edestä, jotta Rachel pääsisi sisään. Hän näki laatikon, johon olin kasannut omaisuuteni. Minä puhuin ensin.

"Mitä tapahtui, kun pääsit takaisin kaupunkiin?"

"Sain taas kuulla kunniani tutkintaa johtavalta agentilta."

"Sälytitkö kaiken minun niskoilleni?"

"Juuri niin kuin sovimmekin. Hän puhisi ja puhkui mutta ei voinut tehdä mitään. En halua puhua nyt hänestä."

"Mistä sitten?"

"Ihan aluksi haluan tietää, onko sinulla toista tuollaista."

Hän tarkoitti olutpulloa.

"Itse asiassa ei. Aikomukseni oli juoda tämä ja lähteä sitten matkoihini."

"No hyvä että ehdin nähdä sinut."

"Haluatko puolet? Haen sinulle lasin."

"Sanoit, ettei niitä uskalla käyttää."

"Minä voin pestä –"

Rachel otti pullon kädestäni ja siemaisi olutta. Hän ojensi pullon takaisin, eikä hänen katseensa irronnut minusta koko aikana. Sitten hän kääntyi ja osoitti pahvilaatikkoa.

"Aiot siis lähteä."

"Niin, menen takaisin Los Angelesiin vähäksi aikaa."

"Sinun tulee ikävä tytärtäsi, eikö vain?"

"Kamalasti."

"Käytkö katsomassa häntä?"

"Niin usein kuin mahdollista."

"Sepä hyvä. Entä muita?"

"Mitä tarkoitat?" minä kysyin, vaikka uskoin tietäväni, ketä hän tarkoitti.

"Onko sinulla muuta syytä käydä täällä?"

"Ei, vain tyttäreni."

Katsoimme toisiamme pitkään. Ojensin Rachelille olutpulloa, mutta kun hän otti askeleen lähemmäs, hän tulikin suoraan minun luokseni. Hän suuteli minua suulle, ja kiedoimme kätemme toistemme ympärille.

Tiesin, että varsinainen syy siihen, miksi painauduimme niin tiukasti toisiamme vasten ja siirryimme vuoteen viereen ja miksi laskin lopulta olutpullon yöpöydälle, jotta voisin käyttää molempia käsiäni vaatteiden riisumiseen, olivat päivän järkyttävän tapahtumat ja se että räjähdys oli ollut vähällä tappaa meidät.

Kellahdimme sänkyyn ja rakastelimme kuin vain vakavasta onnettomuudesta selvinneet voivat. Seksi oli nopeaa ja rajua – molempien osalta. Päällimmäisenä mielessämme oli synnynnäinen tarpeemme nujertaa kuolema.

Kun rakastelu oli ohi, jäimme makaamaan petivaatteiden päälle toisiimme kietoutuneina, Rachel minun päälläni ja minun käteni yhä hänen sekaisin menneissä hiuksissaan. Hän ojensi kätensä ja yritti hamuilla olutpulloa, mutta se kaatui, ja suurin osa oluesta valui pitkin yöpöytää ja lattiaa.

"Siinä meni vuokratakuuni", minä sanoin.

Pullossa oli jäljellä vielä tilkka, josta Rachel otti siemauksen ennen kuin tarjosi loppuja minulle.

"Teimme sen tämän päivän tähden", Rachel sanoi, kun hörppäsin pullosta.

Annoin loput hänelle.

"Mitä tarkoitat?"

"Meillä ei ollut muuta vaihtoehtoa sen jälkeen, kun olimme vähällä menettää henkemme."

"Ei niin."

"Gladiaattorirakkautta. Tulin tänne siitä syystä. Hyvä ettet ehtinyt lähteä."

Minä hymyilin, sillä mieleeni juolahti typerä gladiaattorivitsi vanhasta elokuvasta, joka oli yksi suosikeistani. En kertonut vitsiä Rachelille, ja hän kai luuli, että hymyilin hänen sanoilleen. Hän kumartui ja painoi päänsä rintaani vasten. Otin tupsun Rachelin hiuksia käteeni, varovaisemmin kuin hetkeä aiemmin, ja katsoin räjähdyksessä kärventyneitä latvoja. Hyväilin sitten hänen selkäänsä ja kummastelin, miten olimme nyt niin helliä toisillemme, vaikka vasta äsken olimme rakastelleet yhtä raivokkaasti kuin muinaiset gladiaattorit taistelivat areenalla henkensä puolesta.

"Et sattuisi kiinnostumaan etsivätoimiston sivuliikkeen avaamisesta Etelä-Dakotaan?"

Minä hymyilin ja nielaisin naurahdukseni.

"Entä Pohjois-Dakotaan?" hän kysyi. "Minä saan ehkä siirron takaisin sinne."

"Ensin pitää olla menestyvä etsivätoimisto ennen kuin voi miettiä sivuliikkeen avaamista."

Hän läpsäytti minua kevyesti rintaan.

"En uskonutkaan."

Minä vaihdoin asentoa ja vetäydyin Rachelista. Hän voihkaisi mutta jäi makaamaan päälleni.

"Pitääkö minun nyt kerätä kimpsuni ja lähteä?"

"Ei, Rachel. Ei missään nimessä."

Vilkaisin hänen olkansa yli ja huomasin, että ovi ei ollut lukossa. Mietin, että Gupta voisi tulla hetkenä minä hyvänsä katsomaan, olinko jo lähtenyt, mutta hän näkisikin tyhjäksi kuvittelemassaan huoneessa kaksiselkäisen pedon. Minä hymyilin. En välittänyt.

Rachel nosti päätään ja katsoi minua.

"Mitä?"

"Ei mitään. Emme lukinneet ovea. Kuka tahansa voi marssia sisään."

"Sinä et lukinnut ovea. Tämä on sinun kämppäsi."

Annoin Rachelille suukon ja tajusin, etten ollut suudellut hänen huuliaan missään vaiheessa. Sekin vaikutti kummalliselta.

"Tiedätkö mitä, Bosch?"

"No?"

"Olet hyvä tässä."

Hymyilin ja sanoin kiitos. Kuka tahansa nainen voisi sanoa kumppanilleen niin milloin vain ja saada aina saman vastauksen.

"Tarkoitan sitä."

Hän upotti kynnet rintaani korostaakseen sanojaan. Pidin hänestä tiukasti kiinni toisella kädellä ja kiepsautin meidät ympäri. Mietin, että olin ainakin kymmenen vuotta häntä vanhempi, mutta se ei haitannut minua.

Suutelin häntä uudestaan ja nousin sängystä, keräsin vaatteet lattialta ja kävin lukitsemassa oven.

"Täällä pitäisi olla ainakin yksi puhdas pyyhe", minä sanoin. "Ota sinä se."

Rachel halusi, että minä käyn suihkussa ensin, ja niin sitten teinkin. Kun hän meni suihkuun, kävelin kadun toiselle puolelle kauppaan ja ostin vielä kaksi olutta. En aikonut juoda enempää, koska lähtisin pian kotia kohti, enkä halunnut, että oluen kittaaminen viivyttäisi lähtöä tai pitkittäisi matkantekoa. Istuin pöydän ääressä, kun Rachel tuli kylpyhuoneesta täysin pukeutuneena ja virnisti nähdessään ostamani pullot.

"Tiesin, että sinusta olisi jotain hyötyä."

Hän istui alas, ja kilistimme pulloja.

"Gladiaattorirakkaudelle", hän naurahti.

Joimme olutta ja olimme hetken hiljaa. Yritin keksiä, mitä viimeisen tunnin tapahtumat merkitsivät minulle ja meille kummallekin.

"Mitä mietit?" Rachel kysyi.

"Sitä miten hankalaksi tämä muuttuu kohta."

"Ei sen tarvitse. Katsotaan vain, mitä tapahtuu."

Se ei kuulostanut samalta kuin pyyntö muuttaa Etelä- tai Pohjois-Dakotaan.

"Selvä."

"Minun pitää varmaan lähteä."

"Mihin?"

"Toimistolle kai. Pitää käydä katsomassa, mitä siellä tapahtuu."

"Kuulitko, mitä sille roskatynnyrille tapahtui räjähdyksessä? Minä en muistanut katsoa."

"En tiedä. Miksi kysyt?"

"Minä vilkaisin tynnyriin, kun kävimme siellä. Ihan nopeasti vain. Näytti siltä, että Backus oli polttanut luottokortteja tai ehkä henkilöpapereita."

"Uhrienko?"

"Luultavasti. Oli hän polttanut kirjojakin."

"Kirjoja? Miksi hän olisi polttanut kirjoja?"

"En tiedä, mutta se tuntuu oudolta. Vaunussa oli nimittäin kasapäin kirjoja. Hän poltti osan mutta ei kaikkia. Siinä on jotain omituista."

"Jos tynnyristä on jäänyt jotain jäljelle, todisteryhmä tutkii sen. Miksi et puhunut siitä aikaisemmin kuulustelussa?"

"Koska päässäni soi ja taisin unohtaa koko jutun."

"Aivotärähdyksestä johtuva lyhytaikainen muistinmenetys."

"En saanut aivotärähdystä."

"No, räjähdyksestä johtuva sitten. Osaatko sanoa, mitä kirjoja tynnyrissä oli?"

"En oikein. Vilkaisin vain nopeasti. Noukin kyllä yhden käteeni. Se oli palanut kaikkein vähiten. Se näytti runokirjalta. Luulisin."

Rachel katsoi minua ja nyökkäsi mutta ei sanonut mitään.

"En ymmärrä, miksi hän poltti ne. Hän viritti vaunun räjähtämään mutta vaivautui silti polttamaan osan kirjoista tynnyrissä. Ihan kuin..."

Hiljennyin hetkeksi ja yritin yhdistää palaset toisiinsa.

"Ihan kuin mitä, Harry?"

"En ole varma. Ihan kuin hän ei olisi halunnut jättää mitään sattuman varaan. Hän halusi varmistaa, että kirjat tuhoutuisivat kokonaan."

"Oletat, että tapahtumat liittyvät yhteen. Mutta ehkä hän poltti kirjat jo puoli vuotta sitten. Et voi tietää, onko niillä mitään tekemistä toistensa kanssa."

Minä nyökkäsin. Rachel oli oikeassa, mutta ristiriita häiritsi minua yhä.

"Runokirja oli tynnyrissä lähes päällimmäisenä", minä sanoin. "Kun hän viimeisen kerran poltti tynnyrissä jotain, hän poltti sen. Kirjan välissä oli joku kuittikin. Se oli palanut melkein kokonaan. Ehkä se voidaan jäljittää."

"Otan selvää, kun palaan toimistolle. En kyllä muista nähneeni tynnyriä räjähdyksen jälkeen."

Minä kohautin harteitani.

"En minäkään."

Rachel nousi ylös, ja niin nousin minäkin.

"Minulla on vielä yksi juttu", minä sanoin ja kaivoin povitaskuani. Vetäisin taskusta valokuvan ja ojensin sen hänelle.

"Sieppasin sen mukaan vaunusta ja taisin sitten unohtaa. Löysin sen taskun pohjalta."

Valokuva oli lojunut tulostimessa. Se esitti kaksikerroksista omakotitaloa ja vanhahkoa miestä talon etupihalla farmariautonsa vieressä.

"Mahtavaa, Harry. Miten minä selitän tämän muille?"

"En tiedä, mutta ajattelin, että kannattaa varmaan ottaa selvää, kuka hän on ja missä talo sijaitsee."

"Mitä väliä sillä enää on?"

"Älä viitsi, Rachel. Tiedät, ettei tämä jää tähän."

"Ei sitä voi tietää."

Minua ärsytti, että hän ei voinut puhua kunnolla kanssani, vaikka olimme olleet yhdessä vasta hetki sitten.

"Ihan sama."

Nostin laatikon ja henkareissa roikkuvat vaatteet kainalooni.

"Harry, odota nyt hetki. Etkö aio muuta sanoa? Mitä tarkoitat, ettei tämä jää tähän?"

"Me kumpikin tiedämme, ettei Backus ollut vaunussa, kun se lensi ilmaan. Jos sinua ja FBI:tä ei kiinnosta, minä en voi sille mitään. Mutta älä jauha paskaa, Rachel. Älä ainakaan sen jälkeen, mitä olemme kokeneet yhdessä tänään ensin autiomaassa ja sitten täällä."

Rachel antoi hieman periksi.

353

"Harry, minä en voi tehdä yhtään mitään tässä vaiheessa, ymmärrätkö? Meidän pitää odottaa oikeuslääketieteellisen tutkimuksen valmistumista. Virallinen lausunto laaditaan varmaan vasta ennen huomista lehdistötilaisuutta."

"Minua ei kiinnosta FBI:n virallinen kanta. Minä puhun sinun kanssasi."

"Mitä haluat että sanon?"

"Haluan kuulla, että me saamme hänet kiinni riippumatta siitä, mitä lehdistötilaisuudessa valehdellaan huomenna."

Lähdin ovelle, ja Rachel tuli perässäni. Astuimme käytävälle, ja Rachel veti oven kiinni puolestani.

"Mihin jätit autosi?" minä kysyin. "Saatan sinut sen luokse."

Rachel osoitti pysäköintialueelle. Laskeuduimme portaat alas ja menimme hänen autolleen, joka oli pysäköity lähelle motellin vastaanottoa. Kun hän oli avannut oven, jäimme katsomaan toisiamme.

"Haluan saada hänet kiinni", Rachel sanoi. "Enemmän kuin uskotkaan."

"Hyvä kuulla. Pidetään yhteyttä."

"Mitä aiot tehdä nyt?"

"En tiedä. Kerron sitten kun keksin jotain."

"Hyvä on. Nähdään taas, Bosch."

"Nähdään, Rachel."

Hän antoi minulle suukon ja nousi autoonsa. Minä olin jättänyt maasturini Double X:n vastakkaisella puolella sijaitsevalle pysäköintialueelle ja kävelin autolleni motellin siipien väliin jäävän käytävän kautta. Olin melko varma, että tämä ei olisi viimeinen kerta, kun näkisin Rachel Wallingin.

37

Olisin voinut valita toisen reitin Los Angelesiin ja pysytellä poissa ruuhkaiselta pääkadulta. En kuitenkaan halunnut, sillä ajattelin, että Stripin räikeä väriloisto voisi piristää mieltäni. Tiesin jättäväni tyttäreni yksin. Olin matkalla kotiin ja olin päättänyt palata poliisilaitokselle. Näkisin kyllä Maddieta mutta en voisi viettää hänen kanssaan yhtä paljon aikaa kuin tähän asti. Olin lähdössä pois liittyäkseni niiden masentavien viikonloppuisien joukkoon, joiden täytyy tiivistää rakkautensa ja velvollisuutensa lapsiaan kohtaan pieniin vuorokauden mittaisiin rupeamiin. Ajatus synkensi mieleni, eivätkä edes Stripin neonkylttien miljardin kilowatin valot ilahduttaneet minua. En epäillyt hetkeäkään, ettenkö lähtisi Las Vegasista minään muuna kuin armottomana surkimuksena.

Kun pääsin valojen kantaman ja kaupungin rajojen ulkopuolelle, liikenne harveni ja taivas synkkeni. Yritin olla ajattelematta tekemääni valintaa, sillä se masensi minua. Keskityin sen sijaan tutkimukseeni ja hahmottelin tapahtumia Backusin näkökulmasta yhä uudestaan ja uudestaan, kunnes olin mielestäni päässyt perille tapahtumien kulusta, eikä jäljellä ollut enää kuin muutama avoin kysymys. Oma käsitykseni vastasi hyvin FBI:n versiota. Backus oli ottanut uuden nimen, asunut Clearissa ja saalistanut asiakkaita, joita hän oli kuljettanut bordelleista Las Vegasiin. Hänen onnistui toimia vuosikausia ilman kiinni jäämisen pelkoa, sillä hän oli valinnut uhrinsa täydellisesti. Lopulta uhrien lukumäärä oli kasvanut kuitenkin niin suureksi, että Vegasin rikosetsivät huomasivat katoamisten noudattavan tiettyä kaavaa ja onnistuivat kokoamaan listan kuudesta kadonneesta miehestä. Backus oli luultavasti tiennyt, että olisi vain ajan kysymys, koska katoamiset yhdistettäisiin Cleariin. Kenties hän oli tajunnut, että aika alkoi käydä vähiin, kun hän oli nähnyt sanomalehdestä Terry McCalebin nimen. Ehkä hän oli jopa aavistanut, että McCaleb oli käynyt Vegasissa. McCaleb oli saattanut käydä jopa Clearissa asti. Kuka tietää? Terry McCalebin kuoleman ja Backusin vaunun tuhoutumisen takia avoimiin kysymyksiin oli lähes mahdotonta saada tyydyttäviä vastauksia.

Tarinassa oli liian monta aukkoa. Varmaa oli ainoastaan se, että Backus oli tehnyt uuden katoamistempun. Hän oli suunnitellut lopettavansa autiomaassa piileskelyn huikeaan tulimyrskyyn ja suosionosoituksissa paistatteluun – hän oli halunnut surmata suojattinsa Terryn ja Rachelin tavalla, joka kuvastaisi hänen herruuttaan, ja jättää vaunuun karrelle palaneen ja silpoutuneen ruumiin, jonka perusteella kukaan ei osaisi sanoa, oliko hän yhä elossa vai kuollut. Viime vuosina muun muassa Saddam Hussein ja Osama bin Laden olivat hyötyneet suuresti samanlaisesta epätietoisuudesta. Ehkä Backus uskoi kuuluvansa samaan kastiin heidän kanssaan.

Tynnyrissä poltetut kirjat vaivasivat minua kaikkein eniten. Vaikka Rachel ei uskonut, että niillä oli merkitystä, koska kirjojen hävittämisen ajankohdasta ei ollut varmuutta, minun mielestäni ne olivat äärimmäisen tärkeä yksityiskohta. Toivoin nyt, että olisin käyttänyt enemmän aikaa runokirjan tutkimiseen. Olisin voinut jopa tunnistaa sen. Palanut kirja oli mielestäni merkki siitä, että Runoilijalla oli muitakin suunnitelmia, joista kukaan ei tiennyt vielä mitään.

Mieleeni tuli myös lähes kokonaan kärventynyt kuitti, jonka olin nähnyt kirjan välissä. Kaivoin puhelimeni esiin ja tarkistin että kenttää riitti, sitten soitin Las Vegasin numerotiedusteluun. Kysyin, onko Las Vegasin alueella Book Car -nimistä liikeyritystä, mutta sellaista ei kuulemma ollut. Olin jo melkein ehtinyt sulkea puhelimeni, kun virkailija sanoi, että Vegasin Industry Roadilla sijaitsee kyllä liike, jonka nimi on Book Caravan. Kerroin kokeilevani sitä, ja minut yhdistettiin suoraan numeroon.

En uskonut, että liike olisi enää auki, koska kello oli niin paljon, mutta toivoin, että puhelu menisi edes vastaajaan, johon voisin jättää omistajalle pyynnön soittaa numerooni huomisaamuna. Parin pirahduksen jälkeen puheluun kuitenkin vastasi möreä miesääni.

"Oletteko vielä auki?" minä kysyin.

"Vuorokauden ympäri. Mitä asiaa?"

Aukioloaikojen perusteella päättelin, että olin soittanut pornokauppaan. Kokeilin silti.

"Ei teillä myydä runokirjoja?"

Kuulin naurun kähinää.

"Tuo oli hyvä", mies murahti. "Kelpaako tämä? Punainen tupa ja perunamaa, haista vittu ja syö paskaa."

Uusi naurun remahdus ja luuri lyötiin korvaani. Suljin puhelimen mutta huomasin hymyileväni miehen spontaanille riimittelylle.

Book Caravan tuntui umpikujalta, mutta ajattelin silti soittaa aamulla Rachelille ja kertoa, että kannattaisi tarkistaa, onko Backusilla ja liikkeellä mitään kytköstä. Ajovalot leikkasivat pimeää yötä, ja maantien laidassa seisoi vihreä kyltti.

ZZYZX ROAD

1 MAILI

Mietin pitäisikö minun kääntyä ja huristella kuoppaista kinttupolkua sysimustaan autiomaahan. Toisaalta olin utelias ja halusin tietää, olivatko FBI:n tutkijat vielä hautojen kimpussa. Toisaalta en tiennyt, mitä järkeä siinä olisi, koska tien päässä häilyisi vain vainajien aaveita, jotka joutuisin taas kohtaamaan. Liittymä tuli ja meni, minä päätin ajaa eteenpäin ja jättää vainajat rauhaan.

Rachelin kanssa juodut puolitoista olutta osoittautuivat virheeksi. Silmäni alkoivat lupsahdella väsymyksestä Victorvillen tienoilla. Alkoholi ja ankara aivotyö sopivat huonosti yhteen. Poikkesin kahville vuorokauden ympäri auki olevaan McDonald'siin, josta oli tehty rautatieaseman näköinen. Tilasin tiskiltä kaksi kahvia ja makeaa keksiä ja istuin junanpenkkejä muistuttavaan loosiin lukemaan Terry McCalebin muistiinpanoja Runoilijasta. Osasin raporttien ja pöytäkirjojen järjestyksen jo lähes ulkoa.

Kun olin tyhjentänyt ensimmäisen kupin, en saanut tiedoista enää mitään irti, joten päätin sulkea kansion. Tarvitsin kipeästi uutta tietoa. Voisin joko unohtaa koko jutun ja toivoa, että FBI saisi Runoilijan kiinni, tai löytää itse uuden näkökulman, josta tarkastella tapausta.

En periaatteessa vastusta FBI:tä. Se on mielestäni tunnollisin, parhaiten varustettu ja peräänantamattomin poliisiviranomainen maailmassa. Viraston ongelmat johtuvat lähinnä sen suuresta koosta ja tiedonkulun katkoksista eri yksiköiden, osastojen ja ruohonjuuritasolla työskentelevien agenttien välillä. Syyskuun 11:nnen terroriiskujen kaltainen katastrofi paljasti ulkopuolisille FBI:stä jotain, minkä suurin osa poliisiviranomaisista ja FBI:n agenteista oli tiennyt jo pitkään.

FBI on instituutio, joka pelkää koko ajan menettävänsä maineensa, ja sen toiminnassa otetaan liikaa poliittiset näkökohdat huomioon, mikä sai alkunsa jo itse J. Edgar Hooverin aikoina. Eleanor oli tuntenut agentin, joka oli sijoitettu Washingtonin päämajaan joskus silloin, kun J. Edgar oli hallinnut itsevaltiaan ottein. Eleanorin tuttava oli kertonut, että päämajan kirjoittamattoman säännön mukaan kaikkien muiden piti olla hiljaa ja lähteä hissistä sanomatta edes hyvää päivää, jos johtaja sattui astumaan hissiin, sillä hän halusi tehdä hissimatkansa yksin ja aprikoida rauhassa suurta vastuutaan. Tarina oli jostain syystä jäänyt mieleeni. Ehkä siksi, että se kuvasi täydellisesti FBI:n rasitteeksi muodostunutta pohjattoman ylimielistä asennetta.

Ratkaisevin seikka oli kuitenkin haluttomuuteni kertoa Graciela McCalebille, että hänen aviomiehensä murhaaja oli yhä vapaalla jalalla ja että FBI hoitaisi tutkimuksen loppuun. Halusin hoitaa sen itse. Olin sen velkaa Gracielalle ja Terrylle, enkä koskaan jätä velkojani maksamatta.

Kun pääsin taas tien päälle, kofeiini ja sokeri piristivät minua, ja suuntasin rivakasti kohti Enkelten kaupunkia. Moottoritiellä minut yllätti sade, ja liikenne hidastui mateluksi. Avasin radion ja valitsin KFWB-kanavan, jossa kerrottiin, että vettä oli tullut kaatamalla koko päivän, eikä sateen uskottu lakkaavan moneen päivään. Seurasin suoraa lähetystä Topanga Canyonista, jonka asukkaat kasasivat hiekkasäkkejä ovien ja autotallien eteen ja pelkäsivät pahinta. Mutavyöryt ja tulvat olivat vain ajan kysymys. Edellisvuonna kukkuloilla raivonneet valtaisat metsäpalot olivat tuhonneet aluskasvillisuuden, joka sitoi vettä ja maaperää. Kaikki tulisi pian rytinällä alas rinteitä. Arvelin, että huono ajokeli venyttäisi matkaa ainakin tunnilla. Katsoin kelloa. Se oli vähän yli kaksitoista. Olin aikonut soittaa Kizmin Riderille vasta kotoa, mutta kello voisi olla siinä vaiheessa liian paljon. Otin puhelimen taskusta ja soitin hänen kotinumeroonsa. Hän vastasi heti.

"Kiz, täällä on Harry. Olitko vielä hereillä?"

"Tietenkin. En saa unta rankkasateella."

"Sellaista se on."

"Mihin päätökseen tulit?"

"Joko jokaisella on väliä tai kenelläkään ei ole väliä."

"Mitä se tarkoittaa?"

"Minä tulen takaisin, jos sinäkin tulet."

"Älä viitsi, Harry. Älä sälytä päätöstä minun niskoilleni."

"Minä tulen takaisin, jos sinäkin tulet."

"Harry, minä en ole koskaan lähtenytkään."

"Tiedät mitä tarkoitan. Tämä on tärkeä tilaisuus sinullekin, Kiz. Me ajauduimme sivuraiteelle. Molemmat. Tiedämme kumpikin, mitä meidän pitää tehdä. Nyt on aika palata kunnon hommiin."

Minä odotin. Kiz oli vaiti pitkään mutta puhui sitten.

"Päällikkö ei innostu ajatuksesta. Hän on antanut minulle paljon vastuuta."

"Jos hän on sellainen mies kuin sinä sanot hänen olevan, niin hän kyllä ymmärtää. Aivan varmasti. Sinä saat hänet ymmärtämään."

Taas hiljaisuutta.

"Hyvä on, Harry. Hyvä on. Minä suostun."

"Loistavaa. Tulen huomenna käymään, niin tehdään paperityöt."

"Selvä. Nähdään sitten."

"Taisit arvata että soittaisin?"

"Sanotaan nyt niin, että minulla on työpöydälläni kaikki tarvittavat paperit odottamassa sinua."

"Olet aina ollut liian fiksu minulle."

"Olin tosissani, kun sanoin, että tarvitsemme sinua. Se on koko homman nimi. Mutta ajattelin kyllä samalla, että et sinä pärjää yksiksesi. Tunnen monta entistä poliisia, jotka ovat ryhtyneet yksityisetsiviksi tai myyvät kiinteistöjä, autoja, kodinkoneita tai jopa kirjoja. Se sopii monille, mutta ei sinulle, Harry. Uskon, että tiedät sen itsekin."

En sanonut mitään. Tuijotin vain pimeään, johon auton ajovalot eivät yltäneet. Kizminin sanat sysäsivät maanvyörymän liikkeelle.

"Harry, oletko vielä siellä?"

"Olenhan minä. Sanoit *kirjoja*, Kiz. Sanoit, että tunnet poliisin, joka jäi eläkkeelle ja ryhtyi myymään kirjoja. Tarkoitatko Ed Thomasia?"

"Häntä juuri. Minä ehdin olla Hollywoodin piirissä puolisen vuotta ennen kuin hän jätti paperit sisään. Hän perusti kirjakaupan Orangeen."

"Minä kuulin siitä. Oletko käynyt siellä?"

"Olen, Dean Koontz kävi siellä kerran signeeraamassa kirjojaan. Näin ilmoituksen lehdessä. Hän on lempikirjailijani, eikä hän vieraile kirjakaupoissa kovin usein. Päätin käydä siellä. Jono kiemurteli ovesta ulos ja pitkin jalkakäytävää, mutta kun Ed näki minut, hän vei minut suoraan jonon kärkeen ja esitteli minut. Sain omistuskirjoituksen kirjaan, mutta vähän nololta se tuntui."

"Mikä sen nimi on?"

"Tuota... ellen ihan väärin muista, niin se oli *Pakopaikka*."

Tieto lannisti minut. Luulin jo tehneeni huiman päätelmän ja löytäneeni uuden yhteyden.

"Ei, *Pakopaikka* ilmestyikin jo aiemmin", Kiz sanoi. "Se oli *Pelastus* – se kertoi siitä lento-onnettomuudesta."

Tajusin, mistä Kiz puhui ja kuinka olimme ymmärtäneet toisemme väärin.

"Ei, Kiz, mikä on Edin kirjakaupan nimi?"

"Ai, se on Book Carnival. Se taisi olla sen niminen jo ennen kuin Ed osti liikkeen. Luulen, että hän olisi keksinyt toisen nimen, jonkun vähän iskevämmän, sillä hän myy etupäässä rikosromaaneita ja jännäreitä."

Book Car oli Book Carnival. Painoin kaasupoljinta tahattomasti rajummin.

"Kiz, minun pitää lopettaa. Puhutaan taas myöhemmin."

Suljin puhelimen enkä odottanut, että Kiz ehtisi hyvästellä. Katselin vuorotellen tietä ja puhelimen näyttöä selatessani numeroita, joihin olin viimeksi soittanut. Painoin soittonäppäintä, kun löysin Rachelin matkapuhelimen numeron. Hän vastasi ennen kuin kuulin puhelimen hälyttävän.

"Rachel, Harry tässä. Anteeksi, että soitan näin myöhään, mutta minulla on tärkeää asiaa."

"Minulla on nyt vähän kiire", hän kuiskasi.

"Oletko vielä toimistolla?"

"Olen."

Yritin pähkäillä, miksi hän oli toimistolla vielä puolenyön jälkeen, sillä päivä oli ollut todella pitkä.

"Puhutteko roskatynnyristä? Siitä kärventyneestä kirjasta?"

"Emme ole päässeet vielä niin pitkälle. Käsittelemme toista asiaa. Minun pitää lopettaa."

Rachel kuulosti synkältä, ja koska hän ei ollut puhutellut minua nimeltä, arvelin, että lähistöllä oli muitakin agentteja ja että olin soittanut hänelle huonoon aikaan.

"Kuuntele, Rachel, minä keksin sen. Sinun on pakko tulla Los Angelesiin."

Hänen äänensävynsä muuttui. Ehkä hän kuuli äänestäni, että olin tosissani.

"Mitä olet saanut selville?"

"Tiedän, mitä Runoilija suunnittelee."

38

"Soitan kohta takaisin."

Rachel sulki puhelimen ja sujautti sen takkinsa taskuun. Boschin sanat kaikuivat hänen korvissaan.

"Walling, arvostaisin sitä, että osallistuisit meidän keskusteluumme."

Hän katsoi Alpertia.

"Anteeksi."

Sitten hän vilkaisi videoneuvottelussa käytettävää televisioruutua, jolla Brass Doranin kasvot näkyivät elämää suurempina. Brass hymyili.

"Jatka, Doran", Alpert sanoi.

"Se oli itse asiassa siinä. Meillä ei ole muuta juuri nyt. Latenttien todisteiden perusteella voimme vahvistaa, että Robert Backus on ainakin käynyt vaunussa. Siitä emme voi olla varmoja, oliko hän vaunun sisällä, kun se räjähti."

"Entä DNA?"

"DNA-näyte, jonka agentti Walling onnistui hankki-
maan – hyvin vaarallisessa tilanteessa – sekä todisteryh-
män keräämät näytteet ovat hyödyksi vasta sitten, kun
meillä on jotain, mihin verrata niitä. Eli vain siinä ta-
pauksessa, että saamme käsiimme näytteen, joka on var-
masti Robert Backusin. Toinen vaihtoehto on, että saam-
me näytteestä selville, että vaunussa ollut ruumis oli jon-
kun muun."
"Entä Backusin vanhemmat? Voimmeko selvittää hä-
nen DNA:nsa –"
"Se vaihtoehto on suljettu pois jo aiemmin. Hänen
isänsä kuoli ja tuhkattiin ennen kuin älysimme yrittää –
ja tekniikkakaan ei ollut silloin vielä kehittynyt tarpeeksi
pitkälle – eikä hänen äidistään ole mitään tietoa. On
mahdollista, että äiti oli hänen ensimmäinen uhrinsa. Äiti
katosi kauan sitten, eikä hänestä ole sen koommin kuul-
tu pihaustakaan niin kuin sanonta kuuluu."
"Se paskiainen on osannut varautua kaikkeen."
"Se oli luultavasti kosto perheen hylkäämisestä. On
epätodennäköistä, että Backus olisi tappanut äitinsä vain
estääkseen DNA-näytteen saamisen."
"Tarkoitin sitä, että me olemme pahemmassa kuin ku-
sessa."
"Olen pahoillani, Randal, mutta tekniikkakaan ei pys-
ty ihmeisiin."
"Tiedän kyllä, Doran. Onko sinulla mitään muuta?
Mitään uutta?"
"Ei taida olla."
"Mahtavaa. Kerron siinä tapauksessa johtajalle täs-
mälleen saman tarinan. Tiedämme, että Backus on ollut
vaunussa – meillä on todistusaineistoa ja todistajia, jotka
vahvistavat sen. Mutta emme osaa sanoa, onko hän kuol-
lut ja olemmeko päässeet hänestä eroon."
"Eikö johtajaa voisi saada vakuuttuneeksi siitä, että

kannattaa odottaa vielä hetki, kunnes saamme jotain uutta tietoa? Lisäaika olisi hyväksi tutkinnan kannalta."

Rachel meinasi revetä nauruun. Hän jos kuka tiesi, että FBI:n päämajan, Washingtonissa sijaitsevan Hoover Buildingin, poliittiset näkökohdat jyräsivät aina alleen pikkuseikat, kuten sen mikä voisi olla järkevää tutkimuksen kannalta.

"Minä yritin jo", Alpert huokaisi. "Vastaus on ei. Tilanne on liian tulenarka. Emme voi pitää tätä enää salassa – räjähdys piti huolen siitä. Jos Backus pamahti ilmaan vaunun kanssa, hyvä niin. Voimme vahvistaa tiedon myöhemmin ja tarina saa onnellisen lopun. Mutta jos se ei ollut Backus ja hän suunnittelee jotain, johtajan on pakko puhua huomenna tiedotusvälineille tai hän on mennyttä kalua, kun kaikki paljastuu. Hän kertoo lehdistötilaisuudessa, mitä tiedämme tällä hetkellä: Backus piileskeli autiomaassa, häntä epäillään useista murhista ja hän on joko elossa tai kuollut. On turha toivo saada johtajaa taipumaan enää tässä vaiheessa."

Alpert oli mulkaissut Rachelia sanoessaan, että emme voi enää pitää tätä salassa, aivan kuin Rachel olisi vastuussa kaikesta. Hän oli harkinnut kertovansa, mitä Bosch oli äsken sanonut, mutta päättikin pysyä hiljaa. Hän ei kertoisi vielä mitään. Ei ennen kuin tietäisi enemmän.

"Hyvä on, naiset ja herrat, muuta meillä ei olekaan", Alpert ilmoitti yhtäkkiä. "Brass, nähdään palaverissa vielä huomisaamuna. Walling, voitko jäädä hetkeksi juttelemaan?"

Rachel katsoi, kun Brass lähti neuvotteluruudulta, sitten yhteys katkaistiin ja koko ruutu pimeni. Alpert käveli pöydän luokse, jonka ääressä Rachel istui.

"Walling?"

"Niin?"

"Sinun työsi täällä on tehty."

"Anteeksi mitä?"

"Sinun työsi on tehty. Palaa hotellille ja pakkaa laukkusi."

"Tutkinta on vielä kesken. Minä haluan –"

"Minulle on ihan sama, mitä sinä haluat. Minä haluan, että lähdet. Olet kaivanut maata jalkojemme alta siitä lähtien, kun saavuit paikalle. Huomisaamuna sinä hyppäät ensimmäiseen koneeseen, joka lentää sinne, mistä tulitkin. Onko selvä?"

"Teet pahan virheen. Minä en voi –"

"Sinä teet virheen, kun alat väittelemään kanssani. En voi sanoa tätä yhtään selvemmin. Haluan päästä sinusta eroon. Jätä raporttisi ja nouse aamulla koneeseen."

Rachel tuijotti Alpertia, ja hänen katseensa paljasti kaiken sen vihan, jota hän tunsi sisällään. Alpert nosti kättään kuin torjuakseen sen, mitä Rachel voisi tehdä.

"Valitse sanasi tarkoin. Varomattomuudella saattaa olla ikävät seuraukset."

Rachel nieli raivonsa. Hän puhui rauhallisesti ja hillitysti.

"Minä en lähde yhtään mihinkään."

Alpert näytti siltä, että hänen silmämunansa pulpahtaisivat pian kuopistaan. Hän pyörähti ympäri ja viittilöi Cherie Dein ulos kokoussalista. Sitten hän kääntyi katsomaan Rachelia ja odotti, että kokoussalin ovi sulkeutui.

"Anteeksi mitä? Voisitko toistaa, mitä juuri sanoit?"

"Sanoin etten lähde mihinkään. Minä pysyn mukana tutkinnassa loppuun asti. Jos passitat minut huomenna koneeseen, en aio lentää Etelä-Dakotaan. Lennän Washingtoniin, marssin suoraan päämajaan ja jätän valituksen virkavastuuosastolle."

"Mistä hyvästä? Mitä valittamista sinulla on?"

"Olet käyttänyt minua syöttinä alusta alkaen. Ilman minun hyväksyntääni."

"Puheissasi ei ole mitään järkeä. Mutta tee niin kuin haluat. Jätä valitus jos tahdot. He nauravat sinut tiehensä, ja kuulet räkätyksen korvissasi vielä Badlandsissa, mistä et muuten pääse lähtemään ainakaan seuraavaan kymmeneen vuoteen."

"Cherie teki virheen ja niin teit sinäkin. Kun soitin Clearista, Cherie kysyi, miksi olimme ottaneet Boschin auton. Sitten kun tulin takaisin ja tapasimme Nellisissä, sama juttu. Tiesit, että olimme menneet Boschin autolla. Ihmettelin, miksi se kiinnosti kaikkia niin paljon, kunnes tajusin syyn. Olit asentanut autooni lähettimen. Tutkin korin aiemmin illalla ja löysin sen. FBI:n perusmallia, nimilappu ja tunnuskoodikin vielä tallella. On helppo selvittää, kuka on hakenut lähettimen varastosta."

"En tiedä yhtään, mistä puhut."

"No, minun valitukseni käsittelijät varmaan saavat sen selville. Uskon, että Cherie Dei auttaa heitä. Jos minä olisin hänen asemassaan, en haaskaisi työpaikkaani puolustelemalla sinua. Minä kertoisin totuuden. Ja totuus on, että kutsuit minut tänne syötiksi ja kuvittelit, että houkuttelisin Backusin esiin piilostaan. Voisin lyödä vaikka vetoa, että minun perääni on pistetty myös seurantaryhmä. Siitäkin löytyy varmasti tiedot. Entä puhelimeni ja hotellihuoneeni? Asensitko niihin kuuntelulaitteet?"

Rachel huomasi Alpertin olemuksen muuttuvan. Tämä näytti sulkeutuvan itseensä eikä miettinyt enää Rachelin syytöksiä vaan läpimädän ammattietiikan takia nostettua valitusta ja mahdollisen tutkimuksen seuraamuksia. Rachel näki, että Alpert tajusi uransa lopun koittaneen. FBI:n agentti joka asentaa kuuntelulaitteita kollegansa puhelimeen, komentaa ryhmän seuraamaan tämän liikkeitä ja käyttää tätä piittaamattomasti syöttinä. Se oli enemmän kuin mitä FBI kestäisi nykyisessä ilmapiirissä, jossa tiedotusvälineet seurasivat tiiviisti kaikkia viraston

toimia samalla, kun se yritti välttää pienimmänkin pole-
miikin. Alpertin ura luhistuisi, ei Rachelin. Alpert lakais-
taisiin nopeasti ja hiljaa maton alle. Jos hänellä kävisi oi-
kein hyvä tuuri, hän saisi siirron Rapid Cityn paikallis-
toimistoon, jossa hän saisi tehdä töitä yhdessä Rachelin
kanssa.

"Badlandsin kansallispuisto on tosi kaunis kesäisin",
Rachel tokaisi.

Hän nousi ja lähti kävelemään ovelle.

"Walling?" Alpert sanoi Rachelin selän takaa. "Odota
pikku hetki."

39

Rankkasateen ja puuskaisen tuulen vuoksi Rachelin kone laskeutui Burbankiin puoli tuntia aikataulusta myöhässä. Vedentulo ei ollut lakannut yön aikana, Los Angeles oli peittynyt harmaaseen verhoon ja saderyöppy oli halvaannuttanut koko kaupungin. Katujen ja moottoriteiden liikennevirrat etenivät ryömintävauhtia. Teitä ei ollut rakennettu tällaista säätä varten. Eikä ollut kaupunkiakaan. Aamun sarastaessa sadevesirummut kuohuivat yli äyräidensä, tulvavesitunnelit täyttyivät ja Los Angeles Riveriin virtaava valumavesi oli muuttanut tuon kaupungin halki kiemurtelevan, tavallisesti niin rutikuivan, Tyyneen valtamereen laskevan betonisen sadevesikanavan raivoavaksi koskeksi. Kanavassa hyökyvä vesi oli lähes mustaa, sillä sade oli huuhtonut kukkuloilta edellisvuotisten metsäpalojen tuhkaa. Tunnelma oli raskas ja apokalyptinen. Ensin kaupunkia oli koetellut tuli, nyt vesi. Joskus Los Angelesissa asuminen tuntui siltä kuin istuisi

370

autossa pelkääjän paikalla saatanan painaessa kaasupoljinta ja ajaessa päistikkaa kohti maailmanloppua. Ihmiset näyttivät epäuskoisen säikähtäneiltä. Mikä kaupunkiin iskisi seuraavaksi? Maanjäristyskö? Ehkä hyökyaalto. Tai kenties jokin itse aiheutettu katastrofi. Reilu kymmenen vuotta sitten Los Angelesissa riehuneita tulipaloja ja tulvia oli seurannut sekä maan vavahtelu että sosiaalisten rakenteiden järkkyminen. Kaupungissa asui tuskin ketään, joka uskoi, ettei niin voisi tapahtua nytkin. Jos luonnonmullistukset ja levollisuuden aika noudattavat tiettyä kiertoa, on helppo uskoa myös siihen, että kaupungin asukkaatkin ovat tuomittuja toistamaan virheensä ja mielettömyytensä aika ajoin.

Mietteeni olivat epätavallisen synkkiä, kun odottelin Rachelia lentokenttäterminaalin viereen pysäköidyssä autossani. Sade hakkasi tuulilasia, eikä sen läpi tahtonut nähdä ja matkustamossa oli hämärää. Tuuli piiskasi autoa niin että jouset vavahtelivat. Pohdin, oliko poliisivoimiin palaaminen järkevä päätös, ja mietin, olinko minäkin tuomittu toistamaan kaikki vanhat virheeni vai saisinko todella uuden mahdollisuuden tehdä jotain hyvää.

En nähnyt Rachelia sateen vuoksi ennen kuin hän koputti apukuljettajan oven ikkunaan. Hän kävi avaamassa tavaratilan ja viskasi kassinsa sisään. Hänen yllään oli vihreä, hupullinen anorakki. Se tarjosi hyvän suojan Dakotan ankaraa ilmastoa vastaan, mutta Los Angelesissa se näytti liian isolta ja kömpelöltä.

"Tämän on parempi onnistua, Bosch", Rachel manasi kavutessaan läpimärkänä viereeni. Hän ei näyttänyt helliä tunteita ulospäin, enkä näyttänyt minäkään. Olimme sopineet siitä puhelimessa. Tarkoituksemme oli toimia ammattimaisesti ainakin siihen asti, kunnes meille selviäisi, olivatko vaistoni oikeassa.

371

"Onko sinulla muka parempi vaihtoehto?"

"Ei, mutta panin koko urani alttiiksi Alpertin kanssa. Yksikin moka, niin vietän loppuelämäni Etelä-Dakotassa, missä muuten saattaa olla tällä hetkellä parempi ilma kuin täällä."

"Tervetuloa Los Angelesiin."

"Luulin että olemme Burbankissa."

"Teoriassa ehkä."

Lähdimme lentoasemalta, ja ajoin 134:n kautta itään vitostielle. Vesisateen ja aamuruuhkan vuoksi matkanteko oli hidasta kiertäessämme Griffith Parkin ja suunnatessamme etelään. En vielä pelännyt, että voisimme olla myöhässä, mutta ajatus käväisi jo mielessäni.

Istuimme pitkään hiljaa, koska ajokeli ja ruuhka veivät kaiken huomioni, mutta tilanne oli luultavasti paljon pahempi Rachelille, joka ei voinut tehdä muuta kuin istua ja katsella. Lopulta hän avasi suunsa, vaikkakin vain keventääkseen jännitettä, joka huokui välillämme.

"Etkö aio kertoa, mikä sinun suurenmoinen suunnitelmasi on?"

"En ole suunnitellut mitään, noudatan vain vaistojani."

"Höpsis, Bosch, sanoit että *tiedät*, mitä hän tekee seuraavaksi."

Huomasin, että sen jälkeen, kun olimme rakastelleet asunnossani Las Vegasissa, Rachel oli alkanut sanoa minua Boschiksi. Mietin, johtuiko sukunimeni käyttö siitä, että olimme sopineet keskittyvämme pelkästään töihin, vai oliko se merkki jostain nurinkurisesta hellyydestä.

"Minun oli pakko keksiä keino saada sinut tänne, Rachel."

"No, tässä minä olen. Kerro suunnitelmasi."

"Runoilijalla on suunnitelma, Backusilla. Ei minulla."

"Mitä hän aikoo tehdä?"

"Muistatko kirjat, joista puhuin eilen? Ne roskatynnyrissä poltetut kirjat ja sen yhden, jonka noukin ylös?"

"Muistan."

"Taisin keksiä, mistä on kysymys."

Kerroin Rachelille osittain palaneesta kuitista ja siitä, kuinka otaksuin Book Carin tarkoittavan Book Carnivalia, kirjakauppaa, jonka omisti eläkkeelle jäänyt rikosetsivä Ed Thomas, Runoilijan tähtäimessä ollut mutta henkiin jäänyt uhri kahdeksan vuoden takaa.

"Uskot tynnyrissä poltetun kirjan tarkoittavan sitä, että Runoilija on tullut tänne ja aikoo tehdä murhan, jonka onnistuimme estämään kahdeksan vuotta sitten."

"Juuri niin."

"Aika hakuammuntaa, Bosch. Olisit kertonut tästä minulle eilen ennen kuin riskeerasin kaiken ja lensin tänne."

"Sattumia ei ole, ei varsinkaan tällaisia."

"No, kerro sitten koko juttu. Haluan kuulla profiilin. Kuvaile Runoilijan suunnitelmat."

"Profilointi on FBI:n heiniä. Minä en aio lähteä tekemään sitä. Mutta kerron mielelläni, mitä luulen, että hän yrittää. Uskon, että vaunun räjäytys oli tarkoitettu loppuhuipennukseksi. Kuitenkin heti, kun FBI:n johtaja astuu televisiokameroiden eteen ja sanoo, että Runoilijasta on päästy eroon, tämä tappaa Ed Thomasin. Teon vertauskuvallisuus on ylittämätön. Suurieleinen ja paras mahdollinen keino näyttää keskisormea FBI:lle. Šakki ja matti, Rachel. Johtajan paistatellessa ylpeänä tiedotusvälineiden edessä Backus murhaa kaikkien silmien alla miehen, jonka pelastamisesta FBI teki ison jutun edellisellä kerralla, kun tämän henkeä uhattiin."

"Miksi kirjat poltettiin? Miten ne sopivat palapeliin?"

"Uskon, että hän osti kirjat Ediltä. Joko hän kävi kirjakaupassa henkilökohtaisesti tai tilasi ne postitse. Luultavasti kirjat on merkitty, minkä vuoksi ne olisi helppo yhdistää Edin liikkeeseen. Backus ei halunnut sitä, joten hän poltti ne. Hän ei voinut ottaa riskiä, että ne olisivat säilyneet vaunun räjähdyksestä ehjinä.

Sitten kun Ed on kuollut ja Backus taas häipynyt, FBI tajuaisi kirjojen merkityksen ja oivaltaisi, kuinka pitkään ja tarkasti hän oli suunnitellut sitä. Se kuvastaisi hänen nerokkuuttaan. Ja sitähän hän haluaa, olla ihailtu, eikö niin? Sinä olet meistä se profiloija. Kerro, olenko väärässä."

"Minä olin profiloija. Nykyään tutkin intiaanireservaateissa tehtyjä rikoksia Dakotan korpimailla."

Ruuhka rauhoittui, kun pääsimme kantakaupungin ohi, missä liikekeskuksen pilvenpiirtäjät katosivat myrskypilviin. Los Angeles näytti sateella aina pahaenteiseltä, mikä tuntui väärältä, synkensi mieleni ja sai oloni levottomaksi kuin jokin maailman pahuus olisi päässyt irti.

"Jutussa on vain yksi mutta, Bosch."

"Mikä?"

"Johtaja pitää lehdistötilaisuuden, mutta hän ei aio sanoa, että FBI on saanut Runoilijan kiinni. Mekään emme usko, että vaunussa ollut ruumis oli hänen."

"Backus ei tiedä sitä. Hän katsoo lähetyksen CNN:ltä niin kuin kaikki muutkin. Mutta hän ei muuta suunnitelmaansa. Kävi miten kävi, hän aikoo tappaa Ed Thomasin tänään. Loppujen lopuksi hän tekee asiansa selväksi. *'Minä olen älykkäämpi ja etevämpi kuin kukaan teistä.'*"

Rachel nyökkäsi ja pohti asiaa pitkään.

"Hyvä on", hän sanoi lopulta. "Sanotaan, että minä uskon. Mitä teemme nyt? Oletko soittanut Ed Thomasille?"

"En tiedä vielä, mitä teemme, enkä ole soittanut Edille. Olemme matkalla hänen kirjakauppaansa. Se on Orangessa ja avaa ovensa yhdeltätoista. Soitin hänelle aiemmin ja kuulin aukioloajat puhelinvastaajaan jätetystä nauhoitteesta."

"Miksi menemme liikkeeseen? Backus murhasi muut etsivät heidän kodeissaan ja yhden autossa."

"Menemme sinne, koska en tiedä, missä Ed asuu, ja minulla on aavistus sen kirjan vuoksi. Uskon, että Backus tekee siirtonsa kirjakaupassa. Jos olen väärässä, eikä Ed saavu töihin, otamme selvää, missä hän asuu, ja menemme sinne."

Rachel nyökkäsi hyväksyvänsä suunnitelman.

"Runoilijan tapauksesta kirjoitettiin kolme kirjaa. Minä luin ne kaikki, ja jokaisessa oli jälkikirjoitus, jossa lueteltiin keskeiset tapahtumiin liittyneet henkilöt. Niissä sanottiin, että Thomas on jäänyt eläkkeelle ja avannut kirjakaupan. Yhdessä taidettiin mainita jopa kirjakaupan nimikin."

"Siinäs näet."

Rachel katsoi kelloa.

"Ehdimmekö perille ennen kuin hän avaa ovet?"

"Pitäisi ehtiä. Onko tiedotustilaisuuden alkamisajankohta sovittu?"

"Se alkaa Washingtonissa kolmelta itärannikon aikaa."

Katsoin kojelaudan kelloa. Se oli kymmenen. Meillä oli tunti aikaa ennen kuin Ed Thomas avaisi kirjakauppansa ja kaksi tuntia ennen kuin lehdistötilaisuus alkaisi. Jos teoriani ja aavistukseni pitivät paikkaansa, näkisimme Runoilijan pian. Olin valmis ja vireessä. Tunsin adrenaliinin kohisevan suonissani. Laskin vanhasta tottumuksesta käteni ohjauspyörältä lonkalleni. Minulla oli mukana pistoolikotelo ja Glock 27. Rikoin lakia kantaessani asetta, ja jos minun olisi jostain syystä pakko käyttää sitä, joutuisin vaikeuksiin, joiden seurauksena en voisi enää palata poliisilaitokselle töihin.

Joskus riskialttiit tilanteet kuitenkin edellyttävät riskien ottamista. Ja tämä jos mikä oli tilanne, jossa riskin ottaminen kannatti.

40

Sade vaikeutti kirjakaupan tarkkailua. Jos olisimme jättäneet tuulilasinpyyhkimet päälle, olisimme paljastuneet heti. Jouduimme sen vuoksi tiirailemaan liikettä märän tuulilasin läpi, ja näkyvyys oli heikko.

Olimme ajaneet Orangeen ja pysäköineet auton Tustin Boulevardin varrella sijaitsevan kauppakeskuksen pysäköintialueelle. Book Carnival oli pieni kirjakauppa kultasepänliikkeen ja tyhjältä näyttävän liiketilan välissä. Vähän matkan päässä sijaitsi aseliike.

Book Carnivalissa oli yksi sisäänkäynti asiakkaita varten. Ennen kuin olimme asettuneet liikkeen eteen, olimme kiertäneet kauppakeskuksen ympäri ja nähneet takaoven, jonka yläpuolelle oli kirjoitettu Ed Thomasin kirjakaupan nimi. Oven vieressä oli myös ovikello ja kyltti, jossa sanottiin TAVARATOIMITUKSET, SOITA KELLOA.

Ihanneolosuhteissa olisimme tarkkailleet sekä taka- että etuovea ja silmäpareja olisi ollut vähintään neljä.

Backus voisi mennä sisään kummasta suunnasta tahansa, joko asiakasta teeskennellen etuovesta tai tavarantoimittajaa esittäen takaovesta. Tämän päivän olosuhteissa ei ollut kuitenkaan mitään ihanteellista. Ensinnäkin satoi kaatamalla ja toiseksi meitä oli vain kaksi. Pysäköimme auton riittävän kauas liikkeestä mutta silti niin lähelle, että näimme kohtuullisen hyvin ja ehtisimme toimia, jos tarve niin vaatisi.

Book Carnivalin myyntitiski ja kassakone sijaitsivat heti näyteikkunan takana meidän eduksemme. Pian sen jälkeen, kun Ed Thomas oli tullut paikalle ja avannut liikkeen, hän oli asettunut tiskin taakse. Hän oli pannut pohjakassan koneeseen ja soittanut muutaman puhelun. Sateesta ja huurtuvasta tuulilasista huolimatta pystyimme näkemään Edin, jos hän vain pysyisi tiskin ääressä. Liikkeen takaosat olivatkin sitten täysin eri juttu. Aina kun Ed poistui tiskin takaa ja käveli kauemmas kirjahyllyjen väliin tai näytteille asetettujen kirjojen luokse, menetimme näköyhteyden ja tulimme levottomiksi.

Rachel oli kertonut matkalla, kuinka hän oli löytänyt autostaan GPS-lähettimen ja varmistunut siitä, että muut agentit olivat käyttäneet häntä syöttinä. Nyt me istuimme autossani tarkkailemassa entistä työtoveriani ja käytimme häntä syöttinä. En pitänyt ajatuksesta. Halusin painella suoraan kauppaan ja kertoa Edille, että hän oli suuressa vaarassa, että hänen pitäisi lähteä lomalle ja häipyä kaupungista. En kuitenkaan tehnyt sitä, sillä tiesin, että jos Backus tarkkaili Thomasia ja näkisi tämän poikkeavan rutiineista, menettäisimme mahdollisuuden saada hänet kiinni. Päätimme siis olla itsekkäitä ja leikkiä Edin hengellä, ja arvasin, että tuntisin siitä syyllisyyttä vielä pitkään. Se oli vielä epäselvää, kuinka kovasti omatuntoani kolkuttaisi, ja se riippuisi tietenkin lopputuloksesta.

377

Päivän ensimmäiset asiakkaat olivat kaksi naista. He menivät kauppaan vähän ovien avaamisen jälkeen. Kun he selailivat kirjoja liikkeessä, kadun varteen pysähtyi auto ja etupenkiltä nousi mies, joka meni sisään. Hän oli liian nuori ollakseen Backus, minkä vuoksi emme vielä hätiköineet. Nuorukainen tuli ripeästi ulos hetken päästä, eikä hän näyttänyt ostaneen mitään. Kun naisasiakkaat olivat maksaneet ostoksensa ja poistuneet liikkeestä kasseineen, minä hyppäsin ulos autosta ja juoksin lyhyen matkan pysäköintialueen poikki aseliikkeen katoksen alle.

Olin sopinut Rachelin kanssa, että emme kertoisi Ed Thomasille, mitä oli meneillään, mutta se ei estänyt minua tekemästä pientä tiedusteluretkeä. Olimme päättäneet, että menisin kirjakauppaan tekaistun tarinan kera, jutustelisin Edin kanssa ja yrittäisin saada selville, oliko hänellä aavistustakaan, että joku voisi väijyä häntä. Kun päivän ensimmäiset asiakkaat olivat poistuneet kaupasta, minä lähdin liikkeelle.

Menin ensin aseliikkeeseen, koska se oli lähimpänä paikkaa, johon olimme pysäköineet auton. Jos joku muukin tarkkaili Edin liikettä, olisi voinut vaikuttaa oudolta, että olin jättänyt auton kauas kirjakaupasta ja juossut koko matkan sateessa pysäköintialueen poikki. Vilkaisin ohimennen myyntipöydän lasin taakse näytille aseteltuja kiiltäviä käsiaseita ja katsoin sitten takaseinällä olevia pahvisia maalitauluja. Osa niistä oli tuiki tavallisia, mutta joukossa oli myös Osama bin Ladenia ja Saddam Husseinia esittäviä tauluja. Arvelin, että ne menivät kuin kuumille kiville.

Kun myyntitiskin takana seisoskeleva mies kysyi, tarvitsisinko apua, kerroin, että katselin vain, ja häivyin sitten liikkeestä. Lähdin kävelemään Book Carnivalia kohti mutta pysähdyin ensin katsomaan naapurissa olevaa tyhjää liiketilaa. Tirkistin saippuoidun näyteikkunan läpi ja näin lattialla pahvilaatikoita, joihin oli merkitty arvaukseni mukaan kirjojen nimiä. Ed Thomas käytti tyhjää tilaa varastonaan. Ikkunassa luki VUOKRATTAVANA ja puhelinnumero, jonka painoin muistiini, jos tarvitsisin sitä myöhemmin osana juontamme.

Menin Book Carnivaliin, ja Ed Thomas oli kassan takana. Minä hymyilin, ja Ed hymyili takaisin muistaessaan kasvoni, mutta huomasin, että hänellä meni muutama sekunti ennen kuin hän tunnisti minut.

"Harry Bosch", Ed sanoi tajutessaan kuka olen.

"Moi, Ed, mitä kuuluu?"

Paiskasimme kättä, ja näin, että Edin silmälasien takana killittävät silmät olivat yhtä lempeät kuin ennenkin. Olin melko varma, että en ollut nähnyt häntä Valleyn Sportsman's Lodgessa kuusi tai seitsemän vuotta sitten järjestettyjen läksiäisten jälkeen. Hänen hiuksissaan oli nyt enemmän harmaata kuin muuta väriä. Mutta hän oli yhtä pitkä ja hoikka kuin muistin hänen olevan. Kun Ed oli kirjoittanut muistiinpanoja rikospaikoilla, hänellä oli ollut tapana pitää muistivihkoaan melkein nenän päässä kiinni. Se johtui siitä, että hänen silmälasiensa vahvuus tuli aina pari pykälää näön perässä. Ed oli saanut hullunkurisen kirjoitusasentonsa vuoksi henkirikosyksikön etsiviltä lempinimen Rukoilijasirkka. Se putkahti jostain mieleeni. Muistin samalla, että Edin läksiäiskutsussa oli ollut piirros hänestä supersankarin asussa viittoineen ja naamioineen ja rinnassaan iso R-kirjain.

"Käyvätkö kirjat hyvin kaupaksi?"

"Hyvin nuo tuntuvat kelpaavan, Harry. Mikä tuo sinut tänne asti isosta, pahasta kaupungista? Kuulin, että sinäkin jäit eläkkeelle pari vuotta sitten."

"Joo, niin tein. Mutta olen kyllä ajatellut palata."

"Jäitkö kaipaamaan sitä?"

"Osittain. Pitää nyt katsoa, mitä tapahtuu."

Ed vaikutti yllättyneeltä, ja tajusin heti, että hän ei ikävöinyt entistä työtään pätkääkään. Ed Thomas oli aina ollut lukutoukka, ja hänellä oli ollut kasa pokkareita autonsa tavaratilassa pitkiä kyttäyskeikkoja ja puhelinkuunteluita varten. Nyt hän nautti ansaitsemastaan eläkkeestä ja piti kirjakauppaa. Hän tuli toimeen erinomaisesti ilman kaikkia poliisin ammatin inhottavia puolia.

"Oletko vain ohikulkumatkalla?"

"En itse asiassa, tulin ihan oikeasta syystä. Muistatko entisen parini, Kizmin Riderin?"

"Muistan toki, hän on käynytkin täällä."

"Sitähän minäkin. Hän auttoi minua yhdessä jutussa, ja haluaisin ostaa pienen vastalahjan. Muistan, että hän on joskus kertonut, että sinun liikkeesi on lähes ainut, josta voi saada Dean Koontzin signeeraamia teoksia. Ajattelin tulla kysymään, onko niitä vielä jäljellä. Voisin ostaa Kizille yhden."

"Minulla taitaa olla muutama tuolla takana. Käyn katsomassa. Ne menevät nopeasti, mutta pistän yleensä muutaman varastoon."

Ed jätti minut tiskin ääreen ja käveli kaupan takaosaan ovelle, joka johti ilmeisesti varaston puolelle. Oletin, että näkemäni takaovi oli samalla suunnalla. Kun Ed oli hävinnyt näkyvistä, nojauduin tiskin yli ja vilkaisin sen alla olevia hyllyjä. Huomasin pienen monitorin, jonka ruudulla näkyivät neljän valvontakameran kuvat. Näin niissä myyntitiskin ja itseni nojautuneena sen yli, yleisnäkymän koko liikkeen sisätiloista, tarkemman näkymän muutamasta yksittäisestä vitriinistä sekä liikkeen takaosassa sijaitsevan varastohuoneen, jossa Ed Thomas tiiraili varastohyllylle asentamaansa monitoriin.

Tajusin, että hän katseli, miksi minä roikuin hänen myyntitiskinsä päällä. Nousin nopeasti pystyyn ja yritin keksiä hyvän selityksen. Hetkeä myöhemmin hän tuli varastosta kirja kädessään.

"Löysitkö mitä etsitkin, Harry?"

"Mitä? Ai, tarkoitat miksi kurkistelin tiskin yli. Tuli vain mieleen, onko sinulla siellä mitään kättä pidempää, tiedäthän. Olet sentään entinen poliisi. Oletko koskaan huolissasi, että ovesta astuu joku vanha tuttu, jonka olet pistänyt aikoinaan tiilenpäitä lukemaan?"

"Minä osaan pitää varani, Harry. Älä siitä huoli."

Minä nyökkäsin vastaukseksi.

"Hyvä kuulla. Onko tuo se kirja?"

"Kyllä, onkohan hänellä tämä? Se ilmestyi viime vuonna."

Ed näytti kirjaa, jonka nimi oli *The Face*. En tiennyt, oliko Kiz lukenut sen, mutta en aikonut poistua kaupasta ilman sitä.

"En ole varma. Onko se signeerattu?"

"On, oikein päiväystä myöten."

"Selvä, minä otan sen."

Kun Ed syötti hinnan kassakoneeseen, minä yritin jutella niitänäitä, vaikka aihe ei ollut ihan arkinen.

"Huomasin, että sinulla on valvontakameroita. Eikö se ole vähän hätävarjelun liioittelua?"

"Ei tosiaan. Et arvaakaan, kuinka paljon ihmiset pitävät kirjojen pihistämisestä. Minulla on tuolla takana keräilyharvinaisuuksia – pirun kalliita kirjoja kokoelmista, joita silloin tällöin ostan ja myyn eteenpäin. Yksi kamera on kohdistettu suoraan niihin, ja juuri äsken eräs nulikka yritti tunkea Pelecanosin *Nick's Tripin* housuihinsa. Pelecanosin varhaistuotantoa ei tahdo enää löytää. Siitä olisi tullut takkiin ainakin 700 dollaria."

Hinta tuntui hurjalta yhdestä ainoasta kirjasta. En ollut koskaan kuullut kirjasta mutta arvelin, että sen täytyi olla vähintään 50 tai 100 vuotta vanha.

"Kutsuitko poliisit paikalle?"

"En, annoin potkun persuksille ja sanoin soittavani poliisit, jos hän näyttää naamaansa täällä toista kertaa."

"Hyvin tehty, Ed. Olet tainnut pehmetä viime vuosina. Rukoilijasirkka ei olisi päästänyt poikaa pälkähästä."

Annoin Edille kaksi kahdenkymmenen dollarin seteliä, ja hän antoi minulle vaihtorahat.

"Rukoilijasirkka kuuluu menneisyyteen. Mutta vaimo ei ainakaan ajattele, että olen yhtään sen pehmeämpi. Mukava että kävit, Harry. Ja kerro Kizille terveisiä."

"Minä kerron. Oletko muuten nähnyt ketään muita meidän porukastamme?"

En tahtonut lähteä vielä. Halusin kuulla lisää, joten jatkoin jutustelua. Katsoin Edin pään yläpuolelle ja huomasin pienikokoisen, kaksi objektiivia sisältävän kupukameran. Se oli kiinnitetty katonrajaan, toinen objektiivi oli suunnattu alas myyntitiskille ja toinen otti yleiskuvaa koko liikkeestä. Näin, että kuvussa paloi pieni punainen valo ja ohut johto kiemurteli laitteesta ylös kattoon. Kun Ed vastasi kysymykseeni, minä pohdin, oliko Backus käynyt tutustumassa kirjakauppaan tarkemmin ja jäänyt valvontanauhalle.

"En pahemmin", Ed sanoi. "Minä jätin oikeastaan kaiken taakseni. Sanoit, että kaipaat poliisin hommia, Harry, mutta minä en. En sitten tippaakaan."

Minä nyökkäsin kuin muka ymmärtäisin, mitä hän tarkoitti, vaikka en tajunnut sitä alkuunkaan. Ed Thomas oli ollut hyvä poliisi ja rikosetsivä. Hän oli tehnyt työtä koko sydämestään. Se oli ollut yksi niistä monista syistä, joiden vuoksi Runoilija oli ottanut hänet tähtäimeensä. Nyt hän puhui mielestäni pehmeitä, enkä uskonut, että hän itsekään uskoi täysin sanoihinsa.

"Sehän on hyvä", minä sanoin. "Hei, onko sinulla se pojankloppi nauhalla? Olisi hauska nähdä, miten hän yritti varastaa kirjasi."

"Ei, minulla ei ole tallennuslaitteita, kuva on suora. Olen asentanut kamerat näkyville paikoille ja ovessakin on varoitus. Luulisi niiden karkottavan varkaat, mutta jotkut ovat vain niin samperin typeriä. Tallennuslaitteet maksavat ihan liikaa, ja niiden huoltaminen se vasta rasittavaa onkin. Kuva tulee vain suorana näytölle."

"Ei sillä väliä."

"Kuule, jos Kizillä on tuo kirja, palauta se minulle. Se menee kyllä kaupaksi."

"Ei se haittaa. Luen kirjan itse, jos Kiz on jo hankkinut sen."

"Harry, milloin olet viimeksi lukenut kokonaisen kirjan?"

"Luin kirjan Art Pepperistä pari kuukautta sitten", minä närkästyin. "Hän kirjoitti sen vaimonsa kanssa ennen kuolemaansa."

"Elämäkertateosko?"

"Niin, se kertoi oikeasta elämästä."

"Minä tarkoitin romaania. Milloin olet viimeksi lukenut kunnon kaunokirjallisuutta?"

Minä kohautin harteitani. En muistanut.

"Sitähän minäkin", Ed naurahti. "Jos Kiz ei halua kirjaa, niin tuo se takaisin. Minä myyn sen jollekulle, joka osaa arvostaa sitä."

"Selvä on. Kiitos, Ed."

"Ole varovainen, Harry."

"Ainahan minä. Sinä myös."

Olin jo astumassa ulos, kun keksin jotain sen perusteella, mitä Ed oli sanonut ja mitä tiesin ennestään. Napsautin sormiani kuin olisin juuri muistanut jotain. Käännyin uudestaan Edin suuntaan.

"Hei, minulla taitaa olla kaveri, joka on sinun asiakkaitasi. Hän asuu Nevadassa ja tilaa muistaakseni postitse. Etkös sinä myykin kirjoja postitse?"

"Toki. Mikä hänen nimensä on?"

"Tom Walling. Asuu Clearissa."

Ed nyökkäsi mutta ei vaikuttanut ilahtuneelta.

"Ja hänkö on sinun kavereitasi?"

Tajusin astuneeni paskaan.

"Tuota, tuttu naama oikeastaan."

"Hän on minulle ison summan velkaa."

"Ihanko totta? Mitä tapahtui?"

"Se on pitkä tarina. Myin hänelle kirjoja kokoelmasta, jonka myymisestä minä vastasin, ja hän maksoi tosi nopeasti. Sain häneltä maksumääräyksen ja kaikki tuntui menevän hyvin. Kun hän halusi ostaa lisää, lähetin tilauksen ennen kuin sain rahat. Tein pahan virheen. Siitä on kulunut nyt kolme kuukautta, enkä ole saanut häneltä penniäkään. Jos näet häntä vielä, kerro että haluan rahani."

"Minä kerron. Harmillinen juttu. En tiennytkään, että hän on huijari. Mitä kirjoja hän tilasi?"

"Hän oli kova Poe-fani, joten myin hänelle kasan kirjoja Rodwayn kokoelmasta. Jotkut olivat todella vanhoja. Kauniita kirjoja. Sitten hän tilasi lisää, kun sain uuden kokoelman haltuuni. Ne hän jätti maksamatta."

Sydämeni hakkasi nopeammin. Ed Thomasin kertomus vahvisti, että kyseessä oli Backus. Halusin lopettaa pelleilyn saman tien ja paljastaa Edille, miksi olin tullut tapaamaan häntä. En kuitenkaan sanonut mitään. Päätin puhua ensin Rachelille ja sopia yhdessä hänen kanssaan, mitä tekisimme.

"Taisin nähdä ne kirjat hänen luonaan", minä sanoin. "Olivatko ne runokirjoja?"

"Etupäässä. Hän ei välittänyt Poen novelleista."

"Oliko kirjoihin merkitty alkuperäisen keräilijän nimi? Sen Rodmanin?"

"Rodwayn, oli. Niihin oli tosiaan painettu hänen kokoelmansa sinetti. Se alensi hintaa, mutta kaverisi halusi kirjat kaikesta huolimatta."

Minä nyökkäsin. Teoriani alkoi muotoutua lopulliseen asuunsa. Oikeastaan se oli enemmän kuin pelkkä teoria.

"Harry, haluaisitko kertoa, mistä tässä on kysymys?"

Katsoin Ediä.

"Mitä tarkoitat?"

"En ole varma. Kyselet vain aika paljon –"

Kirjakaupan takaosasta kuului kova soittokellon kilahdus, ja Edin lause jäi kesken.

"Ei sillä väliä, Harry", hän sanoi. "Saan uuden toimituksen. Minun pitää mennä ottamaan se vastaan."

"Hyvä on."

"Nähdään taas."

"Nähdään."

Jäin katsomaan, kun Ed lähti tiskiltä ja meni liikkeen takaosaan. Vilkaisin kelloa. Se oli tasan kaksitoista. FBI:n johtaja astuisi juuri televisiokameroiden eteen kertomaan Nevadan autiomaassa tapahtuneesta räjähdyksestä ja sanoisi, että se oli Runoilijana tunnetun sarjamurhaajan tekosia. Valitsisiko Backus täsmälleen saman hetken siepatakseen Edin? Kurkkuani kuristi kuin kirjakaupasta olisi pumpattu kaikki happi pois. Heti kun Ed meni ovesta varastohuoneeseen, kävin tiskille mahalleni ja kurotin seuraamaan monitoria. Tiesin, että jos Ed katsoisi varaston monitoria, hän näkisi etten ollut lähtenyt, mutta luotin siihen, että hän menisi suoraan takaovelle.

Näin monitorin kulmassa varastohuoneen ja Edin, joka painoi kasvonsa takaovea vasten ja kurkisti ovisilmästä. Hän ei ilmeisesti epäillyt lähetyksen aitoutta, sillä hän kiskaisi salvan ja oven auki. Tuijotin monitoria herkeämättä, vaikka kuva olikin pieni ja katselin sitä ylösalaisin.

Ed väistyi oven edestä ja varastoon tuli lähetti. Lähetillä oli yllään tumma paita ja samaa väriä olevat sortsit. Hän kantoi kahta laatikkoa päällekkäin, ja Ed viittilöi häntä laskemaan laatikot läheiselle työpöydälle. Lähetti laski kantamukset käsistään, otti ylemmän laatikon päältä sähköisen kirjoitusalustan ja pyysi Ediltä allekirjoituksen toimituksen vahvistukseksi.

Siinä ei ollut mitään epäilyttävää. Oli kyse aivan tavanomaisesta tavarantoimituksesta. Laskeuduin äkkiä tiskin päältä ja menin ovelle. Kun vedin kahvasta, kuulin ovikellon kilahtavan mutta en välittänyt siitä. Tungin Koontzin signeeraaman kirjan takkini alle suojaan ja palasin autolle juosten, koska sade ei ollut laantunut vieläkään.

"Mitä sinä menit roikkumaan tiskin päälle?" Rachel kysyi, kun pääsin sisään.

"Ed on asentanut liikkeeseen valvontakameroita ja monitori on tiskin takana. Hän sai kirjalähetyksen, ja halusin varmistaa, että se on oikea. Kello on Washingtonissa yli kolme."

"Tiedän. Saitko tietää mitään vai ostitko vain kirjan?"

"Sain tietää vaikka mitä. Tom Walling on hänen asiakkaansa. Tai oli ennen kuin jätti maksamatta tilaamansa Edgar Allan Poen runokirjat. Hän tilasi ne postitse niin kuin arvelimmekin. Ed ei ole nähnyt Backusia, hän vain lähetti kirjat Nevadan osoitteeseen."

Rachel suoristi selkänsä.

"Oletko tosissasi?"

"Olen olen. Kirjat olivat peräisin jonkun keräilijän kokoelmasta, jonka Ed sai myydäkseen. Niissä oli omistajan merkintä, joka olisi ollut helppo jäljittää. Siksi Backus poltti kirjat tynnyrissä pihallaan. Hän ei voinut ottaa sitä riskiä, että kirjat olisivat säilyneet räjähdyksestä ehjinä ja johdattaneet agentit Edin luokse."

"Miksi ei?"

"Koska olen varma, että hän aikoo iskeä tänne. Hän aikoo hoidella Edin."

Käänsin avainta virtalukossa.

"Mitä sinä nyt aiot?"

"Kierrän taakse katsomaan, ettei kirjalähetyksessä ole mitään omituista. On sitä paitsi hyvä vaihtaa tarkkailupaikkaa aina silloin tällöin."

"Mitä, aiotko nyt antaa minulle oppitunnin kyttäyskeikkojen alkeista?"

Vastaamatta mitään ajoin kauppakeskuksen taakse ja näin UPS-lähettipalvelun pakettiauton, joka oli pysäköity Edin kirjakaupan avoimen takaoven luokse. Ajaessamme vähän matkaa eteenpäin näin pienen vilauksen pakettiauton perästä, varastohuoneesta ja lähetistä, joka kantoi vaivalloisesti useita kirjalaatikoita luiskaa pitkin pakettiauton tavaratilaan. Palautettavat kirjat, ajattelin. Jatkoin matkaa epäröimättä.

"Puhtaita jauhoja pussissa", Rachel sanoi.

"Totta."

"Et kai paljastanut itseäsi Thomasille?"

"En. Hän alkoi kummastella, mutta lähetin saapuminen pelasti nahkani. Halusin ensin puhua kanssasi. Minun mielestä meidän pitää kertoa hänelle."

"Harry, johan tämä käytiin läpi. Jos kerromme hänelle, hän muuttaa rutiinejaan ja käyttäytymistään. Koko juttu voisi raueta. Jos Backus tarkkailee Thomasia, hän huomaa pienimmänkin muutoksen."

"Ja jos emme kerro hänelle ja jotain sattuu, me..."

En jatkanut lausettani loppuun. Olimme käyneet saman keskustelun jo kahdesti ja vaihtaneet välillä puolta. Ongelmamme oli kiperä. Takaisimmeko Ed Thomasin turvallisuuden sillä uhalla, että Backus pääsisi käsistämme? Vai löisimmekö Thomasin turvallisuuden laimin, jot-

387

ta pääsisimme käsiksi Backusiin? Vain lopputuloksella oli merkitystä, mutta vaihtoehdot eivät miellyttäneet meitä kumpaakaan.

"Meidän täytyy vain pitää huolta, että mitään ei satu", Rachel sanoi.

"Niinpä. Entä apujoukot?"

"Ottaisimme liian suuren riskin. Mitä enemmän täällä pyörii porukkaa, sitä varmemmin paljastumme."

Minä nyökkäsin. Rachel oli oikeassa. Ajoin uudestaan pysäköintialueelle, tällä kertaa sitä paikkaa vastapäätä, josta olimme tarkkailleet liikettä hetki sitten. En pystynyt kuitenkaan huijaamaan itseäni. Autoja oli liikkeellä todella vähän keskellä sateista arkipäivää, ja me herätimme varmasti huomiota. Tunsin, että toimimme saman periaatteen mukaan kuin Ed Thomasin turvakamerat. Ehkäisevästi. Backus oli hyvinkin voinut jo huomata meidät ja lykätä suunnitelmaansa. Ainakin tilapäisesti.

"Asiakas", Rachel sanoi.

Katsoin pysäköintialueen poikki ja näin naishenkilön kävelevän kauppaan. Hän näytti tutulta, ja sitten muistin nähneeni hänet Edin läksiäisissä.

"Hänen vaimonsa. Tapasimme kerran. Nimi taitaa olla Pat."

"Viekö hän miehelleen lounasta?"

"Kenties. Tai sitten hänkin on liikkeessä töissä."

Katselimme jonkin aikaa, mutta Ediä tai hänen vaimoaan ei näkynyt liikkeen näyteikkunan takana. Aloin huolestua. Otin puhelimeni esiin ja soitin kirjakauppaan siinä toivossa, että pirinä saisi heidät tulemaan tiskille puhelimen luo.

Kuulin, että naisen ääni vastasi puhelimeen melkein heti, vaikka ikkunassa ei näkynyt ketään. Löin nopeasti luurin hänen korvaansa.

"Varastohuoneessa täytyy olla toinen puhelin."

388

"Kuka vastasi?"

"Vaimo."

"Pitäisikö minun käydä katsomassa?"

"Ei. Jos Backus on täällä, hän tunnistaa sinut. Hän ei saa nähdä sinua."

"Hyvä on, mitä sitten tehdään?"

"Ei mitään. He varmaan syövät lounasta varastossa. Näin siellä pöydän. Ole kärsivällinen."

"En halua olla kärsivällinen. En halua vain istua –"

Rachel jätti lauseensa kesken, kun Ed Thomas tuli ulos etuovesta. Edillä oli yllään sadetakki, ja hän kantoi kädessään sateenvarjoa ja salkkua. Hän nousi vihreään Ford Exploreriin, jolla hän oli tullut paikalle aiemmin aamupäivällä. Näin liikkeen näyteikkunan läpi Edin vaimon menevän myyntitiskin taakse.

"Jotain tapahtuu", minä sanoin.

"Mihin hän on matkalla?"

"Ehkä hän käy hakemassa syötävää."

"Ei salkku kädessä. Pysymme hänen perässään, eikö niin?"

Minä käynnistin moottorin.

"Ehdottomasti."

Thomas lähti pysäköintiruudusta kaupunkimaasturillaan. Hän suuntasi uloskäynnille, kääntyi oikealle ja lähti ajamaan Tustin Boulevardia pitkin. Kun hänen autonsa oli liittynyt liikenteen joukkoon, minä ajoin pysäköintialueelta ja lähdin seuraamaan. Otin puhelimeni taas esiin ja soitin Book Carnivaliin. Ed Thomasin vaimo vastasi.

"Moi, onko Ed paikalla?"

"Ei juuri nyt. Voinko minä auttaa?"

"Onko se Pat?"

"Olenhan minä. Kuka soittaa?"

"Bill Gilbert. Taisimme tavata Edin läksiäisissä. Olen Edin vanhoja työkavereita. Olen tänään siellä päin ja ajattelin, että voisin pistäytyä liikkeessä myöhemmin vaihtamassa kuulumisia. Onko Ed tulossa vielä tänään takaisin?"

"En osaa sanoa. Hän lähti tekemään arviointia, ja siinä voi mennä koko loppupäivä. On niin huono ajokeli ja matkakin on pitkä."

"Arviointiako? Mitä Ed meni arvioimaan?"

"Kirjakokoelmaa. Eräs asiakas haluaa myydä kokoelmansa, ja Ed lähti katsomaan, mitä hintaa siitä voisi pyytää. Hän meni San Fernando Valleyyn asti, ja minä sain sen käsityksen, että kokoelma on todella iso. Ed sanoi, että saatan joutua sulkemaan paikan tänään."

"Onko se sitä Rodwayn kokoelmaa? Ed puhui siitä viimeksi, kun näimme."

"Ei, se on myyty melkein loppuun. Tämä mies on nimeltään Charles Turrentine, ja hänellä on yli kuusi tuhatta kirjaa."

"Vau, jopas on."

"Hän on tunnettu keräilijä mutta taitaa tarvita rahaa, koska hän kertoi Edille, että haluaa myydä kaiken."

"Aika outoa. Käyttää nyt niin paljon aikaa keräilyyn ja myydä sitten kaikki pois."

"Sitä tapahtuu."

"No, Pat, minä annan sinun jatkaa töitäsi. Yritän tavata Edin vaikka sitten ensi kerralla. Kerro toki terveisiä."

"Mikä se nimi taas olikaan?"

"Tom Gilbert. Näkemiin."

Suljin puhelimen.

"Vielä keskustelun alussa olit Bill Gilbert."

"Hupsista."

Kerroin Rachelille, mitä Edin vaimo oli sanonut. Soitin sitten numerotiedusteluun, mutta Charles Turrentinea ei löytynyt alueen suuntanumerosta. Kysyin Rachelilta, oliko hänellä FBI:n Los Angelesin paikallistoimistossa tuttuja, jotka voisivat ottaa selvää Turrentinen osoitteesta ja mahdollisesta salaisesta numerosta.

"Etkö sinä voi soittaa LAPD:ssä kenellekään?"

"Kukaan ei taida olla enää yhtään palvelusta velkaa. Olen sitä paitsi ulkopuolinen. Sinä et."

"En olisi niin varma."

Rachel otti puhelimensa esiin ja ryhtyi soittelemaan, ja minä keskityin seuraamaan Thomasin auton takavaloja, jotka näkyivät viidenkymmenen metrin päässä edessäni. Ajoimme 22:ta, ja tiesin, että Thomas voisi valita kohta kahdesta eri reitistä. Hän voisi kääntyä pohjoiseen vitostielle ja ajaa keskustan läpi tai jatkaa suoraan ja kääntyä pohjoiseen 405:lle. Valleyyn pääsisi kumpaakin kautta.

Rachelille soitettiin viisi minuuttia myöhemmin, ja hän sai haluamansa tiedot.

"Hän asuu Valerio Streetillä Canoga Parkissa. Tiedätkö missä se on?"

"Tiedän missä Canoga Park on. Valerio kulkee itä–länsi-suunnassa koko Valleyn läpi. Saitko puhelinnumeron?"

Rachel vastasi painelemalla numeroita puhelimeensa. Hän nosti laitteen korvalleen ja odotti. Puoli minuuttia myöhemmin hän sulki puhelimen.

"Ei ketään. Puhelinvastaaja kylläkin."

Istuimme hiljaa ja mietimme, mitä se voisi tarkoittaa.

Thomas ohitti pohjoiseen menevän vitostien liittymän ja jatkoi suoraan kohti 405:tä. Arvelin, että hän kääntyisi sieltä pohjoiseen ja ajaisi Sepulveda Passin kautta Valleyyn. Canoga Park oli länsipuolella. Tällä kelillä matka veisi ainakin tunnin. Jos kävisi tuuri.

"Älä kadota häntä näkyvistä, Bosch", Rachel sanoi vakavasti.

Tiesin, mitä sanat oikeasti merkitsivät. Rachel aavisti, että nyt oli tosi kyseessä. Hän uskoi, että Ed Thomas johdatti meitä Runoilijan luokse. Minä nyökkäsin Rachelille, sillä minulla oli sama aavistus. Se oli kuin tasainen rintakehäni alta nouseva humina. En pohtinut asiaa tietoisesti, mutta vaistoni kertoivat, että nyt oli tosi kyseessä.

"Älä huoli", minä sanoin. "En kadota."

41

Sade alkoi käydä Rachelin hermoille. Sen heltymättömyys. Se ei missään vaiheessa laantunut tai tauonnut. Sade vihmoi tuulilasia leppymättömänä ryöppynä, jolle pyyhkimet eivät pärjänneet alkuunkaan. Ulos tuskin näki. Monet kuljettajat olivat päättäneet pysähtyä moottoritien reunaan odottamaan. Salama välähti läntisellä taivaalla jossain meren yllä. He ohittivat jatkuvasti kolaripaikkoja, ja ne saivat Rachelin entistä levottomammaksi. Jos he joutuisivat onnettomuuteen ja kadottaisivat Ed Thomasin, tämän kohtalo lankeaisi heidän omalletunnolleen.

Rachel pelkäsi, että jos hän katsoisi poispäin Thomasin auton punaisista takavaloista, he eivät enää löytäisi häntä himmeästä punaisten valojen merestä. Bosch tuntui vaistoavan, mitä Rachel ajatteli.

"Rauhoitu", hän sanoi. "En aio kadottaa häntä silmistäni. Ja vaikka niin kävisikin, me tiedämme, mihin hän on menossa."

"Emme me voi tietää sitä. Tiedämme vain Turrentinen osoitteen. Ei se tarkoita, että kirjat ovat samassa paikassa. Etkö puhunut kuuden tuhannen kirjan kokoelmasta? Kenellä on kotonaan kuusi tuhatta kirjaa? Hän varmaan säilyttää niitä jossain varastossa."

Rachel huomasi, kuinka Bosch kiristi otettaan ohjauspyörästä ja lisäsi nopeutta päästäkseen lähemmäs Thomasia.

"Se ei tainnut juolahtaa mieleesi?"

"Eipä juuri."

"Älä siis kadota häntä näkyvistä."

"Kuten jo sanoin, en aio."

"Tiedän kyllä. Mutta tunnen oloni paremmaksi, jos toistelen sitä."

Rachel osoitti tuulilasia.

"Kuinka usein täällä sataa näin hirveästi?"

"Ei koskaan", Bosch vastasi. "Radiossa sanottiin, että tämä on vuosisadan myrsky. Ihan kuin jotain olisi vialla tai mennyt rikki. Kanjonit ovat varmaan veden vallassa Malibussa. Maanvyörymiä Palisadesissa. Ja sadevesikanava tulvii varmasti yli äyräidensä. Viime vuonna täällä riehui metsäpaloja. Tämän vuoden vitsaus näyttää olevan vesi. Aina jotakin. Ihan kuin pitäisi kerran vuodessa läpäistä jokin koettelemus."

Bosch avasi radion, jotta he kuulisivat säätiedotuksen. Rachel sulki sen heti ja osoitti sormella tietä.

"Keskity tuohon", hän käski. "Säätiedotus ei kiinnosta juuri nyt."

"Selvä."

"Aja lähemmäs. Mene vaikka puskuriin kiinni. Ei hän kuitenkaan näe sinua tässä kelissä."

"Jos menen liian lähelle, voin törmätä häneen, ja missäs sitä sitten ollaan?"

"Älä vain –"

"Kadota häntä. Tiedän."

Seuraavan puolen tunnin ajan he ajoivat sanomatta mitään. Tie nousi ja vei heidät vuorien yli. Rachel näki valtavan kivisen rakennelman eräällä huipulla. Harmaassa ja hämyisessä vesisateessa se näytti kuin joltain postmodernilta linnalta. Bosch kertoi, että rakennus on Getty Museum.

Kun he ajoivat alas kohti Valleytä, Rachel näki Thomasin pistävän suuntavilkun päälle. Kolmen auton päässä pysyttelevä Bosch ohjasi samalle kaistalle.

"Hän kääntyy 101:lle. Olemme kohta perillä."

"Tarkoitatko Canoga Parkia?"

"Sitä juuri. Hän ajaa tätä moottoritietä länteen ja loppumatkan kohti pohjoista Canogan katuja pitkin."

Bosch vaikeni ja keskittyi ajamiseen ja Ed Thomasin seuraamiseen. Viisitoista minuuttia myöhemmin Explorerin suuntavilkku syttyi taas, ja Thomas kääntyi DeSoto Avenuelle ja suuntasi pohjoiseen. Bosch ja Walling seurasivat Thomasin perässä, mutta tällä kertaa heidän välissään ei ollut muita autoja.

Melkein heti DeSotolle käännyttyään Thomas pysähtyi tien laitaan, johon ei olisi saanut pysäköidä, ja Boschin oli pakko ajaa ohitse tai Thomas olisi tajunnut, että häntä seurataan.

"Hän taisi katsoa karttaa tai ajo-ohjeita", Rachel sanoi. "Kattovalo oli päällä ja hän katsoi alaspäin."

"Selvä."

Bosch ajoi huoltamolle, kiersi polttoainepumput ja lähti uudestaan kadun suuntaan. Hän pysähtyi risteykseen, katsoi vasemmalle kohti Thomasin Exploreria ja odotti. Puolen minuutin päästä Thomas lähti liikkeelle. Bosch vartoi, että Explorer menisi ohi. Hän piti puhelinta vasemmalla korvallaan peittääkseen kasvonsa, jos Thomas sattuisi vilkaisemaan heidän suuntaansa ja näkisi jotakin sateesta huolimatta. Hän antoi toisen autoilijan mennä heidän väliinsä ja lähti sitten itse liikkeelle.

"Hän on varmaan lähellä", Rachel sanoi.

"Niinpä."

Thomas ajoi kuitenkin monen korttelin ohi ennen kuin kääntyi taas oikealle. Bosch hidasti ja valmistautui kääntymään samaan suuntaan.

"Valerio", Rachel sanoi nähdessään kadun nimen hämärässä. "Perillä ollaan."

Kun Bosch kääntyi Valeriolle, Rachel näki Thomasin auton punaiset jarruvalot. Auto oli keskellä tietä kolmen korttelin päässä. Se oli umpikuja.

Bosch kurvasi äkkiä tien laitaan toisen auton taakse.

"Kattovalo on päällä", Rachel sanoi. "Hän katsoo taas karttaa."

"Joki", Bosch sanoi.

"Mitä?"

"Minähän kerroin, että Valerio kulkee koko Valleyn läpi. Niin kulkee jokikin. Hän yrittää varmaan löytää reitin toiselle puolelle. Joki katkaisee kaikki kadut tässä kohdassa. Hänen on päästävä yli."

"En minä näe mitään jokea. Siellä on pelkkä verkkoaita ja betonia."

"Et sinä sitä varmaan jokena pitäisikään. Eikä se joki olekaan kuin teoriassa. Tuo on luultavasti Aliso Canyonin tai Brown's Canyonin sadevesikanava. Se johtaa Los Angeles Riveriin."

He odottivat. Thomasin auto ei hievahtanut.

"Joki tulvii aina pahasti tällaisella myrskyllä. Se tuhosi joskus kolmanneksen kaupungista. Nyt sitä yritetään hallita ja pitää aisoissa. Joku sai älynväläyksen kahlita se kiveen ja betoniin. Suunnitelma toteutettiin ja kotien pitäisi muka nyt olla turvassa."

"Sitä sanotaan kai edistykseksi."

Bosch nyökkäsi ja tarttui taas ohjauspyörään.

"Hän liikkuu."

Thomas kääntyi vasemmalle, ja kun Explorer oli hävinnyt kulman taakse, Bosch ajoi tien sivusta ja lähti seuraamaan. Thomas ajoi pohjoiseen Saticoylle ja kääntyi oikealle. Auto ylitti sillan, joka kulki kanavan yli. Kun he seurasivat perässä, Rachel vilkaisi alas ja näki betonisessa kanavassa raivoavan kosken.

"Vau, erehdyin luulemaan, että minä asuin Rapid Cityssä."

Bosch ei vastannut mitään. Thomas kääntyi etelään Masonille päästäkseen takaisin Valeriolle. Nyt hän oli kuitenkin sillä puolella kanavaa, jolla halusi olla. Hän ajoi Valeriolle, mutta kääntyi jälleen oikealle.

"Se on taas umpikuja", Bosch sanoi.

Bosch pysytteli Masonilla ja ajoi Valerion risteyksen ohi. Rachel katsoi sateeseen ja näki, että Thomas oli pysäköinyt pihatielle suuren kaksikerroksisen omakotitalon eteen, joka oli yksi umpikujaan päättyvän kadun viidestä talosta.

"Hän ajoi yhden talon eteen", Rachel sanoi. "Hän on perillä. Jumalauta, se on se talo!"

"Mikä talo?"

"Talo siinä valokuvassa, jonka löysit. Backus oli niin helvetin varma itsestään, että jätti meille kuvan."

Bosch ajoi tien laitaan. Valeriolta ei nähnyt paikkaan, johon he pysähtyivät. Rachel käänteli päätään ja vilkuili ulos. Kaikki ympäröivät rakennukset olivat pimeitä.

"Täällä on varmaan sähkökatkos."

"Istuimen alla on taskulamppu. Ota se."

Rachel kurkotti penkin alle ja löysi sen.

"Entä sinä?"

"Minä pärjään. Mennään."

Rachel avasi ovea mutta kääntyi sitten katsomaan Boschia. Hän tahtoi sanoa jotain mutta empi.

397

"Mitä?" Bosch kysyi. "Ai, pitääkö minun olla varovainen? Älä huoli, niin aionkin."

"No sitäkin, ole varovainen. Mutta oikeastaan ajattelin kertoa, että minulla on toinen ase laukussa. Haluaisitko –"

"Kiitos tarjouksesta, mutta otin tällä kertaa omani mukaan."

Rachel nyökkäsi.

"Olisi pitänyt arvata. Mitä mieltä olet apujoukkojen kutsumisesta?"

"Kutsu apua jos haluat. Mutta minä en jää odottamaan niiden saapumista. Menen talolle."

Kun astuin ulos, kylmä sade vihmoi kasvojani ja niskaani. Nostin takkini kaulusta ja lähdin kävelemään takaisin Valerion suuntaan. Rachel tuli viereeni eikä puhunut sanaakaan. Kun pääsimme risteykseen, käytimme kulmauksessa olevan talon ympärille rakennettua muuria suojanamme, kurkistimme umpikujan päähän ja tarkkailimme taloa, jonka eteen Thomas oli pysäköinyt autonsa. Thomasia ei näkynyt missään. Talon kadunpuoleiset ikkunat olivat pimeitä. Harmaasta hämystä huolimatta näin, että Rachel oli ollut oikeassa. Talo oli sama kuin valokuvassa, jonka Backus oli jättänyt meille.

Kuulin joen kohinan mutta en nähnyt sitä. Se oli piilossa talojen takana. Välimatkasta huolimatta sen suunnattoman voiman pystyi melkein tuntemaan. Näin rankalla myrskyllä kaikki kaupungin vedet virtasivat sen sileässä betonikourussa. Se luikerteli tiensä Valleyn halki ja kiersi vuoret matkallaan kohti keskustaa. Sieltä se suuntasi länteen ja laski Tyyneen valtamereen.

Suurimman osan vuodesta se oli lähes rutikuiva. Vain puropahanen. Mutta myrskyn tullen käärme heräsi horroksesta ja huomasi olevansa voimissaan. Rankkasateella siitä tuli kaupungin suurin viemäri, ja miljoonista vesi-litroista muodostuva massa kuohui vasten kanavan paksuja kiviseinämiä. Se oli määrätietoinen ja liikkui hirvittävällä nopeudella ja pyrki lakkaamatta ulos uomastaan. Muistan, että se sieppasi lapsen mennessään, kun olin itsekin vasta nuori poikanen. Hän ei ollut ystäväni mutta tunsin hänet. Muistan hänen nimensä vielä 40 vuotta tapahtuman jälkeen. Billy Kinsey leikki joen törmällä. Hän liukastui ja oli poissa sekuntia myöhemmin. Ruumis löydettiin viaduktilta kahdenkymmenen kilometrin päästä.

Äitini oli varoittanut minua usein, että silloin kun sataa...

"Pysy poissa kuilusta."

"Mitä?" Rachel kuiskasi.

"Ajattelin vain jokea, joka on vangittu noiden seinämien väliin. Kun olin pieni, sitä sanottiin kuiluksi. Näin kovalla sateella vesi virtaa jumalatonta vauhtia. Ja se tappaa. Pysy poissa kuilusta, silloin kun sataa."

"Mutta me olemme menossa talolle."

"Sama juttu, Rachel. Ole varovainen. Pysy poissa kuilusta."

Hän katsoi minua. Hän taisi ymmärtää, mitä tarkoitin.

"Hyvä on, Bosch."

"Mene sinä etuovesta, niin minä etsin takaoven."

"Sopii."

"Ole valmis mihin vain."

"Sinä myös."

Kohteemme oli umpikujan viimeinen talo. Kävelimme ripeästi lähimpänä risteystä sijaitsevan talon muurin vierustaa ja oikaisimme seuraavan talon pihatien poikki. Sitten kiersimme kahden muun talon etupihat, kunnes pääsimme sen talon luo, jonka eteen Ed Thomas oli pysäköinyt autonsa. Rachel nyökkäsi minulle vielä kerran, sitten erosimme ja vedimme aseemme esiin samaan aikaan. Rachel lähti etupihaa kohti, ja minä hiivin pihatietä talon taakse. Hämyn, sateen ropinan ja sadevesikanavassa käyvän myllerryksen suojin pystyin liikkumaan huomaamattomasti. Pihatien molemmilla puolilla kasvoi lisäksi lyhytkasvuisia ihmeköynnöksiä, joita kukaan ei ollut hoitanut eikä leikannut ikuisuuksiin. Mutta talon ikkunat olivat pimeät. Kuka tahansa voisi tarkkailla minua niiden takaa, enkä minä huomaisi sitä.

Takapiha tulvi. Keskellä suurta lammikkoa oli ruostunut kahden keinun teline vailla istuimia. Sen takana oli miehenkorkuinen verkkoaita, joka erotti tontin kanavasta. Valtoimenaan juokseva vesi oli melkein saavuttanut kanavan reunan. Se tulvisi ennen iltaa. Yläjuoksulla, jossa kanava oli matalampi, vesimassa oli varmasti jo vyörynyt äyräidensä yli.

Kiinnitin huomioni taas taloon. Takapihalla oli iso kuisti. Katolla ei ollut kouruja, joten vesi virtasi katolta yhtenäisenä mattona, jonka läpi ei tahtonut nähdä. Backus voisi istuskella kuistilla keinutuolissa, enkä minä näkisi häntä. Köynnöksiä kasvoi myös kuistin kaiteen vieressä. Kumarruin ikkunoiden alle ja siirryin nopeasti kuistille. Harppasin kolme rappusta yhdellä loikalla ja pääsin sateensuojaan. Kesti hetken ennen kuin silmäni tottuivat muutokseen. Sitten huomasin sen. Kuistin oikealla sivustalla oli valkoinen rottinkisohva. Sen päällä oli viltti ja ilmiselvä ihmishahmo, joka oli istuma-asennossa mutta kenotti vasemman käsinojan varassa. Menin lähemmäs, kumarruin ja tartuin lattialla lojuvaan viltin reunaan. Vedin kankaan hitaasti hahmon päältä.

Se oli vanha mies. Näytti siltä, että hän oli kuollut yli vuorokausi sitten. Ruumis alkoi jo haista. Hänen pullistuneet silmänsä retkottivat auki, ja iho oli samanvärinen kuin ketjupolttajan valkoiseksi maalatun makuuhuoneen seinät. Kaulan ympäri oli kiristetty nippuside – liian tiu-

400

kalle. Charles Turrentine, otaksuin. Arvasin myös, että hän oli mies siinä valokuvassa, jonka Backus oli ottanut. Hänet oli surmattu ja viskattu kuistille kuin kasa vanhoja sanomalehtiä. Hänellä ei ollut mitään tekemistä Runoilijan kanssa. Hän oli ollut vain välikappale.

Kohotin Glockini ja menin takaovelle. Halusin varoittaa Rachelia mutta en voisi tehdä sitä paljastamatta itseäni ja vaarantamatta hänen turvallisuuttaan. Minun oli pakko jatkaa, mennä syvemmälle talon syövereihin, kunnes löytäisin hänet tai Backusin.

Ovi oli lukossa. Päätin kiertää takaisin etupihalle ja ottaa Rachelin kiinni. Kääntyessäni ympäri vilkaisin vielä ruumista ja mieleeni pälkähti toinen vaihtoehto. Menin sohvalle ja kokeilin vanhuksen housuntaskuja. Oivallukseni palkittiin. Kuulin avaimien kilinää.

Rachel oli saarroksissa. Eteisaulan jokaisen seinän viereen oli pinottu korkeita kirjakasoja. Hän seisoi aloillaan, piti toisessa kädessä asetta ja toisessa taskulamppua ja vilkaisi olohuoneeseen, joka oli hänen oikealla puolellaan. Lisää kirjoja. Valtavat pinot reunustivat jokaista seinää ja hyllyt pursuilivat yli. Kirjat peittivät sohvan edessä ja päädyissä olevat pöydät ja kaikki muutkin tasaiset pinnat. Tuntui kuin olisi astunut kummitustaloon. Koti ei ollut täynnä elämää vaan synkkyyttä ja varjoja, ja lukutoukat rouskuttivat kirjailijoiden painettuja sanoja.

Rachel yritti pysyä liikkeessä ja karkottaa yltyvän pelkonsa. Hän epäröi, harkitsi palaavansa ovelle ja luikahtavansa ulos ennen kuin hänet huomattaisiin. Mutta sitten hän kuuli äänet ja tiesi, että hänen pitäisi jatkaa eteenpäin.

"Missä Charles on?"

"Sanoin *istu alas*."

Rachel ei saanut selvää, mistä suunnasta puhe kuului. Sateen ropina, läheisen kanavan pauhu ja kaikkialle pinotut kirjat haittasivat äänten paikantamista. Hän kyllä kuuli puhetta, mutta mistä pirusta se tuli?

Sitten hän kuuli lisää. Mutinaa lähinnä, silloin tällöin tunnistettava sana. Kuulosti siltä, että toinen puhuja pelkäsi ja toinen oli vimmoissaan.

"Sinä luulit..."

Rachel koukisti polviaan ja laski taskulampun lattialle. Hän ei ollut vielä sytyttänyt sitä eikä uskaltaisi enää ottaa riskiä. Hän käveli käytävään, joka kävi hämärämmäksi joka askeleella. Hän oli tarkistanut talon etummaiset huoneet ja tiesi äänten tulevan jostain peremmältä.

Käytävä johti aulaan, jossa oli kolme ovea. Päästyään sinne hän kuuli kahden miehen puhuvan ja oli varma, että he olivat jossain hänen oikealla puolellaan.

"Kirjoita se!"

"En näe mitään!"

Sitten kuului paukahdus. Ja repimistä. Verhot kiskottiin ikkunasta.

"Näetkö nyt? Kirjoita tai kuolet heti!"

"Minä kirjoitan! Minä kirjoitan!"

"Sanasta sanaan. Kerran, kun ma raukeasti tutkin keskiyöhön asti..."

Se kuulosti tutulta. Rachel tunnisti Edgar Allan Poen sanat. Ja hän tiesi, että se oli Backus, vaikka ääni ei ollutkaan tuttu. Hän käytti taas runonsäkeitä ja oli aikeissa tehdä murhan, joka oli onnistuttu estämään vuosia sitten. Bosch oli ollut oikeassa.

Rachel meni huoneeseen, joka oli hänen oikealla puolellaan, ja näki, ettei siellä ollut ketään. Keskellä huonetta seisoi biljardipöytä, ja myös sen jokaista neliösenttiä peittivät korkeat kirjapinot. Hän ymmärsi Backusin suunnitelman. Runoilija oli houkutellut Ed Thomasin tähän paikkaan, koska talon omistaja – Charles Turrentine

– oli kuulu keräilijä. Hän oli tiennyt, että Thomas ei voisi vastustaa tätä kokoelmaa.

Rachel aikoi kääntyä ympäri tarkistaakseen aulan toisen oven. Mutta ennen kuin hän oli ehtinyt kunnolla edes hievahtaa, hän tunsi käsiaseen kylmän piipun niskassaan.

"Terve, Rachel", Robert Backus sanoi kirurgisesti muutetulla äänellään. "Aikamoinen yllätys nähdä sinut täällä."

Rachel oli liikkumatta, hän tiesi ettei voisi päihittää Backusia, sillä tämä hallitsi kaikki temput ja keinot. Rachel tiesi, että hänellä oli vain yksi mahdollisuus. Se oli Bosch.

"Hei, Bob. Pitkästä aikaa."

"Älä muuta sano. Voisitko jättää aseesi tänne ja tulla sitten kanssani kirjastoon?"

Rachel laski Sigin yhdelle biljardipöydän kirjapinoista.

"Vaikuttaa siltä, että koko paikka on yhtä kirjastoa, Bob."

Backus ei vastannut. Rachel tunsi, kuinka Backus tarttui häntä kauluksesta, painoi aseen hänen selkärankaansa vasten ja työnsi hänet haluamaansa suuntaan. He astuivat kynnyksen yli ja menivät pieneen huoneeseen, jossa oli kaksi korkeaselkäistä puista tuolia käännettyinä suurta kivistä takkaa päin. Takassa ei ollut tulta, ja Rachel kuuli pisaroiden tippuvan piipusta tulisijaan. Vesi muodosti lattialle lätäkön. Takan molemmilla puolilla oli ikkunat, ja vettä satoi niin rankasti, että niiden läpi ei tahtonut nähdä.

"Meillä onkin juuri sopivasti istumapaikkoja", Backus sanoi. "Paina toki puuta."

Backus kiskaisi Rachelin rajusti toisen tuolin luokse ja sysäsi hänet siihen istumaan. Backus kokeili nopeasti, oliko Rachelilla muita aseita, astui sitten taaksepäin ja pudotti jotain hänen syliinsä. Rachel katsoi toista

403

tuolia päin ja näki Ed Thomasin. Tämä oli vielä elossa. Ranteet oli sidottu tuolin käsinojiin muovisilla nippusiteillä. Kaksi sidettä oli liitetty yhteen, kietaistu hänen kaulansa ympäri ja kiinnitetty niskasta tuolin selkänojaan. Thomasin suuhun oli tungettu kangasnenäliina, ja hänen kasvonsa punersivat ponnistelun ja hapenpuutteen vuoksi.

"Bob, voit lopettaa nyt", Rachel sanoi. "Olet tehnyt asiasi selväksi. Sinun ei tarvitse –"

"Laita side oikean ranteesi ympärille ja kiinnitä se tuolin käsinojaan."

"Bob, älä. Emmekö –"

"Heti!"

Rachel kietaisi siteen tuolin käsinojan ja ranteensa ympäri. Sitten hän pujotti siteen pään lukkoon.

"Kiristä se, mutta älä liian tiukalle. En halua, että sinuun jää jälkiä."

Kun Rachel oli valmis, Backus käski hänen panna toisenkin käden käsinojalle. Sitten hän tarrasi Rachelin vasempaan käsivarteen ja piti sitä paikoillaan kietaistessaan ja kiristäessään nippusiteen ranteen ympäri. Hän otti askeleen taaksepäin ihaillakseen työnsä tuloksia.

"Kas niin."

"Bob, saimme yhdessä paljon hyvää aikaan. Miksi teet näin?"

Backus katsoi Rachelia ja hymyili.

"En tiedä. Mutta puhutaan siitä vähän myöhemmin. Minulla ja etsivä Thomasilla jäi jotain kesken. Olemme molemmat odottaneet tätä kauan. Ajatella, Rachel, sinä saat vieläpä kunnian katsella. Miten harvinaislaatuinen mahdollisuus."

Backus katsoi Thomasia. Hän astui lähemmäksi ja kiskaisi suukapulan pois. Sitten hän pisti käden taskuun ja veti esiin linkkuveitsen. Hän avasi terän ja leikkasi yhdellä nopealla liikkeellä Thomasin oikeaa kättä puristavan siteen poikki.

"No niin, mihin jäimmekään? Taisimme vasta aloittaa."

"Ja minä sanon, että leikki loppuu tähän."

Rachel kuuli Boschin äänen selkänsä takaa. Hän yritti kääntyä katsomaan, mutta tuolin selkänoja oli liian korkea.

***

Pidin aseen suunnattuna häntä kohti ja yritin keksiä keinon, jolla hoitelisin hänet parhaiten.

"Harry", Rachel sanoi rauhallisesti. "Hänellä on ase vasemmassa kädessä ja veitsi oikeassa. Hän on oikeakätinen."

Tarkensin tähtäystäni ja käskin hänen laskea aseensa. Hän totteli epäröimättä. Se häiritsi minua ja jäin pakostakin miettimään, oliko hänellä varasuunnitelma, jonka hän aikoisi toteuttaa seuraavaksi. Oliko hänellä toinen ase? Vai oliko talossa kenties toinen tappaja?

"Rachel, Ed, oletteko kunnossa?"

"Kunnossa ollaan", Rachel vastasi. "Pistä hänet maahan, Harry. Hänellä on taskussaan nippusiteitä."

"Rachel, missä aseesi on?"

"Toisessa huoneessa. Pistä hänet maahan, Harry."

Otin askeleen eteenpäin mutta pysähdyin sitten katsomaan Backusia. Hän oli muuttunut taas. Hän ei näyttänyt enää mieheltä, joka oli sanonut itseään Jordan Shandyksi. Ei partaa, ei lippalakkia harmaiden hiusten päällä. Hän oli ajellut parran ja tukkansa. Hän näytti täysin eri mieheltä.

Otin taas yhden askeleen mutta pysähdyin jälleen. Mietin yhtäkkiä Terry McCalebia ja hänen vaimoaan ja hänen tytärtään ja hänen ottopoikaansa. Ajattelin yhteistä kutsumustamme ja sitä, miten suuri menetys oli tapahtunut. Kuinka monta pahaa ihmistä vaeltaisi vapaana, koska Terry oli surmattu? Sisimmästäni nousi suunnaton raivo. En halunnut käskeä Backusia lattialle makaamaan, jotta voisin iskeä hänet käsirautoihin ja katsoa sitten perästä, kun poliisiauto veisi hänet loppuiäksi kaltereiden taakse ja häntä pidettäisiin kiinnostavana julkkiksena. Halusin riistää häneltä kaiken, minkä hän oli riistänyt ystävältäni ja monelta muulta.

"Murhasit ystäväni", minä sanoin. "Siitä hyvästä –"

"Harry, älä", Rachel sanoi.

"Voi kuinka harmillista", Backus sanoi. "Mutta minulla on ollut melkoisesti tekemistä. Ketähän mahdat tarkoittaa?"

"Terry McCalebia. Hän oli joskus sinunkin ystävä, ja sinä –"

"Jos totta puhutaan, niin minä halusin hoidella hänet. Hänestä olisi voinut tulla oikea maanvaiva. Mutta minä –"

"Turpa kiinni, Bob!" Rachel karjaisi. "Sinä et kelpaisi edes solmimaan Terryn kengännauhoja. Harry, tämä on liian vaarallista. Pistä hänet maahan! Tee se nyt!"

Raivoni lientyi hieman ja keskityin siihen, mitä tekisin seuraavaksi. Terry McCaleb väistyi mielestäni. Astuin lähemmäksi Backusia ja ihmettelin, mitä Rachel tarkoitti. Pistä hänet maahan? Halusiko Rachel, että ampuisin Backusin?

Otin vielä kaksi askelta.

"Lattialle makaamaan", minä sanoin. "Kauemmas aseista."

"Käskystä."

Hän kääntyi pois kohdasta, johon oli laskenut aseensa, ja näytti valitsevan toisen paikan.

"Tässä on ikävä vesilammikko. Takka vuotaa."

Odottamatta vastaustani hän siirtyi lähemmäs ikkunaa. Ja sitten minä ymmärsin. Tajusin, mitä hän aikoi tehdä.

"Backus, ei!"

Huutoni ei pysäyttänyt häntä. Hän ponnisti ja hyppäsi pää edellä ikkunaa päin. Aurinko ja rankkasateet olivat haperoittaneet vanhan talon ikkunanpuitteet, ja ne antoivat periksi yhtä helposti kuin Hollywoodin kulissit. Puu meni sälöiksi ja lasi pirstoutui, kun hän hyppäsi ikkunan läpi. Juoksin talon seinään muodostuneelle aukolle, ja Backusin toisesta aseesta välähti kaksi suuliekkiä. Varasuunnitelma.

Kuulin kaksi pamahdusta, luodit singahtivat läheltä ja upposivat kattoon ja seinään. Painauduin nopeasti seinää vasten ja ammuin kaksi laukausta katsomatta Backusin suuntaan. Pudottauduin sitten lattialle, ryömin ikkunan toiselle puolelle ja nousin ylös. Vilkaisin pihaa, mutta Backus oli poissa. Näin maassa kahdestilaukeavan Derringerin. Hänen toinen aseensa oli ollut pieni pistooli ja nyt hän oli aseeton, ellei hänellä ollut varasuunnitelman varasuunnitelmaa.

"Harry, veitsi", Rachel kiljui selkäni takaa. "Irrota minut!"

Käännyin ympäri, otin linkkuveitsen lattialta ja leikkasin Rachelin siteet poikki. Muovi katkesi helposti. Käännyin sitten Ed Thomasin puoleen ja annoin veitsen hänelle, jotta hän voisi leikata loput siteet vapaalla oikealla kädellään.

"Olen pahoillani, Ed", minä sanoin.

Pyytäisin anteeksi pidemmän kaavan mukaan myöhemmin. Rachel katseli ikkunasta hämärään, ja minä käännyin häntä päin. Hän oli ottanut Backusin aseen.

"Näetkö häntä?"

Menin Rachelin viereen. Sadevesikanava virtasi noin 30 metrin päässä vasemmalla. Kun katsoin sitä, näin että tulviva vuoksi vei mukanaan kokonaista tammea. Sitten näimme liikettä. Backus syöksyi ihmeköynnösten seasta verkkoaidalle, jonka tarkoituksena oli pitää kulkijat poissa kanavan töyräältä. Juuri kun hän oli kapuamassa aidan yli, Rachel nosti aseen ja ampui kaksi nopeaa laukausta. Backus tippui sorapintaiselle penkereelle aivan kanavan viereen. Mutta sitten hän nousi ylös ja säntäsi juoksuun. Rachel ei ollut osunut.

"Hän ei pääse joen yli", minä sanoin. "Hän on satimessa. Hänen on pakko ylittää se Saticoyn sillan kautta."

Tiesin, että kadottaisimme hänet, jos hän pääsisi sillalle asti. Hän ylittäisi kanavan ja katoaisi sen länsipuolella sijaitsevalle asuinalueelle tai DeSoto Avenuen lähelle rakennettuun liikekortteliin.

"Minä menen perässä", Rachel sanoi. "Ota auto, niin ehdit sillalle ennen häntä. Saamme hänet kiinni siellä."

"Selvä."

Lähdin ovelle ja valmistauduin juoksemaan sateeseen. Nappasin matkapuhelimeni taskusta ja heitin sen Thomasille vauhdissa.

"Ed", huusin olkani yli. "Soita poliisit. Hanki meille apujoukkoja."

42

Rachel poisti lippaan Backusin ascesta ja huomasi, että se oli ollut täynnä ennen kuin hän oli ampunut Backusia kohti. Hän iski lippaan paikoilleen ja meni ikkunalle.

"Haluatko, että tulen mukaan?" Ed Thomas kysyi Rachelin selän takaa.

Rachel kääntyi. Thomas oli leikannut siteensä poikki. Hän oli jaloillaan, piteli veistä pystyssä ja oli valmiina toimimaan.

"Tee niin kuin Harry sanoi. Soita apua."

Rachel nousi ikkunalaudalle ja hyppäsi sateeseen. Hän otti muutaman nopean askeleen pitkin köynnösten vierustaa, kunnes huomasi aukon, josta pujahtaa verkkoaidalle. Hän tunki Backusin aseen pistoolikoteloonsa, kiipesi aidan yli ja repi takkinsa hihan, kun se tarttui aitaan. Hän pudottautui kapealle penkereelle puolen metrin päähän kanavan reunasta. Hän katsoi alas ja näki, että veden ei tarvitsisi nousta enää kuin metri, niin se tulvisi yli. Vesimassa ryöppysi betoniseinämää vasten ja sen raivoava jylinä uhkui kuolemaa. Rachel käänsi päätään ja katsoi kanavan pengertä eteenpäin. Hän näki Backusin juoksevan Saticoyn siltaa kohti. Backus oli jo puolimatkassa. Rachel nousi jaloilleen ja pinkaisi perään. Hän ampui laukauksen ilmaan, jotta Backus miettisi, mitä hänen takanaan tapahtui, eikä osaisi varoa sillalla odottavaa Boschia.

Autoni luisui tien laitaan sillan puolivälissä. Loikkasin ulos sammuttamatta moottoria ja juoksin kaiteelle. Näin Rachelin juoksevan pengertä pitkin minua kohti ase tanassa, mutta en nähnyt Backusia.

Otin askeleen taaksepäin ja vilkuilin ympärilleni mutta en vieläkään nähnyt häntä missään. Ei ollut mitenkään mahdollista, että hän olisi ehtinyt sillalle ennen minua. Juoksin sillan alkupäässä olevalle portille, josta pääsi kanavan reunalle. Portti oli lukossa, mutta näin, että penger jatkui sillan alle. Muuta vaihtoehtoa ei ollut. Backus ei voinut piileskellä muualla kuin siellä.

Kapusin nopeasti portin yli ja pudottauduin soralle. Nousin pystyyn, pidin asetta kaksin käsin ja kohdistin piipun sillan alle pimeään. Kumarruin ja lähdin eteenpäin.

Virran pauhu kaikui korvia huumaavasti. Sillan alla oli neljä suurta tukipilaria. Backusin olisi helppo piiloutua niiden taakse.

"Backus!" minä huusin. "Tule esiin, jos haluat elää! Nyt heti!"

Ei mitään. Vain veden myllerrystä. Sitten kuulin etäisen äänen, käännyin katsomaan ja näin Rachelin. Hän oli noin sadan metrin päässä. Hänkin huusi, mutta sanat katosivat jylyn alle.

Backus lymysi pimeässä. Hän yritti pitää tunteet loitolla ja keskittyä hetkeen. Näin oli käynyt aiemminkin. Hänet oli saarrettu. Hän oli selvinnyt silloin ja aikoi selvitä myös nyt. Tärkein seikka oli keskittyä hetkeen ja imeä voimaa pimeydestä. Hän kuuli vainoajan huutavan hänen nimeään. Tämä oli lähellä. Takaa-ajajalla oli ase, mutta hänellä oli pimeys. Se oli ollut aina hänen puolellaan. Hän painautui betonia vasten ja hukutti itsensä varjoihin. Hän odottaisi kärsivällisesti ja toimisi vasta otollisen tilaisuuden koittaessa.

Käännyin poispäin Rachelista ja keskityin taas sillan aluksen pimeyteen. Siirryin varovasti eteenpäin, pysyttelin mahdollisimman kaukana pilareista ja yritin olla putoamatta kanavaan. Katsoin kahden ensimmäisen pilarin taakse ja vilkaisin taas Rachelia. Hän oli viidenkymmenen metrin päässä. Hän heilutti vasenta kättään, mutta en käsittänyt, mitä hän tarkoitti koukkaavalla liikkeellään.

Sitten tajusin virheeni. Olin jättänyt avaimet virtalukkoon. Backus voisi nousta sillan toiselta puolelta ylös ja hypätä autooni.

Lähdin juoksemaan ja toivoin, että ehtisin ampua edes auton renkaat. Mutta olin väärässä. Kun ohitin kolmannen pilarin, Backus loikkasi esiin ja tönäisi minut kumoon olkapäällään. Lensin selälleni ja liu'uin soraa pitkin kanavan reunalle Backus päälläni.

Hän riuhtoi asetta molemmilla käsillään. Jos hän saisi väännettyä sen otteestani, tiesin että hän tappaisi minut ja Rachelin heti sen jälkeen. Hän ei saisi saada asettani.

Hän iski minua leukaan vasemman käden kyynärpäällä, ja tunsin kuinka otteeni heltyi. Laukaisin aseen kahdesti ja toivoin, että luodit veisivät mukanaan edes hänen sormensa tai osuisivat kämmeneen. Backus ulvahti tuskasta mutta taisteli sen jälkeen kaksin verroin kovemmin, kun kipu ja silmitön raivo ruokkivat hänen voimiaan.

Käsiini valui Backusin verta, ja tunsin kuinka se teki aseesta liukkaan. Menettäisin otteeni aivan pian. Olin siitä varma. Backus oli päälläni, ja hän oli eläimellisen voimakas. Ase lipsui käsistäni. Voisin yrittää pitää siitä kiinni vielä muutaman sekunnin ja toivoa, että Rachel ehtisi apuun, mutta pari sekuntia myöhemmin Rachel saattaisi juosta tappavaan ansaan.

Päädyin sen sijaan ainoaan oikeaan vaihtoehtoon, joka minulla oli jäljellä. Painoin kantapääni soraan, jännitin kaikki kehoni lihakset ja kampesin itseäni selkä edellä maasta. Hartiat työntyivät kanavan reunan yli. Painoin kantapäät uudestaan maahan ja toistin liikkeen. Toinen kerta riitti. Backus tuntui yhtäkkiä tajuavan, mitä tein. Hän päästi irti aseesta ja yritti hapuilla kanavan reunaa. Mutta liian myöhään.

Kellahdimme molemmat reunan yli ja tipuimme mustaan veteen.

Rachel oli vain muutaman metrin päässä, kun hän näki heidän luiskahtavan kanavaan. Hän huusi *Ei!* aivan kuin yksi sana olisi voinut estää putoamisen. Hän tuli putoamispaikkaan ja katsoi alas mutta ei nähnyt mitään. Sitten hän juoksi pengertä pitkin pois sillan alta. Hän ei nähnyt heitä vieläkään. Hän katsoi kauemmaksi mutta ei siltikään nähnyt mitään kuohuvassa virrassa.

Sitten hän huomasi, kun Bosch nousi pintaan ja käänsi päätään nopeasti kuin ihmettelisi, mihin oli joutunut. Bosch kamppaili vedessä vimmatusti, ja Rachel tajusi, että Boschilla oli yllään sadetakki. Hän yritti riisua sitä.

Rachel tähyili kanavaa mutta ei nähnyt Backusin paljaaksi ajeltua päätä. Hän kääntyi taas katsomaan

Boschia, joka loittoni nopeasti. Hän näki, että tämä katsoi takaisin. Bosch nosti kättään ja huitoi. Rachel katsoi käden osoittamaan suuntaan ja huomasi Mercedeksen sillalla. Tuulilasinpyyhkimet viuhtoivat edestakaisin, ja hän tiesi, että avaimet olivat yhä virtalukossa. Hän juoksi.

***

Vesi oli kylmää, paljon kylmempää kuin olisin kuvitellut. Backusin kanssa kamppailu oli kaiken lisäksi vienyt voimani. Tunsin kehoni raskaaksi, ja minun oli vaikeaa pitää pää pinnan yläpuolella. Vesi tuntui elävältä olennolta, joka takertui jalkoihini ja veti minua syvemmälle.

Aseeni oli poissa, enkä nähnyt Backusia. Levitin käsivarteni ja yritin kellua virran mukana, kunnes saisin taas hiukan voimia ja yrittäisin päästä pois tai Rachel ehtisi hälyttää apua.

Muistin pojan, joka oli pudonnut kanavaan vuosikymmeniä sitten. Palomiehet, poliisit, jopa ohikulkijat olivat yrittäneet pelastaa hänet roikottamalla silloilta letkuja, tikapuita ja köysiä. Poika ei ollut saanut niistä otetta ja hän painui lopulta upoksiin. Lopulta kuilu kiskoi kaikki syvyyksiinsä.

Yritin olla ajattelematta sitä. Yritin pitää pääni kylmänä. Käänsin kämmenet alaspäin, jolloin pään kannatteleminen vedenpinnan yläpuolella tuntui hieman helpommalta. Virtaus alkoi kuljettaa minua nopeammin, mutta ainakin pääni pysyi pinnalla. Sain itseluottamusta. Ainakin hetkeksi. Aloin uskoa, että minulla oli mahdollisuus selvitä. Kaikki riippui siitä, miten nopeasti apu ehtisi perille. Katsoin ympärilleni. Ei helikoptereita. Ei palokuntaa. Apua ei ollut tulossa. Oli vain harmaa tyhjyys ja vihmova, alas lankeava sade.

413

Hätäkeskus käski Rachelin pysyä linjalla, mutta hän ei voinut ajaa tarpeeksi nopeasti ja turvallisesti puhelin korvallaan. Hän heitti puhelimen apukuljettajan istuimelle sulkematta sitä. Seuraavassa risteyksessä oli stop-merkki, ja Rachel jarrutti niin äkillisesti, että puhelin lensi jalkatilaan kauas hänen ulottumattomiinsa. Sillä ei ollut väliä. Hän pyyhälsi pitkin katuja ja katsoi jokaisesta risteyksestä vasemmalle nähdäkseen, olisiko siellä kanavan yli kulkevaa siltaa. Kun hän vihdoin näki yhden, hän kääntyi sille täydessä vauhdissa ja pysäytti auton keskelle kaistaa. Hän hyppäsi ulos ja juoksi kaiteelle.

Rachel ei nähnyt Boschia eikä Backusia. Hän arveli ehtineensä sillalle ennen heitä. Hän ryntäsi tien yli välittämättä ohiajavan auton tööttäyksistä ja oli jäädä auton alle. Hän meni sillan vastakkaiselle kaiteelle.

Rachel katseli veden levotonta pintaa pitkään ja näki sitten Boschin. Tämän pää oli pinnan yläpuolella mutta kallellaan taaksepäin niin että kasvot olivat suoraan kohti taivasta. Rachel hätääntyi. Oliko Bosch yhä hengissä? Vai oliko hän kuollut ja ajelehti vain virran mukana? Heti kun Rachel ehti ajatella pahinta, hän näki liikettä. Bosch heilautti päätään kuin uimari, joka ravistelee hiukset silmiltään. Bosch oli elossa ja noin sadan metrin päässä. Hän näki, että Bosch taisteli vedessä ja yritti hakeutua parempaan paikkaan. Hän nojautui eteenpäin ja vilkaisi alas. Hän käsitti, mitä Bosch aikoi tehdä. Tämä yrittäisi tarrautua sillan kannatinpalkkeihin. Jos Bosch saisi hyvän otteen ja jaksaisi pitää kiinni, hänet voitaisiin nostaa ylös ja pelastaa.

Rachel juoksi takaisin autolle ja avasi takaluukun. Hän etsi tavaratilasta mitä tahansa, josta voisi olla apua. Siellä oli hänen laukkunsa mutta tuskin mitään muuta. Hän viskasi laukun piittaamattomasti asvaltille ja avasi tavaratilan pohjassa olevan säilytyslokeron kannen.

Mercedeksen taakse oli ilmestynyt toinen auto, joka alkoi töötätä. Rachel ei edes kääntynyt katsomaan.

Iskeydyin sillan keskimmäiseen kannatinpalkkiin niin rajusti, että keuhkoni tyhjentyivät ja arvelin, että minulta murtui ainakin neljä tai viisi kylkiluuta. Mutta otteeni piti. Tiesin, että tämä oli ainoa mahdollisuuteni. Tarrauduin palkkiin kaikin voimin.

Vesi yritti repiä minua irti. Tunsin sen kourat kun se virtasi selkääni vasten. Tuhannet kynnet tarttuivat minuun, repivät minua ja yrittivät kiskoa minut mustana kohisevan kanavan vietäväksi. Vesi kuohui harteitteni ja pääni yli. Otin palkista kiinni molemmilla käsillä ja koetin hivuttautua ylemmäs liukasta betonia pitkin. Mutta aina kun etenin muutaman sentin, kourat vetivät minut takaisin alas. Tajusin, etten voisi kuin pitää kiinni. Ja odottaa.

Ajattelin tytärtäni halatessani sillan kannatinpalkkia. Hän käski, että en saisi luovuttaa, ja kertoi, että minun olisi pakko selviytyä hänen takiaan. Hän sanoi, ettei sillä ole merkitystä, missä minä olen tai mitä teen, sillä hän tarvitsisi minua kuitenkin. Voimani hupenivat ja tiesin kuulevani omiani, mutta hänen sanansa kuulostivat joka tapauksessa lohduttavilta. Sain niistä lisävoimia, eikä otteeni löystynyt.

Tavaratilan säilytyslokerossa oli vain työkaluja ja vararengas, ei mitään hyödyllistä. Mutta sitten Rachel näki vararenkaan alla punamustat kaapelit. Käynnistyskaapelit.

Rachel tarttui vararenkaaseen ja kiskoi sitä ylös. Se oli suuri ja painava ja sitä oli vaikea saada liikkumaan, mutta hän ei antanut periksi. Hän riuhtaisi renkaan ulos ja heitti sen nopeasti maahan. Hän otti kaapelit ja juoksi taas sillan yli. Häntä väistävä auto lähti sivuluisuun, kun sen kuljettaja joutui survaisemaan jarrupolkimen pohjaan.

Rachel vilkaisi kanavaa päästyään kaiteelle mutta ei nähnyt Boschia aluksi lainkaan. Sitten Rachel katsoi suoraan alas ja huomasi, että Bosch piti kiinni kannatinpalkista veden kuohuessa hänen selkäänsä vasten ja kiskoessa häntä irti. Boschin kädet olivat naarmuilla ja veriset. Sitten hän katsoi ylös ja Rachel uskoi nähneensä hänen kasvoillaan pienen hymyn, joka tuntui kertovan, että kaikki päättyisi vielä hyvin.

Rachel laski kaapelien toisen pään alas, vaikka ei ollutkaan varma, mitä voisi sen jälkeen tehdä pelastaakseen Boschin hengen. Kaapelit olivat liian lyhyet.

"Saatana!"

Hänen pitäisi kavuta kaiteen toiselle puolelle. Sillan reunaa pitkin kulki putki. Jos hän laskeutuisi sen päälle, kaapelit ylettyisivät ainakin puolitoista metriä alemmas. Se saattaisi olla tarpeeksi.

"Onko kaikki hyvin?"

Rachel kääntyi. Hänen vieressään seisoi mies. Miehellä oli sateenvarjo. Hän oli ollut ylittämässä siltaa.

"Kanavaan on tippunut mies. Soittakaa hätänumeroon. Onko teillä matkapuhelinta? Soittakaa apua."

Mies alkoi kaivaa puhelinta takkinsa taskusta. Rachel kääntyi ja alkoi kiivetä.

Kiipeäminen oli helppoa mutta kaiteen toiselle puolelle pääseminen ja putkelle laskeutuminen ei ollut. Rachel kietaisi kaapelit kaulan ympäri ja laski toisen jalan varovasti putken päälle, sitten toisen. Hän istui putken päälle hajareisin kuin olisi ratsastanut hevosella.

Rachel tiesi, että tällä kertaa kaapelit ylettyisivät. Hän alkoi laskea niitä Boschille, joka kurotti toista kättään ylöspäin. Juuri kun Bosch ehti tarttua kaapeleiden päähän, mustassa vedessä näkyi väriläiskä ja jokin iski päis-

416

tikkaa häneen. Boschin ote lipesi sillan kannatinpalkista. Rachel tajusi heti, että se oli ollut Backus, joko elossa tai kuollut.

Rachel ei ollut valmistautunut siihen. Vaikka Boschin ote irtosi palkista, hän piti yhä kiinni kaapeleista. Mutta Boschin ja Backusin paino ja virtauksen voimakkuus olivat liikaa Rachelille. Kaapelit tempautuivat hänen kädestään, putosivat kanavaan ja hävisivät sillan alle.

"He ovat tulossa! Ihan kohta!"

Rachel katsoi sateenvarjon alla värjöttelevää miestä, joka seisoi kaiteen vieressä.

"Myöhäistä", hän sanoi. "Hän on mennyttä."

Voimani ehtyivät, mutta Backus oli minua heikompi. Hänessä ei ollut enää samaa raivoa kuin kamppaillessamme kanavan penkereellä. Otteeni oli livennyt sillan kannatinpalkista, koska hän oli tullut minua päin koko painollaan, enkä minä ollut osannut varautua siihen. Mutta nyt hän yritti takertua minuun viimeisillä voimillaan.

Heittelehdimme vedessä ja vajosimme lähes pohjaan. Yritin avata silmäni, mutta vesi oli niin mustaa, etten nähnyt juuri mitään. Painoin Backusin rajusti kanavan betonista pohjaa vasten ja onnistuin siirtymään hänen selkänsä taakse. Pidin yhä kaapeleista kiinni ja kiedoin ne kerran hänen kaulansa ympäri. Sitten kiedoin ne uudestaan ja uudestaan ja uudestaan, kunnes hän päästi minusta irti ja vei kädet omalle kaulalleen. Keuhkojani kirveli. Minun olisi pakko saada happea. Työnsin Backusia kauemmas päästäkseni pinnalle. Hän yritti vielä tarrautua nilkkaani, mutta minun oli helppo ponnistaa kauemmas ja päästä irti hänen hapuilevasta otteestaan.

Viimeisenä hetkenään Backus näki isänsä. Kauan sitten kuolleen ja tuhkatun mutta nyt nähtävästi henkiin heränneen. Isällä oli taas se sama ankara katse, jota Backus ei unohtaisi koskaan. Isän toinen käsi oli selän takana aivan kuin hän piilottelisi jotain. Toisella kädellä hän viittilöi poikaansa luokseen. Hän kutsui poikaansa kotiin.

Backus hymyili ensin ja puhkesi sitten nauruun. Vesi virtasi hänen suuhunsa ja keuhkoihinsa. Hän ei hätääntynyt. Hän otti veden riemumielin vastaan. Hän tiesi syntyvänsä uudelleen. Hän palaisi vielä. Hän tiesi, ettei pahuutta voisi taltuttaa. Se vain siirtyisi johonkin toiseen paikkaan ja odottaisi hetkeään.

Pääsin pinnalle ja haukoin happea. Käännyin ympäri mutta en nähnyt Backusia. Olin turvassa häneltä mutta en vedeltä. Voimani olivat huvenneet. Käsivarteni tuntuivat niin painavilta, että sain töin tuskin nostettua ne ylös. Ajattelin taas kanavaan pudonnutta poikaa ja sitä, kuinka paljon hänen oli täytynyt pelätä ollessaan yksin virran vietävänä ja kourien nykiessä häntä koko ajan syvemmälle.

Näin, että kanava yhtyisi pian suurempaan uomaan. Olin viidenkymmenen metrin päässä yhtymäkohdasta ja tiesin, että suuremmassa uomassa joki olisi leveämpi ja matalampi ja virtaus vieläkin voimakkaampi. Sen betoniseinämät olivat kuitenkin loivat, eivät pystysuorat, joten arvelin pääseväni ehkä pois, jos onnistuisin hidastamaan vauhtiani ja saamaan reunasta kunnon otteen.

Käänsin katseeni kanavan laitaan ja päätin siirtyä niin lähelle sitä kuin voisin satuttamatta itseäni. Mutta sitten huomasin pelastukseni toisaalla. Tammi, jonka olin nähnyt ajelehtivan kanavassa Turrentinen talon kohdalla, oli sadan metrin päässä edessäni. Se oli ilmeisesti jäänyt jumiin sillan palkkeihin tai matalikkoon, ja minä olin saavuttanut sen.

Käytin viimeiset voimani uimiseen virtauksen mukana ja kauhoin puun suuntaan. Se saisi toimia veneenäni. Voisin pitää siitä kiinni vaikka koko matkan Tyynelle valtamerelle.

Rachel kadotti kanavan. Kadut kulkivat toiseen suuntaan, ja sitten hän kadotti sen. Hän ei löytänyt enää takaisin. Boschin autossa oli GPS, mutta hän ei osannut käyttää sitä, eikä satelliittipaikannus olisi tällaisella säällä varmaan onnistunutkaan. Hän ajoi tien sivuun ja hakkasi ohjauspyörää kädellään. Hän tunsi, että hän oli hylännyt Harryn ja että olisi hänen vikansa, jos tämä hukkuisi.

Sitten Rachel kuuli helikopterin. Se lensi matalalla ja nopeasti. Hän kallisti päätään nähdäkseen tuulilasin läpi. Hän ei nähnyt mitään. Hän nousi autosta ja pyöri ympäriinsä kadulla. Hän kuuli yhä roottorin äänen mutta ei nähnyt kopteria.

Sen oli pakko olla pelastushelikopteri, Rachel ajatteli. Mikä muu lentäisi tässä säässä? Hän paikansi mistä suunnasta ääni kuului ja hyppäsi taas rattiin. Hän kääntyi ensimmäisestä risteyksestä oikealle ja lähti seuraamaan ääntä. Hän ajoi auton ikkuna auki eikä välittänyt vaikka pisarat vihmoivat suoraan matkustamoon. Hän kuunteli kopterin etäistä ääntä.

Pian Rachel näki sen. Helikopteri leijaili paikoillaan etuoikealla. Hän jatkoi matkaa ja kun hän pääsi Reseda Boulevardille, hän huomasi, että koptereita olikin kaksi, toinen matalla ja toinen sen yläpuolella. Molemmat olivat punaisia, ja niiden kyljessä oli valkoista kirjoitusta. Se ei ollut televisio- tai radiokanavan tunnus. Ne olivat Los Angelesin palolaitoksen pelastushelikoptereita.

Edessäpäin oli silta, ja Rachel näki, että sille pysähtyi autoja, kuljettajat nousivat autoistaan ja ryntäsivät sillankaiteelle. He katselivat alas.

Rachel pysäytti auton keskelle ajorataa ja nousi itsekin ulos. Hän juoksi kaiteelle ja näki, kun Bosch pelastettiin. Bosch oli keltaisissa valjaissa ja hänet nostettiin vaijerin varassa kanavassa ajelehtineelta puulta, joka oli juuttunut matalikkoon. Matalikon jälkeen kanava laajeni yli viisikymmentä metriä leveäksi virraksi.

Kun Bosch roikkui ilmassa, hän katsoi alapuolellaan raivoavaa tulvavettä. Pian puu irtosi ja kiepsahti muutaman kerran ympäri pienen putouksen kohdalla. Puun vauhti kasvoi, se ajautui sillan alle ja törmäsi kannatinpalkkeihin, jotka raastoivat sen oksat poikki.

Rachel katseli, kun pelastusryhmä nosti Boschin helikopteriin. Hän ei kääntänyt katsettaan ennen kuin Bosch oli saatu turvallisesti sisään. Ja sittenkin hän käänsi katseensa vain, koska sillalla parveilevat ihmiset alkoivat huudahdella ja osoittaa kanavaa. Hän katsoi alas ja näki syyn. Vedessä oli toinen mies. Häntä ei voitaisi enää pelastaa. Hän ajelehti virrassa mahallaan, kädet levällään ja keho velttona. Kaulan ja ylävartalon ympärille oli kiedottu punamustat auton käynnistyskaapelit. Paljaaksi ajeltu pää näytti karkuun päässeeltä pallolta liikkuessaan ylös ja alas virtauksen tahdissa.

Toinen helikopteri seurasi ruumista yläilmoista ja odotti, että se takertuisi johonkin ennen kuin riskialtista nostoa edes yritettäisiin. Mitään kiirettä ei ollut.

Kun virtaus kävi levottomammaksi sillan kannatinpalkkien välissä, ruumis ei ajelehtinut enää yhtä rauhallisesti vaan kääntyi ympäri vedessä. Juuri ennen kuin se hävisi sillan alle, Rachel näki vilauksen Backusin kasvoista. Backusin silmät retkottivat auki veden huuhtoutuessa kasvojen yli. Ennen kuin ruumis katosi näkyvistä, Rachel tunsi, että Backus katsoi häntä suoraan silmiin.

Haavoituin kerran palvellessani Vietnamissa ikuisuuksia sitten. Asetoverini raahasivat minut tunnelista ja kantoivat helikopteriin, joka lennätti minut tukikohtaan. Kun helikopteri nousi ja vei minut turvaan, tunsin voimakasta iloa, joka peitti alleen tuskan ja väsymyksen.

Tunsin samoin sinä päivänä kanavan varrella. Déjà vu niin kuin on tapana sanoa. Minä selvisin. En ollut kuollut. Pääsin turvaan. Hymyilin kun kypäräpäinen palomies kietoi minut vilttiin.

"Viemme sinut lääkärintarkastukseen USC:n yliopistolliseen", hän korotti ääntään roottorin ja sateen ylitse. "Olemme perillä kymmenessä minuutissa."

Hän näytti minulle käsimerkkiä, että kaikki on hyvin, ja kun minä tein samoin, huomasin, että sormeni olivat sinertävänharmaat ja että tutisin muustakin kuin kylmyydestä.

"Olen pahoillani ystäväsi vuoksi", hän huusi.

Näin, että hän katseli juuri sulkemansa liukuoven alaosassa olevan lasin läpi. Nojauduin eteenpäin ja näin Backusin alhaalla vedessä. Hän kellui selällään ja liikkui veltosti virran mukana.

"Minä en ole", sanoin hiljaa, eivätkä muut kuulleet.

Nojasin taaksepäin kääntöistuimella, jolle minut oli pantu. Suljin silmät ja tervehdin äänetöntä työpariani Terry McCalebia, jonka näin mielessäni. Hän seisoi veneensä perässä ja hymyili.

43

Sade lakkasi pari päivää myöhemmin, ja Los Angeles alkoi kuivatella itseään ja kaivautua esiin mudan ja vesimassojen alta. Malibussa ja Topangassa oli sattunut maanvyörymiä. Rannikkotie oli toistaiseksi suljettu kahta kaistaa lukuun ottamatta. Hollywoodin kukkuloiden juurella sijaitsevat kadut olivat tulvineet. Vesi oli vienyt Fareholm Driven varrella sijainneen omakotitalon mukanaan, nyt se nökötti keskellä katua ja talon omistanut iäkäs elokuvatähti oli koditon. Myrskyn tiliin pistettiin myös kaksi kuolemantapausta – golfaaja, joka oli jostain järjettömästä syystä päättänyt pelata ukkosen raivotessa muutaman reiän ja joutunut salaman iskemäksi kesken swingiä, sekä Robert Backus, pakosalla ollut sarjamurhaaja. Runoilija oli kohdannut loppunsa, uutisankkurit ja lehtiotsikot kertoivat. Hänen ruumiinsa nostettiin kanavasta Sepulvedan padon luona. Kuolinsyyksi määritettiin hukkuminen.

Myös merenkäynti rauhoittui, ja minä lähdin aamun ensimmäisellä Catalinan-lautalla tapaamaan Graciela McCalebia. Vuokrasin satamasta golfauton ja ajoin mäen ylös McCalebien talolle. Koko perhe tuli ovelle minua vastaan. Tapasin Raymondin, Terryn ja Gracielan ottolapsen, sekä Cielon, josta Terry oli kertonut minulle paljon. Hänen tapaamisensa herätti minussa ikävän omaa tytärtäni kohtaan ja muistutti minua haavoittuvuudesta, josta pian kärsisin, koska hän ei olisi enää lähelläni.

Talo oli täynnä laatikoita, ja Graciela kertoi, että rajuilma oli viivästyttänyt heidän muuttoaan. Seuraavana päivänä tavarat rahdattaisiin proomuun ja kuljetettaisiin salmen yli vastarannalle, missä muuttorekka odottaisi heitä. Muutto oli vaivalloinen ja tuli kalliiksi, mutta Graciela ei katunut päätöstä. Hän halusi jättää saaren ja vanhat muistot taakseen.

Menimme juttelemaan verannan pöydän ääreen, jotta lapset eivät kuulisi keskusteluamme. Veranta oli viihtyisä, ja siltä avautui kaunis näkymä koko Avalon Harborin ylitse. Oli vaikea uskoa, että Graciela halusi lähteä. Näin *Following Sean* venesatamassa ja huomasin, että joku puuhasteli keulassa ja että yksi kansiluukuista oli auki.

"Buddyko veneellä heiluu?"

"Niin, hän vie sen kohta mantereelle. FBI palautti sen eilen ilmoittamatta minulle mitään. Olisin sanonut heille, että se pitää viedä Cabrilloon. Nyt Buddyn pitää tehdä se."

"Mitä hän aikoo tehdä veneelle?"

"Hän jatkaa kalareissujen järjestämistä. Hän pitää veneen Cabrillon satamassa ja maksaa minulle siitä vuokraa."

Minä nyökkäsin. Suunnitelma kuulosti hyvältä.

"Veneen myymisestä ei saisi paljon mitään. Ja Terry teki niin kovasti töitä sen eteen. Olisi väärin myydä se jollekulle ventovieraalle."

"Ymmärrän."

"Hei, pääset varmaan Buddyn kyydissä salmen yli, niin sinun ei tarvitse odotella seuraavaa lautta. Jos vain haluat. Jos et ole jo kyllästynyt Buddyn seuraan."

"Ei minulla ole mitään Buddya vastaan. Hän on hyvä tyyppi."

Istuimme verannalla pitkään aivan hiljaa. En tuntenut tarvetta selittää Gracielalle tapahtumia enää sen tarkemmin. Olimme puhuneet jo puhelimessa – olin halunnut kertoa hänelle ennen kuin uutiset julkistettaisiin. Tarina oli sittemmin kaluttu puhtaaksi tiedotusvälineissä, ja hän tiesi kaikki yksityiskohdat pienimmästä suurimpaan. Meillä ei ollut enää paljonkaan sanottavaa, mutta olin halunnut tavata hänet vielä kerran kasvotusten. Graciela oli käynnistänyt koko tapahtumasarjan. Ajattelin, että sen pitäisi myös loppua häneen.

"Kiitos vielä kerran siitä, mitä teit", hän sanoi. "Oletko kunnossa?"

"Olen. Sain kanavassa vain muutaman naarmun ja mustelman. Kyyti oli kovaa."

Minä hymyilin. Ainoat näkyvät ruhjeet olivat pienet naarmut käsissäni ja vekki vasemmassa silmäkulmassani.

"Mutta olen iloinen, että otit minuun yhteyttä. Olen kiitollinen tästä tilaisuudesta. Siksi päätin tulla käymäänkin, halusin kiittää ja toivottaa kaikkea hyvää."

Verannan liukuovi raottui, ja ulos tuli pikkuinen Cielo Azul kirja kädessään.

"Äiti, luetko minulle vähän?"

"Minä juttelen nyt Harry-sedän kanssa. Luetaan ihan kohta, jooko?"

"Eikun luetaan nyt heti."

Oli kyse elämästä ja kuolemasta, sillä tytön suu kääntyi mutruun ja näytti siltä, että hän puhkeaisi itkuun.

"Tehkää vain niin", minä sanoin. "Minun tyttöni on samanlainen. Lukekaa vain."

"Tämä on hänen lempikirjansa. Terry luki sitä hänelle melkein joka ilta ennen nukkumaanmenoa."

Graciela nosti tytön syliinsä ja kirjan ylemmäs. Huomasin, että se oli sama, jonka Eleanor oli vastikään ostanut Maddielle. *Viljamin voitonpäivä*, jonka kannessa apina sai kaulaansa olympialaisten kultamitalin. Cielon kirja oli rispaantunut kulmista, sitä oli selvästikin luettu ahkerasti. Kansi oli revennyt kahdesta paikasta ja kursittu kokoon teipillä.

Graciela avasi kirjan ja ryhtyi lukemaan.

"Oli kaunis kesäpäivä, kun sirkuseläinten olympialaiset järjestettiin Sirkuksilan suurella areenalla. Kaikki eläimet olivat saaneet vapaapäivän voidakseen osallistua kisoihin."

Huomasin, että Graciela muutti ääntään kirjan jännittäviä juonenkäänteitä mukaillen.

"Kaikki eläimet kerääntyivät joukolla sirkustirehtöörin toimiston ilmoitustaulun luo. Tauluun oli kiinnitetty lista kaikista niistä lajeista, joihin eläimet voisivat osallistua. Oli juoksua, viestejä ja monia muita lajeja. Isoimmat eläimet seisoivat aivan ilmoitustaulun edessä, eivätkä muut nähneet kunnolla. Äkkiä pieni apina sujahti norsun jalkojen välistä ja kiipesi kärsälle nähdäkseen, mitä listassa sanottiin. Viljami Bing hymyili leveästi, kun hän näki listan. Yksi lajeista oli nimeltään 100 metrin pikajuoksu, ja Viljami tiesi, että hän oli nopea pikamatkojen pinkoja."

Aivoni eivät rekisteröineet enää sanaakaan sen jälkeen. Nousin ylös, nojasin verannan kaiteeseen ja katselin rinnettä alas venesataman suuntaan. En nähnyt kuin tyhjää, vaikka maisema oli upea. Mieleni askaroi ylikierroksilla, enkä voinut keskittyä ulkoiseen todellisuuteen. Ajatukset ja tunteet vyöryivät ylitseni. Sain odottamatta kuulla, että William Bing, nimi, jonka Terry McCaleb oli kirjoittanut Runoilijan kansion liepeeseen, oli ketteräkoipinen apina. Tajusin myös, että tarina ei ollut vielä ohi, ei lähimainkaan.

44

Rachel tuli tapaamaan minua myöhemmin samana päi-vänä. Olin juuri tullut kotiin Parker Centeristä, jossa täytin hakupaperit Kizmin Riderin kanssa. Kuuntelin parhaillaan Ed Thomasin jättämää viestiä. Hän kiitti minua henkensä pelastamisesta, vaikka oikeastaan mi-nun olisi pitänyt pyytää häneltä anteeksi, etten ollut va-roittanut häntä ajoissa. Omatuntoani kolkutti pahasti, ja olin aikeissa soittaa Edin kirjakauppaan, kun Rachel koputti oveen. Kutsuin hänet sisään, ja menimme teras-sille.

"Hitto, mikä näköala."

"Niinpä, minäkin pidän siitä."

Näytin Rachelille Warner Brothersin elokuvastudioi-den takana olevan kohdan, jossa erottui pieni pätkä jo-kea.

"Siinä se taas on, uljas Los Angeles River."

Hän siristi silmiään, katsoi tarkemmin ja huomasi sen.

"Kuilu. Se ei vaikuta enää yhtään vaaralliselta."

"Se kerää voimia. Se herää taas seuraavan myrskyn tullen."

"Miten sinä voit, Harry?"

"Hyvin. Paremmin. Olen nukkunut paljon. Yllätyin, että olet vielä kaupungissa."

"Pidän muutaman vapaapäivän. Etsiskelen itse asiassa asuntoa."

"Ihanko totta?"

Kännyin ympäri ja nojasin selkäni kaidetta vasten, jotta voisin katsoa häntä.

"Luulen, että pääsen pois Etelä-Dakotasta tämän jutun ansiosta. En tiedä, mihin ryhmään minut sijoitetaan, mutta aion pyytää siirtoa Los Angelesiin. Tai ainakin aioin ennen kuin sain tietää, miten kalliita vuokrat ovat. Minulla on Rapid Cityssä tosi kiva asunto, josta maksan vain 550 dollaria kuukaudessa."

"Kyllä minä löydän sinulle täältä asunnon samaan hintaan, mutta pitäisit tuskin seudusta. Ja sinun pitäisi opetella vieras kielikin ennen muuttoa."

"Ei kiitos. Mutta jatkan etsimistä. No, mitä sinä olet puuhaillut?"

"Tulin äsken Parker Centeristä. Täytin kasan lomakkeita. Palaan poliisilaitokselle."

"Me emme taidakaan sitten enää nähdä. Olen kuullut, että FBI ja LAPD eivät tule toimeen."

"Niiden välissä on muuri. Mutta sen ylitse voi kuulemma kavuta joskus. Minulla on nykyään ystäviäkin FBI:ssä, usko tai älä."

"Uskonhan minä, Harry."

Huomasin, että hän sanoi minua taas Harryksi. Tarkoittiko se sitä, että suhteemme oli lopullisesti ohi?

"No", minä sanoin, "milloin sait tietää McCalebista?"

"Mitä tarkoitat? Tietää mitä?"

428

"Milloin tajusit, että Backus ei tappanut häntä? Että hän tappoi itsensä?"

Rachel laski kätensä kaiteelle ja katsoi kuivunutta, betonista virranuomaa. Mutta hän ei katsellut sitä oikeasti.

"Harry, mistä sinä puhut?"

"Sain tietää, kuka William Bing on. Hän on apina Terryn tyttären lempisatukirjassa."

"Entä sitten? Mitä se tarkoittaa?"

"Sitä että Terry kävi sairaalassa Las Vegasissa ja käytti tekaistua nimeä. Hänessä oli jotain vialla, Rachel. Täällä."

Osoitin rintaani.

"Ehkä Terry kävi siellä samalla kertaa, kun hän selvitti katoamisia, ehkä ei. Mutta hän tiesi, että jotain oli vialla, joten hän meni Vegasiin testeihin pitääkseen sen salassa. Hän ei halunnut, että Graciela ja lapset saisivat tietää. Hänelle tehtiin testit, ja lääkäreillä oli huonoja uutisia. Terryn uusi sydän pettäisi pian, kuten ensimmäinenkin oli tehnyt. Kardio... myo... miksi sitä sanotaan. Se oli pelkkä ajan kysymys. Hänen piti saada uusi sydämensiirto tai hän kuolisi."

Rachel pudisti päätään kuin puhuisin hulluja.

"Miten edes kehtaat väittää tuollaista, et voi mitenkään tietää, että –"

"Rachel, minä tiedän mitä tiedän. Ja tiedän, että Terryllä ei ollut enää sairausvakuutusta eli jos hän olisi joutunut uuteen leikkaukseen, perhe olisi menettänyt kaiken – talon, veneen – heille ei olisi jäänyt mitään. Uusi leikkaus olisi vienyt kaikki rahat."

Keskeytin hetkeksi mutta jatkoin sitten hiljaisella ja vakavalla äänellä.

"Terry ei tahtonut sitä. Eikä hän tahtonut, että vaimo ja lapset joutuisivat katsomaan vierestä, kun hän sätkyttelisi viimeiset vuotensa sosiaaliavun varassa. Hän ei

429

myöskään pitänyt siitä, että toisen ihmisen pitäisi kuolla ennen kuin hän saisi uuden sydämen. Terry oli kokenut sen jo kerran."

Pidin toisen tauon nähdäkseni protestoisiko Rachel ja yrittäisikö hän kääntää pääni. Tällä kertaa hän oli hiljaa. "Terryllä ei ollut muuta kuin henkivakuutus ja eläke FBI:n ajoilta. Hän halusi, että ne menisivät perheelle. Joten hän vaihtoi lääkkeensä itse. Löysin auton etuistuimen alta luontaistuotekaupan kuitin. Soitin sinne aamulla ja kysyin, myydäänkö heillä hainrustojauhetta. Kyllä myydään.

Terry vaihtoi kapselien sisällön ja jatkoi lääkkeiden syömistä. Hän ajatteli, että kaikki menisi suunnitelmien mukaan eikä ruumiinavausta tehtäisi, jos hän pitäisi huolen siitä, että muut näkisivät, miten tunnollisesti hän otti lääkkeensä."

"Mutta kaikki ei mennyt suunnitelmien mukaan, eihän?"

"Ei ihan, mutta Terry pelasi silti varman päälle. Hän odotti pitkää kalareissua. Hän halusi kuolla veneellään. Ja hän halusi kuolla vesillä, jotka kuuluvat liittovaltion toimialueeseen. Jos kuolema herättäisi liikaa kysymyksiä, vanhat työkaverit FBI:ssä kyllä hoitaisivat asian hänen haluamallaan tavalla.

Ainoaksi isoksi ongelmaksi muodostui se, että Terry ei tiennyt Runoilijasta. Hän ei voinut tietää, että hänen vaimonsa ottaisi minuun yhteyttä tai että muutama tutkintakansioon raapustettu merkintä ratkaisisi koko jutun."

Pudistelin päätäni.

"Minun olisi pitänyt tajuta se jo paljon aiemmin. Lääkkeiden vaihtaminen ei ollut Backusin tapaista. Aivan liian monimutkaista. Monimutkaiset rikokset ovat lähes poikkeuksetta sisäpiiriin kuuluvan tekosia."

"Entä perheen uhkailu? Vaikka Terry ei tiennyt Runoilijasta, hän tiesi, että joku väijyi Gracielaa ja lapsia. Hän sai valokuvat ja näki, että joku seuraili heitä. Väitätkö, että hän tappoi itsensä ja jätti perheensä oman onnensa nojaan? Terry McCaleb, jonka minä tunsin, ei olisi tehnyt niin."

"Ehkä Terry uskoi, että pääsisi samalla uhkailuistakin eroon. Perhettä vainottiin ainoastaan hänen vuokseen. Vaaraa ei olisi enää hänen kuoltuaan."

Rachel nyökkäsi, mutta ele ei kertonut, että hän oli kanssani samaa mieltä.

"Tarinasi on mielenkiintoinen, se minun on pakko myöntää, Harry. Pisteet siitä. Mutta mikä saa sinut sanomaan, että FBI tai minä tiesimme siitä?"

"Tiedät kyllä. Ensinnäkin yritit vältellä kaikkia kysymyksiä, joita esitin William Bingistä. Toinen syy on se, mitä teit siellä talolla. Kun olin suunnannut aseeni Backusiin ja hän oli aikeissa sanoa jotain Terrystä, sinä tulit väliin. Keskeytit hänet melko epätoivoisesti. Uskon, että Backus olisi kertonut, että hän ei tappanut Terryä."

"Niin juuri, murhaaja kieltää tappaneensa uhrinsa. Se onkin tosi epätavallista."

Rachelin sarkasmi kuulosti puolustautumiselta.

"Epätavallista se olisi tässä tapauksessa ollutkin. Backus ei piileskellyt enää. Hän oli paljastunut ja hän olisi taatusti ottanut kunnian Terryn murhasta, jos se olisi hänelle kuulunut. Tiesit sen ja siksi keskeytit hänet. Tiesit, että hän olisi kieltänyt murhanneensa Terryn."

Rachel lähti kaiteelta ja tuli seisomaan suoraan eteeni.

"Kuvittelet varmaan nyt, että olet kovinkin fiksu, Harry. Tajusit, että yksi murhista onkin säälittävä ja vähäpätöinen itsemurha. Mitä teet seuraavaksi? Aiotko kertoa tietosi jokaiselle vastaantulijalle? Et saa aikaiseksi muuta kuin sen, että McCalebin perheeltä viedään vakuutusrahat. Sitäkö sinä haluat? Toisaalta sinä voisit varmaan saada vakuutusyhtiöltä sievoisen ilmiantajan palkkion."

Minä käännyin poispäin ja nojasin terassin kaiteeseen. "Ei, en tietenkään halua, että siinä käy niin. En vain pidä siitä, että minulle valehdellaan." "Ai, siitäkö tässä onkin kysymys? Terryllä ei ole mitään tekemistä koko asian kanssa. Tämä koskee sinua ja minua, sitäkö tarkoitat?" "En tiedä, Rachel, en tosiaankaan tiedä." "No, sitten kun tiedät ja vihdoin tajuat, mistä tässä on kysymys, muista kertoa minullekin, jooko?" Hän tuli yllättäen viereeni ja antoi poskelleni nopean ja rajun suukon. "Hei sitten, Bosch. Ehkä vielä näemme, kun siirtoni on käsitelty." En kääntynyt katsomaan, kun hän lähti. Kuulin vihaisten askelien loittonevan terassin poikki ja kopisevan asuntoni vaahteraparketin yli. Ulko-ovi paiskautui kiinni, ja lukon naksahdus kertoi kaiken olevan ohi. Harhaluoti kimpoili jälleen lävitseni.

45

Seisoin terassilla ja nojailin kaiteeseen vielä pitkään sen jälkeen, kun Rachel oli lähtenyt. En uskonut, että näkisin häntä enää riippumatta siitä, saisiko hän siirron Los Angelesiin vai ei. Tunsin kärsineeni menetyksen. Minulta oli viety jotain hyvää ennen kuin olin ehtinyt päästä perille siitä, kuinka hyvää se olisi oikeasti voinut olla.

Yritin unohtaa Rachel Wallingin hetkeksi. Samoin Terry McCalebin. Katsoin kaupunkia ja se oli kaunis. Sade oli huuhtonut savusumun pois, ja näin kaukana horisontissa San Gabrielin vuorijonon ja korkeuksiin nousevat lumiset huiput. Ilma vaikutti yhtä raikkaalta kuin se, jota Gabrieleños-heimon jäsenet ja lähetyssaarnaajat olivat hengittäneet vuosisatoja aiemmin. Oivalsin, mitä he olivat nähneet tässä paikassa ja miksi he olivat päättäneet jäädä. Päivä näytti siltä, että sen varaan voisi rakentaa koko tulevaisuutensa.

Kiitokset

Kirjailija haluaa kiittää niitä monia ihmisiä, jotka ovat auttaneet tämän kirjan kirjoittamisessa. Heitä ovat muun muassa Michael Pietsch, Jane Wood, Pamela Marshall, Perdita Burlingame, Jane Davis, Terry Hansen, Terrill Lee Lankford, Ed Thomas, Frederike Leffelaar, Jerry Hooten ja tutkija Carolyn Chriss. Suureksi avuksi kirjailijalle ovat olleet myös Philip Spitzer, Joel Gotler, Shannon Byrne, Sophie Cottrell, John Houghton, Mario Pulice, Mary Capps, Ken Delavigne, Patricia ja George Companioni sekä Little, Brown and Companyn ja Time Warner Book Groupin koko henkilökunta.

Kirjoittajaa auttoivat paljon myös kaksi kirjaa, jotka ovat Anne Q. Duffield-Stollin kirjoittama *Zzyzx: History of an Oasis* sekä *Rio L.A.: Tales from the Los Angeles River*, jonka teksti on Patt Morrisonin käsialaa ja valokuvat Mark Lamonican.

Erityiset kiitokset Los Angelesin poliisilaitoksen päällikölle William Brattonille ja rikosetsivä Tim Marcialle sekä FBI:n Las Vegasin paikallistoimiston erikoisagenteille Gayle Jacobsille ja Nina Roesberrylle.